W9-DBG-740

USTED TIENE OJOS
DE MUJER FATAL

ANGELINA
O EL HONOR DE UN BRIGADIER

COLECCIÓN FUNDADA POR
DON ANTONIO RODRÍGUEZ-MOÑINO

DIRECTOR
DON ALONSO ZAMORA VICENTE

Colaboradores de los volúmenes publicados:

J. L. Abellán. F. Aguilar Piñal. G. Allegra. A. Amorós.
F. Anderson. R. Andioc. J. Arce. E. Asensio. R. Asún.
J. B. Avalle-Arce. F. Ayala. G. Azam. G. Baudot. H. E.
Bergman. B. Blanco González. A. Blecua. J. M. Blecua.
L. Bonet. C. Bravo-Villasante. J. M. Cacho Blecua. M.ª J. Ca-
nellada. J. L. Cano. S. Carrasco. J. Caso González. E. Ca-
tena. B. Ciplijauskaité. A. Comas. E. Correa Calderón. C.
C. de Coster. D. W. Cruickshank. C. Cuevas. B. Damiani.
G. Demerson. A. Dérozier. J. M.ª Díez Borque. F. J. Díez
de Revenga. R. Doménech. J. Dowling. M. Durán. H. Etting-
hausen. R. Ferreres. M. J. Flys. I.-R. Fonquerne. E. I.
Fox. V. Gaos. S. García. L. García Lorenzo. J. González-
Muela. F. González Ollé. G. B. Gybbon-Monypenny. R. Jam-
mes. E. Jareño. P. Jauralde. R. O. Jones. J. M.ª Jover Za-
mora. A. D. Kossoff. T. Labarta de Chaves. M.ª J. La-
carra. C. R. Lee. I. Lerner. J. M. Lope Blanch. F. López
Estrada. L. López-Grigera. L. de Luis. F. C. R. Maldonado.
N. Marín. R. Marrast. F. Martínez García. M. Mayoral.
D. W. McPheeters. G. Mercadier. W. Mettmann. I. Michael.
M. Mihura. J. F. Montesinos. E. S. Morby. C. Monedero.
H. Montes. L. A. Murillo. A. Nougué. G. Orduna. B. Pa-
llares. M. A. Penella. J. Pérez. J.-L. Picoche. J. H. R. Polt.
A. Prieto. A. Ramoneda. J.-P. Ressot. R. Reyes. F. Rico. D.
Ridruejo. E. L. Rivers. E. Rodríguez Tordera. J. Rodríguez-
Luis. J. Rodríguez Puértolas. L. Romero. J. M. Rozas. E. Ru-
bio Cremades. F. Ruiz Ramón. G. Sabat de Rivers. C. Sabor
de Cortazar. F. G. Salinero. J. Sanchis-Banús. R. P. Sebold.
D. S. Severin. D. L. Shaw. S. Shepard. M. Smerdou Altola-
guirre. G. Sobejano. N. Spadaccini. O. Steggink. G. Stiffoni.
J. Testas. A. Tordera. J. C. de Torres. I. Uría Maqua.
J. M.ª Valverde. D. Villanueva. S. B. Vranich. F. Weber de
Kurlat. K. Whinnom. A. N. Zahareas. I. de Zuleta.

ENRIQUE JARDIEL PONCELA

USTED TIENE OJOS
DE MUJER FATAL

ANGELINA
O EL HONOR DE UN BRIGADIER

Edición,
introducción y notas
de
ANTONIO A. GÓMEZ YEBRA

clásicos castalia

M a d r i d

Copyright © Editorial Castalia, S. A., 1990
Zurbano, 39 - 28010 Madrid - Tel. 319 89 40

Cubierta de Víctor Sanz

Impreso en España - Printed in Spain
Fernández Ciudad, S. L. 28007 Madrid

I.S.B.N.: 84-7039-583-1
Depósito legal: M. 43.458-1990

*Queda prohibida la reproducción total o parcial de este libro, su
inclusión en un sistema informático, su transmisión en cualquier
forma o por cualquier medio, ya sea electrónico, mecánico, por
fotocopia, registro u otros métodos, sin el permiso previo y por
escrito de los titulares del Copyright.*

SUMARIO

INTRODUCCIÓN

BIOGRÁFICA Y CRÍTICA

1. BIOGRAFÍA DE JARDIEL

1.1. *Primera etapa (1901-1926)*

Enrique Jardiel Poncela nació en Madrid el día 15 de octubre de 1901, cuando apenas le quedaban siete meses de regencia a doña María Cristina de Habsburgo-Lorena en un país que tenía 18 millones de habitantes, con un 68 % de analfabetos.

El recién nacido recalaba, sin embargo, en un hogar de intelectuales de clase media, sito en la calle del Arco de Santa María (Augusto Figueroa, en la actualidad), donde era acogido con no poco gozo al tratarse del primer varón,[1] fruto del matrimonio integrado por don Enrique Jardiel y Agustín y doña Marcelina Poncela Hontoria.[2]

Su padre, originario de Quinto de Ebro (Zaragoza), ejercía como periodista en *La Correspondencia de Es-*

---

[1] Le habían antecedido tres hermanas: Rosario (1895), Angelina (1897) y Aurora (1899), muerta ésta antes de nacer Enrique.

[2] Rafael Flórez recoge la nota de sociedad que *El Norte de Castilla* publicó con motivo de los esponsales: "Ha contraído matrimonio en Madrid la bella señorita y laureada artista vallisoletana doña Marcelina Poncela con don Enrique Jardiel y Agustín, sobrino del famoso orador sagrado don Florencio Jardiel, canónigo de Zaragoza. Fueron testigos don José Muro y el catedrático de la Universidad Central, don Mariano Viscasillas." *Mío Jardiel,* Madrid, Biblioteca Nueva, 1966, p. 18.

paña, labor literaria que completaba con una inclinación a la dramaturgia que heredaría su hijo y que le permitió publicar sin demasiado éxito un juguete cómico, *El primer baile,* y un libreto de zarzuela, *La gloria del inventor.* [3] La madre, a su vez, era una mujer de notables cualidades para la pintura, y pese a dedicar la mayor parte de sus energías a las cuestiones hogareñas, supo encontrar tiempo para ejercer su vocación, consiguiendo en 1912 una segunda medalla en la Exposición Nacional de Bellas Artes. [4] También ella inculcaría en el chico su afición, de la que Enrique daría muestras al efectuar ilustraciones en algunos de sus libros y al preparar diversos montajes para sus obras teatrales.

De esta manera, Enrique Jardiel Poncela se encontró en un ambiente sumamente propicio tanto a la expresión artística personal como a la recepción de estímulos culturales diversos. En su primera infancia tuvo al alcance de la mano, como posteriormente ocurriría a otro de los grandes dramaturgos de nuestro siglo, Antonio Buero Vallejo, [5] algunos teatrillos con los que jugar y alimentar su inclinación hacia el mundo de la farándula:

> Desde niño —tendría tres años, tal vez cuatro—
> sentí una vocación tenaz por el teatro;
> mis padres, que sabían cuál era mi pasión,
> me regalaron muchos de papel y cartón,
> y llegué a reunirlos en mi cuarto a granel:
> aunque en aquella época mi mayor ilusión
> no era escribir comedias ni trabajar en él,
> sino hacer que subiese y bajase el telón. [6]

---

[3] Ésta en colaboración con Enrique Gil Sarasate.

"El Buscón" (pseudónimo), "Jardiel Poncela", en *Biblioteca Figuras de Nuestro Tiempo,* Madrid, Ed. Purcalla, s. d., t. VI, p. 8.

[4] "Yo era un niño teatral. En más de una ocasión he rememorado aquel maravilloso teatrillo infantil, que conservo, y aquel otro, casi 'total', a que jugué largamente con varios amigos." Palabras a M. de Paco en A.A.V.V., *Antonio Buero Vallejo,* Barcelona, Anthropos-Ministerio de Cultura, 1987, p. 48.

[6] Fragmento del texto leído desde el escenario del teatro Borrás de

Con apenas cuatro años el pequeño Jardiel inicia sus estudios en la Institución Libre de Enseñanza, regida por el incansable Giner de los Ríos, y bajo la tutela de profesores como Zulueta, Ontañón, Blanco, etc., Y, si hemos de hacer caso al propio escritor, muy pronto iría de la mano de su madre a contemplar las obras maestras de nuestras artes plásticas en el Museo del Prado.

Abandona a los siete años su primer colegio, incorporándose a la Sociedad Francesa, aunque, en los días no lectivos, acompañaba a su padre a las sesiones del Parlamento, donde se debatía, ante los aplicados oídos del periodista y los aturdidos del niño, la célebre *ley del candado,* en la que se dilucidaba la independencia del estado frente a los poderes fácticos.[7]

Aunque la labor de Canalejas y los suyos era encomiable por cuanto proponía una reforma progresista, para el pequeño Jardiel las discusiones del Congreso tuvieron que ser francamente aburridas cuando no desesperantes. Del tedio apenas conseguiría librarse recordando las aventuras de los héroes literarios protagonistas en las obras de Dickens, Alejandro Dumas o Arthur Conan Doyle,[8] que por aquel entonces, según propia confesión, ocupaban sus ratos de ocio.

En esos últimos años de su infancia hacía incursiones, también con su padre, en los talleres del periódico, donde empezó a respirar el olor de la tinta aún fresca y a

---

Barcelona, el 17 de septiembre de 1943, al presentar su propia compañía teatral. E. Jardiel Poncela, *Para leer mientras se sube el ascensor,* Madrid, Aguilar, 1950, p. 21.

[7] "Y del mismo modo que a los siete años recorría el Museo del Prado de la mano tierna y poética de mi padre, a los nueve asistía a las sesiones del Congreso de los Diputados, desde la Tribuna de la Prensa, en uno de cuyos pupitres de primera fila llenaba cuartillas y cuartillas la mano vigorosa de mi padre." "Prólogo" a *Amor se escribe sin hache,* Madrid, Biblioteca Nueva, 1937[6], p. 16.

[8] También leyó a Píndaro, Dante, Lope, Ganivet y un largo etcétera, lecturas tomadas de aquí y de allá, sin orden ni concierto, sin apenas selección, como un nuevo Lope de Vega que necesitara alimentar su imaginación en muy diversas fuentes.

admirar la rápida y sugestiva composición de los textos por parte de los linotipistas. Gómez de la Serna, mentor y en gran medida maestro de Jardiel, dirá que éste "veía el juego del martingaleo periodístico de la época, el hacer pajaritas de papel con las grandes ideas y el faltar en la intimidad, aunque se les ensalzase en público, a todos los grandes hombres de aquel tiempo".[9]

De los once a los dieciséis años pasó a las denominadas "Escuelas Pías de San Antón", que regentaban los padres Escolapios en la calle Hortaleza. Allí estudia el bachillerato y realiza sus primeros escarceos literarios en un periódico escolar, *Páginas Calasancias,* donde encontraría un hueco su artículo "Piropeando y no me quedo parado", que ya manifiesta su particular inconformismo.[10]

Sin embargo, los padres escolapios no consiguen encauzarlo en materia religiosa, por lo que el escritor madrileño se irá convirtiendo, si no en ateo, sí en un contestatario jamás dispuesto a dejarse convencer por la teología cristiana. Su postura en cuestiones de fe quedaría plasmada en su cuarta novela, *La "tournée" de Dios,* que propone la figura de un Dios veterotestamentario poco atrayente para un hombre de su época.

Llegado a la adolescencia, Enrique se siente cada vez menos atraído por los estudios, entre los que apenas la literatura despierta su interés. Obtiene, con todo, el título de Bachiller, aunque lo que prefiere no sean las clases ni las misas a las que se ve obligado a asistir en el colegio, sino las obras de teatro que, de vez en cuando, tiene ocasión de presenciar:

Apenas si recuerdo una representación de *Los sobrinos del capitán Grant* y otra de *La pata de cabra,* contempladas

[9] "Prólogo" a E. J. Poncela, *Obras completas,* Barcelona, AHR, 1973[7], t. I, p. 11.
[10] Era un discurso crítico en el que reivindicaba el derecho —recién prohibido por un bando del alcalde— a celebrar con piropos, en la calle, las cualidades de las mujeres.

y admiradas en plena infancia desde el brazo de sendas butacas del teatro Apolo y del Circo de Price, respectivamente. Ya entonces mi sentido crítico debía ser muy personal, pues de *La pata de cabra* no me gustó nada, y de *Los sobrinos del capitán Grant* sólo aplaudí con entusiasmo el momento en que el buzo baja al fondo del mar y lucha por la posesión del cofrecillo. El tesoro que, según supe, se encerraba en el cofre tampoco me interesó lo más mínimo, lo que prueba que yo era un niño idealista, despreciativo de los bienes materiales. [11]

Ciertamente, el joven Jardiel no era un santo, ni lo pretendía, y, como tantos chicos de su edad, hubo momentos en que se dedicó con mucho mayor entusiasmo a escaparse de clase o a promover conflictos escolares que al estudio.

A los problemas psicológicos propios de la adolescencia se va a sumar en 1917 la grave enfermedad y el posterior fallecimiento de su madre, por la que sentía un cariño especial, casi enfermizo, que ha hecho a algunos críticos considerar que sufría un auténtico complejo de Edipo.

Doña Marcelina, por supuesto, adoraba a su hijo, quien, al llegar la primavera de 1917, hubo de trasladarse a la finca de Quinto de Ebro para dirigir, con quince años, todas las labores de la casa solariega en ausencia de su padre, a la sazón en Madrid. Al agravarse la salud de doña Marcelina, ésta se retiró a la finca, donde pasó, en entrañable relación con Enrique, los últimos días de su vida. La pérdida de la madre iba a procurarle algunos de sus mejores y más inspirados textos líricos, aunque la poesía, como a Cervantes, había de ser la gracia que no quiso darle el cielo:

"Se muere", dijo el médico
al trasponer la puerta.
Pero ella estaba muerta

[11] E. J. Poncela, *Tres comedias con un solo ensayo*, Madrid, Biblioteca Nueva, 1939², p. 70.

desde hacía ya tiempo; por lo menos un mes.
Calor de julio venía de la huerta,
un perfume de fruta y el rumor de la mies.
Mil novecientos diecisiete, en un pueblecito aragonés.

El período primavera-verano de 1917 había sido una etapa verdaderamente dura para el joven Jardiel, pero también la época de su primera dedicación intensiva a las letras. En aquel *locus amoenus* heredado de sus antepasados había descubierto su facilidad para expresarse por escrito, redactando cartas familiares, pergeñando novelas, componiendo poemas. Quizá como resultado de todo ello, cada vez que en lo sucesivo se encontró apurado para encontrar salida a alguna de sus obras, buscaba nuevamente ese refugio aragonés de sus días juveniles tan próximo a la tumba de su madre.

De vuelta a Madrid, y, deseando encontrar la preparación idónea para empezar una carrera, ingresó en el Instituto de San Isidro, de donde saldrá para matricularse en Filosofía y Letras, la única especialidad que podría resultarle atractiva por sus peculiares características y aptitudes.

No terminará, sin embargo, sus estudios superiores, aunque en algún momento dio a entender lo contrario, como cuando, en carta al periodista mejicano De María y Campos, comenta: "Hasta 1928 estudié en la facultad de Filosofía y Letras, que abandoné antes del doctorado",[12] afirmación que literalmente es cierta, pero incompleta, pues en la fecha citada llevaba ya algunos años dedicado exclusivamente a la escritura.

Desde 1916, en efecto, cuando la familia Jardiel-Poncela había cambiado de domicilio a causa de la enfermedad de la madre, Enrique había entablado una cordial relación con un muchacho de su misma edad e inquietudes literarias, Serafín Adame Martínez,[13] con quien se

[12] E. J. Poncela, *Obra inédita,* Barcelona, AHR, 1967, p. 119.
[13] Serafín Adame Martínez vivía en el 2.º izquierda del mismo bloque de viviendas (Churruca, 15) al que se trasladaron los Jardiel Poncela.

puso a trabajar en obras como *Dádivas quebrantan peñas*, juguete cómico en dos actos, y otras muchas que pueden considerarse su iniciación teatral. [14] Tres años después de conocer a Adame, y con varios millares de cuartillas a las espaldas, contacta con José López Rubio, a quien le unirá desde entonces una profunda amistad y una afinidad literaria poco común. Jardiel y López Rubio —a los que han de añadirse Tono, Neville y Mihura— participan, aparte de la coetaneidad, de una serie de características comunes, que L. Alemany resume así: "Todos ellos practican ese humor de vanguardia, todos ellos escriben teatro continuamente, todos ellos acceden al naciente mundo cinematográfico, todos ellos aceptan —de una manera o de otra— la dictadura franquista...; lo suficiente como para que a su través pueda hablarse de un grupo generacional definido". [15] Un grupo paralelo a la generación del 27, pero no por ello menos digno de estudio y, desde luego, más necesitado del mismo que los poetas del grupo consagrado, aunque habrá de verse con mayor perspectiva si pueden considerarse como "la otra generación del 27" o, simplemente "los humoristas del 27".

La actividad literaria de Jardiel Poncela empieza a ser ya sólo comparable a la de Lope de Vega. Si hasta 1919 había colaborado con Adame, sin dejar la producción propia, [16] a partir de entonces trabajará por su cuenta,

---

[14] En colaboración con Adame, en la década 1916-1926, escribirá, además de la recién citada, *Los amantes de Teruel*, *El reinado de Nabucodonosor*, *Salucilla*, *El gaucho negro*, *El doctor Harsckruck*, *Los azares de Ozores*, *El duende de la Colegiata*, *La precocidad de Irene*, *El divino Rafael*, *El príncipe Spada*, *El precipitado Rojo*, *América es así*, *Tener la mujer bonita*, *El vuelo del águila*, *En el silencio de la noche*, *Los ojos del monstruo*, *La ciudad de Viena*, *El seguro de vida*, *Para caso de incendio*, *A Roma por todo*, *Bienvenido Magallanes*, *El conde de Chateron*, ninguna de las cuales llegó a representarse.

[15] L. Alemany, "Introducción" a E. J. Poncela, *Pero... ¿hubo alguna vez once mil vírgenes?*, Madrid, Cátedra, 1988, p. 32.

[16] En 1917 había escrito la novela *Mosalud de Brievas*, y en 1918 *La voz de alarma* (novela), *El león castellano* (biografía teatral en verso), y *Blanca de Bouvines* (comedia).

pero sin abandonar la colaboración con Adame, y trabajando también con López Rubio,[17] José Simón Valdivieso,[18] publicando cuentos y artículos en la prensa,[19] preparando oposiciones a Hacienda,[20] y afanándose como redactor en el diario vespertino *La Acción.*

Jardiel se mueve por todos los lugares en donde se cuece algún movimiento literario, conoce a Ramón Gómez de la Serna (1922), asiste a algunas de sus tertulias en la Cripta del Pombo, y es llamado para integrarse en el grupo de humoristas que lleva adelante la revista *Buen Humor,* donde colaborará hasta 1928, pero encontrando tiempo para editar en *La Correspondencia de España* su novela corta *El plano astral.*

De la época de *Buen Humor* Gómez de la Serna recordaría más tarde: "En aquella redacción, que era como un piso de casa de huéspedes en la plaza del Ángel, me endilga versos, paradojas, burlas, toda una nueva teoría de lo cómico en el léxico de la calle moderna: *Pirulís de la Habana,* como aquellas chuletas de dulce, medallas de caramelo y palito para agarrarlas."[21]

Poco después, con su amigo López Rubio y con Antonio Barbero, crea el semanario infantil *Chiquilín,* sigue colaborando en *Buen Humor,* y se incorpora a los humoristas de la revista *Gutiérrez,* donde participa con el pseudónimo "Conde Enrico di Borsalino". Es llamado también a intervenir en una tertulia radiofónica, "Comentarios quincenales para oyentes informales", en la que eran asiduos Gómez de la Serna y otros miem-

---

[17] La comedia *Un hombre de bien.*
[18] Una comedia en tres actos: *Locura-Palace.*
[19] En *"Los lunes" del Imparcial,* y en *La Nueva Humanidad* y *La Correspondencia de España,* a donde llegó, como es lógico, de la mano de su padre.
[20] Nada se sabe sobre si llegó a presentarse alguna vez a los exámenes.
[21] R. Gómez de la Serna, cit., p. 8. Los *Pirulís de La Habana* son relatos de humor que Jardiel fue publicando en la prensa periódica y editó posteriormente, con este título, en Madrid, Ed. Popular, 1927.

bros de su grupo, y empieza a plantearse de una forma distinta su vocación literaria. [22]

En 1926 conoce a Josefina Peñalver, [23] con quien se une sin pasar por la vicaría, y con la que va a instalarse en la calle de la Santísima Trinidad. De su relación con ella nacerá, en primer lugar, su novela *Amor se escribe sin hache,* y, posteriormente, su hija Evangelina. Adame, por su parte, se había casado, y los dos amigos deciden abandonar definitivamente su cooperación en cuestiones escénicas, pues su visión del teatro se iba haciendo cada vez más distante: "El divorcio era inminente. Y surgió. Surgió en medio de una zarzuela de tres actos, *El conde de Chateron,* que nacía muerta, como los hijos de las mujeres robustas." [24] Con el cese de la producción con Adame concluye también la primera parte de la trayectoria literaria de Jardiel Poncela.

1.2. *Segunda etapa (1927-1936)*

Al replantearse su carrera como escritor, Jardiel repudia todo lo hecho hasta el momento, y cede a su amigo Adame la autoría de sus colaboraciones con él. El paso es decisivo, y el momento escogido para ello, no menos significativo: 1927 será el año que sitúe cronológicamente a los poetas que, de su generación, dejarán una impronta especial y que marcarán las etapas de la lírica en la primera mitad de siglo. En ese año Pedro Salinas publica *Seguro azar,* Alberti hace lo propio con

---

[22] "Ya no me gustaba escribir por escribir, ni escribía 'con facilidad', esa facilidad que es incompatible con el escritor, y cuando existe el escritor deja de existir ella. Ya empezaba a sentir, respecto al teatro, un impulso y un propósito definido. Y me *repugnaba lo dramático.* Y ya *adoraba lo cómico, pero de cierto modo.* Por razón de mis cuentos y de mis artículos empezaba a decirse que era 'un humorista joven de porvenir'." *Tres comedias con un solo ensayo,* cit., p. 74.

[23] Ella era casada y tenía un hijo, pero estaba separada de su marido.

[24] *Tres comedias con un solo ensayo,* p. 74.

El alba del alhelí, Luis Cernuda con *Perfil del aire,* e incluso otros olvidados, como Ramón de Basterra y Pedro Garfias sacan a la luz editorial *Virulo: Mediodía* y *Viento del Sur,* respectivamente. Jardiel no va a tener tanta suerte, ya que, decidido por la comedia humorística, dos de las obras escritas entonces, *El rápido de las 8 y 40,* y *Madame de Delfos* no son estrenadas ni editadas, y sus textos no han llegado hasta nosotros. Mejor fortuna obtendrá la comedia *Una noche de primavera sin sueño,* estrenada con éxito la noche del 28 de mayo en el teatro Lara.

El éxito de *Una noche de primavera sin sueño* en «La Bombonera» fue, desde luego, un aliciente más en su carrera de dramaturgo, pero no le abrió definitivamente las puertas de los mejores teatros ni de las mejores compañías de comedias. No era un desconocido, pues ya había puesto en escena otras obras que pasaron sin pena ni gloria, y había hecho, sólo o en colaboración, hasta ese momento, sesenta piezas dramáticas,[25] pero todavía se le negaban el pan y la sal, y la crítica se le mostraba esquiva, cuando no decididamente hostil.[26]

---

[25] Cuando algunos críticos hicieron hincapié en que "la comedia tenía inexperiencias propias de una primera obra", el propio Jardiel matizará: "Me cuidé mucho de no revelar el secreto y de no confesar que aquélla no era la primera, sino la sesenta y una, pues, si considerada como primera la encontraban inexperiencias, ¿qué concepto les hubiera merecido mi sagacidad mental sabiendo que la habían precedido sesenta nada menos? *Tres comedias con un solo ensayo,* p. 96.

[26] "La crítica me trató con cariño, como a una posible esperanza. No faltó, naturalmente, quien, como Díez Canedo, procuró envenenar mi alegría, llevado del 'morbo destructor' ya señalado. Ni faltó tampoco el que me aconsejó abiertamente que abandonara la pluma e hiciera oposiciones al catastro." *Tres comedias,* p. 96. Claro está que los problemas entre los dramaturgos y los críticos no se manifestaron únicamente entre Jardiel y sus contemporáneos. Ya A. Alcalá Galiano, en un "Diálogo leído en el Ateneo de Madrid el 29 de marzo de 1908" había puesto en boca del *artista* estas palabras: "Ni los críticos pueden seguir otro método del que siguen, ni pueden permitirse un criterio imparcial. Aquí, donde sólo se atiende a recomendaciones amistosas y a reputaciones hechas, no existe la verdadera crítica. O son diatribas contra el autor o bombos inmerecidos. (...) Yo entiendo la crítica desde

Jardiel había estado hasta 1927 dando tumbos en su carrera literaria e intentando ganarse la vida por medio de la pluma, lo que significaba precariedad económica y, por ella, una cierta insatisfacción vital que hará comentar a su amigo Gómez de la Serna: "Jardiel llevaba en sí mismo a un hombre desesperado. Era un "Figarillo con una causticidad renovada y progresiva. // Se quedaba pensativo mirando una botella o una pluma, como los niños que, al quedarse tristes, nos dan toda la idea de la pesadumbre humana". [27]

Cuentos, conferencias ante el micrófono, traducciones y adaptaciones teatrales, folletines, historietas para niños, canciones para cupletistas de barrios, recetas de cocina, comedias, novelas cortas y largas, textos para *spots* publicitarios, artículos periodísticos, todo le servía de ejercicio literario, y muy poco le proporcionaba el dinero indispensable para mantener a su pequeña familia, que el 20 de diciembre de 1928 veía nacer a su hija Evangelina.

Poco después, no obstante, terminada su relación con Josefina, Jardiel se quedará con la niña, a la que se entregará en cuerpo y alma. Por fortuna para ambos, el inventor de la greguería le había presentado al editor Ruiz Castillo, quien, con semejante recomendación, le pidió de inmediato, para su "Colección de grandes novelas humorísticas", una obra apropiada. Jardiel se puso a trabajar instantáneamente en una novela que sirviera como antídoto a las que en el género erótico se estaban publicando, con cierta aceptación, por aquel entonces. [28]

---

un punto de vista artístico, aspirando a un ideal que tiene su origen, no sólo en nuestra educación, sino en nuestra cultura heterogénea formada por lecturas, meditaciones y viajes." A. Alcalá Galiano, *Impresiones de Arte,* Madrid, Librería General de Victoriano Suárez, 1910, pp. 101-103.

[27] "Prólogo", cit., p. 9.

[28] "Se vivía una época, en el fondo graciosa, en que se hacían toneladas de 'literatura yaculante'. Pedro Mata gustaba mucho con *Un grito en la noche,* y *La Catorce,* y *Chamberí,* y *Una ligereza,* y otras; y

Se inicia así la inquebrantable amistad de Jardiel con José Ruiz Castillo, director de la editorial Biblioteca Nueva, quien publicará en 1929 la ya citada novela *Amor se escribe sin hache*, y en 1930, *¡Espérame en Siberia, vida mía!* Ambas obras supusieron otros tantos éxitos de público, y alzaron a nuestro escritor a la categoría de los ya consagrados novelistas de humor: Juan Pérez Zúñiga, Joaquín Belda, Fernández Flórez y Julio Camba. El definitivo éxito teatral se le resistía aún, y el estreno de *El cadáver del señor García* no arregló las cosas al resultar un auténtico fracaso, aunque le permitió contactar con Tirso Escudero. Éste, empresario del teatro de la Comedia, creyó en sus posibilidades y lo invitó a continuar en la línea iniciada, comprometiéndose a leer y estrenar próximas comedias suyas. [29]

El voto de confianza otorgado por Escudero sirvió para que Jardiel se consolidase como autor de comedias, pues enseguida decidió darle nueva vida a algunos de sus personajes favoritos, trasladándolos de las paginas de *La dama de las camelias* a la escena en una versión humorística estrenada bajo el título *Margarita, Armando y su padre*. La "infidelidad" a uno de sus autores predilectos le proporcionó al fin el éxito de público y crítica tan largamente esperado. Era el 17 de abril de 1931, y apenas tres días antes se había proclamado a bombo y platillo el nacimiento de la II República, en la

---

Alberto Insúa con *El negro que tenía el alma blanca* y *Mi tía Manolita;* y Eduardo Zamacois con sus *Memorias de un vagón de ferrocarril* y *Los dos*, entre otros éxitos muy suyos; y Antonio de Hoyos y Vinet con *El sortilegio de la carne joven* (...); y Emilio Carrère con *El más espantoso amor* y *Sangre en la guarida* (...), y Álvaro Retana con *El paraíso del diablo.*" R. Flórez, ob. cit., p. 130.

[29] Con él estrenaría, posteriormente, *Margarita, Armando y su padre* (1931); *Las cinco advertencias de Satanás* (1935); *Eloísa está debajo de un almendro* (1940); *El amor sólo dura 2.000 metros, Los ladrones somos gente honrada* y *Madre, el drama padre* (1941); *Es peligroso asomarse al exterior,* y *Los habitantes de la casa deshabitada* (1942); *Blanca por fuera y Rosa por dentro* (1943); *El pañuelo de la dama errante* (1945), y *El sexo débil ha hecho gimnasia* (1946).

que muchos esperaban la panacea de todos los males que ensombrecían el país. En ese ambiente festivo y esperanzado Tirso Escudero le propuso que escribiera una nueva comedia para la próxima temporada, y Jardiel empezó inmediatamente a trabajar en la que sería una de sus obras fundamentales: *Usted tiene ojos de mujer fatal,* trasladándose para ello a la finca de Quinto de Ebro.

A pesar de que se trataba de una adaptación teatral de su tercera novela, *Pero... ¿hubo alguna vez once mil vírgenes?* [30] no era tarea fácil, máxime cuando se le apremiaba a fin de que entregara el texto en un corto plazo, y se le exigía un papel especial para la nueva estrella de la compañía, Luisa Esteso: "Introduje un nuevo personaje, el de *Francisca,* destinado a ser desempeñado por la Estesito, y, después de mucho batallar, de romper, de rehacer, de balancearme entre el optimismo, la duda y el desánimo, concluí el acto primero, muy pasados ya los primeros días de noviembre. Había invertido en hacerlo más de cuarenta días, y lo cierto es que, al acabar, no estaba demasiado satisfecho con él". [31]

Su inveterada costumbre de escribir en los cafés lo llevaba en esas fechas al "Gijón". Allí fue a buscarlo la actriz para quien estaba preparando el personaje nuevo, y allí lo puso en antecedentes de los celos profesionales que con tal motivo habían surgido entre los actores de la compañía. Si no única, esa fue causa principal, en primera instancia, del retraso en el estreno de *Usted tiene ojos de mujer fatal,* y de su ulterior preterición.

De este modo, en el verano de 1932 Jardiel Poncela se encuentra sin contrato, sin dinero, sin perspectivas de estreno, y con una obra inédita que cada día transcurri-

---

[30] En realidad, es adaptación de la tercera y cuarta partes de la novela, aunque, lógicamente, con ingredientes de las dos primeras.

[31] E. J. Poncela, "Primer intermedio. Circunstancias en que se imaginó, se escribió y se estrenó *Usted tiene ojos de mujer fatal*", en *49 personajes que encontraron su autor,* Madrid, Biblioteca Nueva, 1942, p. 12.

do le parece peor elaborada y menos interesante. La situación no podía ser más grave cuando recibió una oferta de trabajo —como guionista en Hollywood— con un sueldo de 100 dólares semanales. José López Rubio era su ángel salvador, y Jardiel Poncela iba a iniciar su primera etapa en la meca del cine. Unos días antes del viaje, el actor Benito Cibrián le ofrecía estrenar la obra en Valencia, con su propia compañía, que llevó a cabo con enorme éxito el día 20 de septiembre. A continuación, realizó una gira por todo el país, alcanzando más de mil representaciones triunfales. Escudero no había acertado esta vez, pero tampoco el propio autor, quien, en carta dirigida a Cibrián, antes de partir hacia América, le auguraba: *les van a dar un meneo que se va a oír en El Grao. Me voy por no verlo. Dios le pague lo que ha hecho y ojalá me equivoque, que no me equivocaré.* [32]

La estancia en Norteamérica se prolongó hasta mayo de 1933. Allí tuvo la oportunidad de demostrar una vez más su capacidad para adaptarse a cualquier forma de acercamiento al público, y para desarrollar sus cualidades en el medio. Allí se plantea que "el verdadero escritor no tiene ni tendrá nada que hacer en el *cine* mientras no asuma en sí los cuatro cargos —u oficios— en que se apoya una producción cinematográfica: *escribir, dirigir, supervisar el 'set' y supervisar el montaje.*" [33]

Su postura coincidía en los cuatro aspectos con la que sostenía Charles Chaplin, con quien llegó a entablar una profunda amistad en esta primera visita a los estudios de la Fox Company. De vuelta a Madrid, no puede desprenderse tan fácilmente como esperaba del género que calificó como "el microbio más nocivo que puede encontrar en su camino un escritor verdadero", [34] y

---

[32] *49 personajes que encontraron su autor*, pp. 25-26.

[33] E. J. Poncela, "La depresión del viajero", en *Angelina o el honor de un brigadier. (Un drama en 1880)*, Madrid, Biblioteca Nueva, 1934, p. 9.

[34] Algo parecido opinará años después J. García Hortelano, que, en entrevista concedida a A. Vivas se quejará de que los guiones cinematográficos absorbían casi todo su tiempo, impidiéndole realizar su labor de

preparó el guión de la película *Se ha fugado un preso,* dirigida por Benito Perojo.

Los derechos de autor de *Usted tiene ojos de mujer fatal* le permiten comprarse un espléndido coche —objeto reiterativo a lo largo de sus obras— y efectuar diversos viajes, en ocasiones simplemente por el gusto de viajar, o para ir hasta algún casino, por lejano que estuviese, donde dejarse buena parte de lo honradamente ganado con su esfuerzo.

En los estudios "Billancourt" de París demuestra por enésima vez su ingenio al realizar para la compañía Fox una serie de cortometrajes, *Celuloides rancios,* a los cuales aportaba diálogos y efectos diversos que los convirtieron en pequeñas obras maestras donde bebieron buena parte de los cineastas de los 30.

Decidido a volver al teatro, escribe para Escudero *Angelina o el honor de un brigadier,* humorada en tres actos y una presentación, pero el empresario amigo no queda convencido, por lo que se la ofrece a Gregorio Martínez Sierra, con quien queda convenido su estreno en el teatro Infanta Isabel. El 2 de marzo de 1934 Jardiel volvía a apuntarse otro de sus más sonados triunfos, que Eugenio D'Ors glosaría en las páginas de *El Debate* en días sucesivos.

Mientras tanto, Jardiel vive días de vino y rosas con la actriz Carmen Labajos, quien le acompañaría hasta el fin de su vida, y prepara su segundo viaje a Hollywood, ahora con el sueldo doblado y escoltado por Martínez Sierra y la actriz Catalina Bárcena.

En los estudios de la Fox todo son facilidades, por lo que comienza el rodaje de la versión cinematográfica de *Angelina.* Su inquietud por el teatro y una indudable morriña le hacen regresar a Madrid, donde estrenará a poco de llegar la comedia *Un adulterio decente,* con

creación. Véase sobre este asunto nuestra edición de *Tormenta de verano,* en Madrid, Castalia, 1989, pp. 27-28.

enorme éxito, y, antes de cerrarse el año 1935, *Las cinco advertencias de Satanás,* con idéntico eco popular y de crítica. [35]

El año 1936 se encontraba a un escritor de valía incuestionable que no había tenido necesidad de incorporar a sus obras los temas políticos para saborear las mieles del triunfo. El suyo era —y bien lo sabían sus contemporáneos— "un teatro consciente e irónico de viajes y situaciones (...) con cosas sacadas de los más extraños rincones de la vida, con algo de comedias de magia y de absurdidad cínico-moderna, con probaturas locas". [36] Todo eso y mucho más, pero no era, indudablemente, un teatro ideológico, antiburgués o socializante. Lo suyo era divertir al público, provocar esa carcajada que le hiciera olvidarse de los pequeños problemas cotidianos, llevárselo al mundo de lo irreal posible o de lo fantástico, parodiando la vulgaridad y, sobre todo, la exquisitez afectada, una encomiable labor que buscaba la mejor de las catarsis.

La guerra civil le llegaba en su madurez espléndida, venía a interrumpir el "momento dulce" de su inspiración y de su trabajo. Terminaba de preparar los diálogos y el guión técnico para su nueva película, *Usted tiene ojos de mujer fatal;* acaba de estrenar con nuevo éxito *Cuatro corazones con freno y marcha atrás;* está reciente la edición de su novela corta *Los 38 asesinatos y medio del castillo de Hull,* y ha comenzado una serie de cortometrajes para Cifesa.

Apenas un mes después de estallar la guerra civil, el mismo día en que era prendido García Lorca en Granada, también Jardiel fue cogido prisionero bajo la acusación inconsistente de mantener escondido en su casa al abogado y político de derechas Rafael Salazar Alonso.

---

[35] Además escribe en el segundo semestre en ese mismo año tres monólogos para Catalina Bárcena no menos exitosos: *La mujer y el automóvil, Intimidades de Hollywood* y *El baile.* A ellos ha de sumarse la sinopsis de *Cuatro corazones con freno y marcha atrás,* todo lo cual convierte a este año en uno de los más importantes de su carrera.

[36] Gómez de la Serna, cit. p. 11.

No sin apuros consiguió el escritor librarse de los cargos que se le imputaban, pues la delación, como tantas en aquel entonces, se había producido por capricho o por venganza.[37]

Había comenzado la época de los *paseos,* y Jardiel decidió, como otros contemporáneos suyos, hacer las maletas en busca de un lugar más tranquilo donde seguir entregándose a la creación literaria. Años después, tras el estreno de *Los ladrones somos gente honrada,* cuando cierto sector de la crítica volvió a clavarle las uñas, tendría ocasión de manifestarse sobre aquellos momentos de la contienda civil en palabras que no dejan lugar a equívocos: "Y desde julio de 1936, en Madrid, en que vi robar, asesinar, expoliar y no dejar trasto sano ni ser humano vivo a individuos con oficios y profesiones de los conocidos con la denominación de honrados, nació en mí un sentimiento de simpatía hacia el 'chorizo' vulgar, que se juega la libertad cada dos por tres, unas veces por una cartera que no contiene más que una cédula, tres capicúas y dos entradas atrasadas de fútbol, y otras veces por un reloj de oro, en cuya aleación tiene el plomo un descorazonador 86 por 100".[38] Jardiel no era un contestatario, no buscaba recompensas, jamás se había afiliado o alineado en ningún sindicato, y no pretendía, por supuesto, granjearse enemigos políticos en el régimen que subvino a la guerra. Su planteamiento venía a significar la independencia del creador literario y una clara acusación a quienes, aprovechando el descontrol general en que vivió el país entre 1936 y 1939, se tomaron la mal entendida justicia por su mano. El olvido en que se ha visto su obra hasta estos dos o tres últimos años se debe en buena medida al efecto de

[37] En la otra zona Jorge Guillén iba a ser apresado días después y encerrado, con graves acusaciones de espionaje, en la cárcel de Pamplona. Ambos casos distan de ser idénticos, pero ilustran acerca de la actuación veleidosa y arbitraria de muchos ciudadanos de a pie que se encontraron con un fusil en la mano y con cierta capacidad para decidir sobre la vida de sus convecinos.

[38] En R. Flórez, *Mío Jardiel,* cit. p. 274.

desgaste que el tiempo y las modas han producido sobre sus obras y sobre su humor, aunque también a su reconocido antimarxismo no demasiado bien visto por la intelectualidad de los sesenta y los setenta.[39]

1.3. *Tercera etapa (1937-1952)*

Ni siquiera alguien como Jardiel, acostumbrado al ruido de los cafés mientras escribía, era capaz de centrarse en su labor durante la guerra. Necesitaba alejarse de Madrid, donde, por otra parte, un hombre de sus características no podía mantener a su familia, y se puso a intentarlo por diversos medios, hasta que, fingiéndose maestro nacional, se traslada a Barcelona en febrero de 1937 con un grupo de niños refugiados. En la ciudad catalana editará su libro gregueresco *Máximas mínimas,* y la adaptación para el cine de *Las cinco advertencias de Satanás.* Desde Barcelona marcharía posteriormente a Marsella, y de allí a Buenos Aires avalado por un falso contrato de trabajo en la compañía de Lola Membrives. Carmen Labajos y Mariluz —segunda hija de Jardiel— se reunirían con él poco tiempo después en Buenos Aires, mientras el resto de la familia se dirigía a Sevilla y a Galicia.[40]

En la capital argentina contacta con el barítono Sagi Vela y éste le hace replantearse la posibilidad de escribir una opereta que tenía en mente desde algún tiempo

[39] "Sorprendido por la guerra de liberación en el Madrid rojo, tras largos meses de sobresaltos y de sufrimientos de toda índole y después de muchos tumbos, desazones y peripecias, logré salir de territorio marxista por Barcelona, cuando ya Bilbao era de España, a bordo de un mercante francés, en el que el trato despectivo que se daba a los viajeros no conseguía borrar la indescriptible alegría de la salvación y la independencia recobrada. E. J. Poncela, "Circunstancias en que se imaginó, se escribió y se estrenó *Carlo Monte en Monte Carlo*", en *Dos farsas y una opereta,* Madrid, Biblioteca Nueva, 1939, p. 120.

[40] Resulta prácticamente imposible datar con exactitud estos hechos, como advierte L. Alemany en su documentada "Introducción" a E. J. Poncela, *La "tournée" de Dios* (Madrid, Biblioteca Nueva, 1989, nota

atrás, ofreciéndole la colaboración musical de los maestros Moreno Torroba y Brixio. Los compromisos de Jardiel con la radio, las editoriales, y los estudios cinematográficos, tanto como su necesidad de pisar la península, le hicieron desestimar esa y otras opciones,[41] regresando a España en mayo de 1938.

De nuevo en España, centra su trabajo hasta el fin de la guerra en San Sebastián, donde vuelve a su vorágine particular con artículos, novelas cortas,[42] la adaptación cinematográfica de *Margarita, Armando y su padre,* y el rodaje de *Celuloides cómicos.* Moreno Torroba no estaba en buena disposición, sin embargo, para colaborar en la opereta, y se desestima el proyecto, en el que va a participar desde entonces Jacinto Guerrero. La obra se estrenaría en el Infanta Isabel (16 de junio del 39) con el título *Carlo Monte en Montecarlo,* alcanzando la increíble cifra de 100 representaciones en una ciudad que, recién salida del túnel de la guerra, sufría un verano tórrido.

Aunque 1939 no parecía el año más a propósito para dedicarse a las letras, Jardiel publica *49 personajes que encontraron su autor,* y se lanza a escribir *Lo que ocurrió a Pepe después de muerto,* que se iba a estrenar en Barcelona el 6 de octubre. En vista de lo poco acertado del título, para su presentación en Madrid se convertiría en *Un marido de ida y vuelta,* que incluso la crítica más recalcitrante aplaudió.

17, p. 16). En efecto, las fechas propuestas por el propio Jardiel se contradicen, y R. Flórez, en su insoslayable biografía *Mío Jardiel,* lo supone en la península durante los primeros trece meses de la guerra.

[41] "E iba a dejar —incluso— un contrato por otras dos películas sin cumplir, que subía a veintiséis mil pesos, por dos opciones concedidas también a *Lumiton* (...). Y yo partí hacia España en un barco de la *Hamburg-Südamerikanische.*" Circunstancias en que se imaginó...", en *Dos farsas y una opereta,* cit., pp. 122-123.

[42] *Las infamias de un vizconde* (caricatura de folletín del siglo XIX), *El naufragio del Mistinquett* y *Diez minutos antes de la medianoche.* (Nota del editor en "Circunstancias en que se imaginó...", *Dos farsas y una opereta,* ct., p. 123.) También publicó en 1938 *Lectura para analfabetos* y *El libro del convaleciente.*

Antes de terminar el año, tiene tiempo todavía para convertir una vieja película del cine mudo, *La cortina verde,* en un producto cómico al estilo de sus viejos *Celuloides rancios,* titulado *Mauricio, o una víctima del vicio.*

En la primavera del 40 escribe la obra que va a significar su mayor logro en la escena, *Eloísa está debajo de un almendro,* presentada el 24 de mayo en el teatro de la Comedia. Con esta obra, que algunos críticos no han querido entender, Jardiel entraba por la puerta grande y definitivamente en el teatro del absurdo. [43]

Al llegar el verano se plantea sus necesidades económicas nuevamente, y, tras firmar un contrato para estrenar dos obras suyas por temporada (y en exclusiva) con Escudero, se lanza a cumplir otro de sus mayores anhelos: montar su propia compañía. Con ella lleva por provincias *Una noche de primavera sin sueño, Cuatro corazones con freno y marcha atrás, Un marido de ida y vuelta* y *Eloísa está debajo de un almendro.* El experimento resultó muy positivo, y, de vuelta en Madrid, se puso a escribir *El amor sólo dura 2000 metros.*

Estrenada esta última obra el 22 de enero del 41, constituyó uno de sus más sonoros fracasos, aunque también era imputable a la actividad y la postura de quienes no comprendían su teatro o no podían sufrir su continuidad creadora y exitosa. No se quería admitir que "poseía verdadero talento teatral, sentido de la acción y de la situación, del argumento y del personaje, (que) conocía los recursos y los usaba atinadamente". [44] Y no podían soportar que alguien estuviese continua-

---

[43] Ferviente defensor del teatro de Jardiel, R. Flórez exclamará al respecto: "Nos encontramos con un Jardiel perfilado en sus ansias, centrado en su búsqueda teatral para desarrollar más señeramente su vocación definitiva del Teatro del Absurdo (...) frente al teatro cómico desgastado (...) y frente al otro teatro, a la comedia convencional, alimentadora de la burguesía y media burguesía." *Jardiel Poncela,* Madrid, Epesa, 1969, p. 30.

[44] G. Torrente Ballester, *Teatro español contemporáneo,* Madrid, Guadarrama, 1969, p. 433.

mente en candelero. Resultaba imposible calificar la
obra como el cénit de su producción, pero en esa época
se estrenaron sin pateo otras más aburridas y peor
escritas. Lo que se estaba castigando al repudiar *El
amor sólo dura 2000 metros* era, probablemente, la
actitud de Jardiel hacia los críticos, para quienes siempre encontraba —con excepción de A. Marqueríe—
términos descalificadores. [45]

Como había ocurrido tras el estreno de *El cadáver del
señor García,* Jardiel —nuevo Ave Fénix— renace de sus
cenizas el 25 de abril con *Los ladrones somos gente
honrada,* obra que había esbozado, como vimos, durante las primeras secuencias de la guerra civil, aunque
entonces con el título *Los encantos de la delincuencia.*
Necesitaba resarcirse del fracaso anterior, y lo consiguió
en el breve plazo de tres meses. Tirso Escudero volvía a
sentirse feliz, y Jardiel, doblemente satisfecho, por lo
que vuelve a inclinarse sobre sus cuartillas para escribir
Madre (el drama padre), que se llevaría a escena antes
de finalizar el año.

En 1942, mientras España se recomponía a duras
penas sin decidirse por la absoluta neutralidad en la
segunda guerra mundial, cuando los Estados Unidos
acababan de incorporarse sin ambages a la misma,
recién fallecido Miguel Hernández en la cárcel de Ali-
cante, Jardiel presenta la versión cinematográfica de *Los
ladrones somos gente honrada;* [46] estrena en abril *Es*

*

[45] "Pero también yo, cuando empezaba, les traté injustamente afirmando que tenían talento. Hay gentes, y los críticos en España forman
en sus filas, a las cuales, cuando se les elogia, se les calumnia. A mí la
crítica con frecuencia se ha resistido a concederme inteligencia, pero
hace tiempo que me forjé el propósito de ser inteligente sin permiso. En
España casi todos los críticos pretenden ser autores, y ahí está el daño,
pues lo bueno que tiene el autor es lo que tiene de crítico, y lo malo que
tiene el crítico es lo que tiene de autor. Y cuando un crítico se convierte
en autor es cuando ve más claro lo mal crítico que es." E. Jardiel
Poncela, "La última entrevista", en *Teatro,* núm. 4, febrero, 1953, p. 32.

[46] La dirección correspondió entonces a Ignacio F. Iquino. Hay
versión de 1956, con guión de Javier Escrivá, interpretada por J. L.
Ozores, J. Isbert, Encarnita Fuentes, Julia Caba Alba, Rafael Bardem,

peligroso asomarse al exterior —cuyo título hace pensar en los acontecimientos internacionales recién citados— y, en septiembre, lleva a las tablas del teatro de la Comedia *Los habitantes de la casa deshabitada.*

Seguía triunfando en todas sus empresas, como iba a corroborar en 1943 el éxito de venta del volumen V de su teatro, *Una letra protestada y dos a la vista,* y del libro *Exceso de equipaje,* donde reunía asuntos varios, entre el subgénero *memorias* y la ficción novelesca. En el teatro de la Comedia volvió a anotarse otro sonado triunfo con *Blanca por fuera y rosa por dentro,* y por segunda vez forma compañía, con la que presenta en el teatro Borrás de Barcelona *Las siete vidas del gato* y *A las seis, en la esquina del bulevard.*

Puede considerarse el año de 1944 como el inicio de su declive. En ese período van a sucederse tres circunstancias adversas que influirán notablemente en su espíritu, dejándole unas secuelas de las que ya no se recuperaría. En febrero decide marcharse a América con su compañía para realizar una *tournée* por la zona del Plata, y allá se traslada con todo el elenco dispuesto a triunfar, y sin más recursos económicos que los propios ahorros y los previsibles derechos de taquilla y de autor. Tanto en Buenos Aires como en Montevideo, donde pensaba mantenerse en cartel por un período superior al mes, se encontró con la fuerte oposición de los exiliados políticos españoles, que veían en él a un embajador del régimen franquista. Nada pudo hacer Jardiel para desmentirlo, y los directores de los teatros apalabrados le rogaron que abandonase su empeño. Regresaba a España completamente arruinado y roto por dentro.

El desastre económico iba, además, acompañado de una crisis sentimental que confesará en 1949 a su amigo de siempre, Ramón Gómez de la Serna: "En estos cuatro años y pico la vida mía sólo ha sido mi sufrimiento, desarrollándose día a día como una bobina de papel

Carlos M. Solá, José Manuel Martín, Alicia Palacios y Antonio Garisa en los papeles principales.

continuo. Ya ahí, en Buenos Aires, había comenzado a poco de llegar, ese sufrimiento. La causa ya la supondrá: una mujer".[47]

Quiebra económica, insatisfacción amorosa, y muerte de su padre: todo durante la aciaga aventura americana. A tal cúmulo de adversidades se sumará un cáncer de laringe en 1945, que iba a acelerar su deterioro físico y psicológico cuando Jardiel, haciendo acopio de fuerzas, se había puesto a trabajar al ritmo frenético —y quizá desesperado ya— de antaño.

Todavía en 1945 va a cosechar otro éxito clamoroso con *Tú y yo somos tres,* que se repitió con *El pañuelo de la dama errante,* cuya centésima representación celebró con el estreno del paso de comedia *El amor del gato y el perro,* donde Amparito Rivelles y Pedro Porcel compartieron protagonismo. En ese mismo año se estrenará también la adaptación cinematográfica de *Es peligroso asomarse al exterior,* dirigida por Alejandro Ulloa.

La enfermedad sigue su curso, pero Jardiel necesita continuar creando y seguir publicando para mantenerse y saberse vivo.[48] Salen, por ello, los volúmenes VI y VII de su teatro, pero recibe un escandaloso pateo en el estreno de *Agua, aceite y gasolina,* en que partidarios y detractores del autor llegaron a las manos, produciéndose una auténtica batalla campal digna de ocupar toda una página de sucesos. Pese a todo, Jardiel encuentra aún ánimo suficiente para escribir *El sexo débil ha hecho gimnasia,* que estrenará en el teatro de la Comedia en ese otoño, recibiendo por ella —y como reconocimiento a su labor teatral de tantos años— el Premio Nacional de Teatro, 1946.

Ya no es el escritor *furens* que tiene listas sus comedias en un plazo récord que sólo Lope habría igualado. Le cuesta ya un esfuerzo considerable elaborar el prólo-

[47] R. Gómez de la Serna, cit., p. 14.
[48] "En suma, no he levantado cabeza en lo físico en todo ese tiempo y en lo literario no he hecho más que trabajar para comer." Palabras de E. J. Poncela en la carta transcrita por Gómez de la Serna, cit., p. 14.

go y los dos actos de *Como mejor están las rubias es con patatas*, que, en un alarde de vitalidad, estrena él mismo al frente de su propia compañía en diciembre de 1947 para padecer un recibimiento similar al de *Agua, aceite y gasolina*.

Abandonado por casi todos —incluso por quienes habían creado una peña jardielista—, enfermo, retraído en su casa, obligado a escribir para sobrevivir, empieza *¡Oh, París, ciudad sirena, que estás siempre junto al Sena!*, comedia que dejaría sin terminar. Estrena, no obstante, en el teatro Gran Vía de Madrid la comedia de intriga *Los tigres escondidos en la alcoba* el 21 de enero de 1949.

Sólo sus hijas Evangelina y Mariluz, su compañera Carmen Labajos y un pequeño grupo de incondicionales, como Serafín Adame, César González Ruano y algunos jóvenes artistas, le hacen compañía en los últimos dos años de su vida. En esa etapa aún publicó por algún tiempo un artículo diario en *El Alcázar*, y se editó su libro *Para leer mientras se sube el ascensor*, donde incorpora el poema autobiográfico en versos alejandrinos que había utilizado como conferencia un par de veces.

Murió el 18 de enero de 1952, y su entierro supuso una multitudinaria manifestación de dolor, a la que asistieron personas de todas las clases sociales y de todos los estamentos culturales. Había sido un hombre poco agraciado físicamente y de baja estatura, como él mismo manifiesta por escrito en ocasiones, pero de una gran vitalidad y de un carisma especial para dar con los resortes que hacen reír, aún hoy, al público más heterogéneo. [49]

---

[49] En los últimos meses de su vida llegó a extenderse la voz de que había enloquecido. La locura, desde luego, es tema predilecto de Jardiel Poncela, y con ella al fondo logró algunas de sus mejores comedias como *Eloísa está debajo de un almendro*. Su hija Evangelina, sin embargo, desmiente que su padre hubiese enloquecido en la última fase de su enfermedad: "loco no lo estuvo nunca, pero el exceso de

2. JARDIEL Y SUS TEXTOS

2.1. *Cuestiones previas. Novelas.*

La producción literaria de Jardiel es tan dilatada y resulta aún tan dispersa que su estudio completo se hace poco menos que imposible. Los intentos de R. Flórez, [50] J. Bonet Gelabert [51] y A. Canay [52] supusieron fundamentalmente la datación de cada obra y una clasificación por géneros.

El esquema cronológico de la producción literaria de Jardiel ha sido llevado a cabo con meticulosidad por Ariza Viguera, y a su libro fundamental [53] debe remitirse quien desee obtener tal tipo de datos. En esa obra, basándose en declaraciones de Jardiel y en algunos de sus textos, se intenta asimismo un retrato psicológico del escritor madrileño que ha de completarse cuando la perspectiva histórica sea más amplia.

Tampoco ha de abordarse aquí el número de obras y las causas de su repudio por parte de Jardiel, ya tratado por otros críticos. Siendo como fueron prácticamente todas ellas obras juveniles o en colaboración, es fácil entender que Jardiel las desestimase como suyas. Por otra parte, algunas fueron usadas como fuente de inspiración o como material de peso en obras posteriores, donde, como en muchas ocasiones, Jardiel se copió a sí mismo. Las rechazadas, pues, han de considerarse

---

Centramina que tomaba a veces podría pensar que lo estaba (...). Al final, lo que tuvo fue una intoxicación de esa medicina." Eva Jardiel Poncela, "Así era mi padre", cap. 32, *Sábado Gráfico,* núm. 762, 8/I/72, p. 42.

[50] *Mío Jardiel. Biografía de un hombre que está debajo de un almendro en flor,* cit.

[51] *El discutido indiscutible. Jardiel Poncela. Los que le ensalzan, los que le menosprecian, los que le imitan.* Madrid, Biblioteca Nueva, 1946.

[52] *Recuerdo y presencia de Enrique Jardiel Poncela,* Buenos Aires, Sudamericana, 1958.

[53] *Jardiel Poncela en la literatura humorística española,* Madrid, Fragua, 1974.

obras primerizas, imperfectas, o simples aproximaciones a temas abordados más tarde de un modo definitivo.

En cuanto a su producción novelística, es indispensable destacar la diferencia existente entre *El plano astral,* publicada en 1922, y las cuatro novelas restantes. Esa primera aproximación al relato largo se efectúa cuando Jardiel es apenas un joven de 20-21 años, y, como toda obra primeriza, plasma las inquietudes personales de su autor, tanto en asuntos amorosos como, aquí fundamentalmente, en cuestiones de tipo espiritista, por las que se sintió atraído durante toda su vida.

La novela apenas tiene que ver con el resto, y sólo resulta de interés por cuanto supone un ensayo de motivos, un reflejo de ansiedades y una iniciación en el género. En cuanto a lo humorístico, apenas se puede vislumbrar el futuro Jardiel en algún que otro detalle esporádico, en algunos rasgos de humor, y en el gusto por lo sobrenatural, lo parapsicológico o lo misterioso, que incorporaría con tanto éxito posteriormente a su teatro. El mismo autor dejó de incluirla en su *curriculum* a partir de 1930.

De más calidad y mayores pretensiones son sus novelas escritas entre 1928 y 1932: *Amor se escribe sin hache,* "novela cosmopolita"; *¡Espérame en Siberia, vida mía!,* "novela de aventuras"; *Pero... ¿hubo alguna vez once mil vírgenes?,* "novela del donjuanismo", y *La tournée de Dios,* "novela casi divina".

Las tres primeras podrían considerarse una trilogía del erotismo en clave de humor,[54] actitud que se puede interpretar tanto un deseo de aprovechar la coyuntura literaria del momento, en que la novela erótico-pornográfica gozaba de numerosos adeptos, como un reflejo de la actitud amatoria de Jardiel, cuyos protagonistas masculinos habrían de tomarse por un *alter-ego* de su autor.

[54] "Se trata (...) de obras en las que el erotismo, tratado humorísticamente, es (...) tema dominante." E. de Nora, *La novela española contemporánea,* Madrid, Gredos, 1979, t. II, p. 259.

Si hemos de hacer caso al escritor, su intención sería moralizante, pues en más de una ocasión advirtió que pretendía, con su tratamiento irónico del erotismo, hacerlo desaparecer. Lo cierto es que las tres novelas, cuyo erotismo resulta a estas alturas de siglo bastante blando, utilizan los resortes de la novela amorosa de su época sin caer en lo pornográfico, dejando al lector una sensación de tristeza que, a buen seguro, lo aparta, aunque sea temporalmente, de la novela erótico-pornográfica. [55]

Sesenta años después de la publicación de esas novelas, y tras haber tenido ocasión de conocer tantos planteamientos de lo amoroso como se han dado en lo literario y en lo fílmico, las novelas de Jardiel, que algún crítico no considera como "buenas", porque en ellas se "destruye esa mínima realidad que debe sobrevivir para que la novela sea tolerable", [56] continúan resultando tolerables, y sólo dentro de un contexto histórico-cultural muy concreto cabe imaginarse que hayan sido prohibidas. Sí es verdad, con todo, que algunos efectos resultan grotescos, que ciertos rasgos humorísticos nos parecen hoy algo broncos, que más de un asunto ha perdido vigencia o interés, y que la exageración origina en buena medida un sentido de deshumanización ya apuntado por Torrente Ballester y otros críticos. Tales cuestionamientos son, en parte, fruto del tiempo, que todo lo modifica, y producto también de la labor de mímesis efectuada por los continuadores de Jardiel, que se han servido de sus aciertos sin moderación, de tal forma que hemos llegado a considerarlos como auténticos defectos.

El sistema es básicamente idéntico en las tres novelas del ciclo amoroso: un personaje va a la busca y captura

[55] Algo similar propone Bonet Gelabert cuando indica que "en un temperamento joven esa novela suscita un amargo sabor de boca y, después de leerla, es muy difícil, por no decir imposible, volver al género erótico en serio; pero no porque lo erótico haya perdido atractivo, sino porque le falta la gracia". Ob. cit., p. 49.

[56] G. Torrente Ballester, ob. cit., p. 432.

del objeto sexual allá donde éste se encuentre, y, una vez alcanzado, lo abandona para ir a la caza del siguiente. Depredación amorosa, insatisfacción sexual, amor como juego, burla del sexo, donjuanismo masculino y femenino, misoginia, y frustración, forman algunos de los conceptos aplicables a esta manera de interpretar la cuestión amorosa por parte de Jardiel, quien, desde luego, no se los ha inventado, como tampoco su uso literario. [57]

En el fondo de las tres novelas se descubre una tremenda insatisfacción por parte del autor, que no ha tenido la fortuna de encontrar un amor a la medida de su necesidad, un amor que lo liberase de sí mismo y de sus fantasmas. El consumismo erótico que se detecta en los protagonistas como aparente burla de la trascendentalidad amorosa denota una carencia suma y una desesperanza invencible. Aunque *Amor se escribe sin hache,* pudiera considerarse una especie de homenaje a Josefina Peñalver, lo cierto es que el desengaño amoroso está ya presente en esa primera novela de la trilogía, y se hará más patente en las restantes. Todas, hemos de tener en cuenta, se publican después de que Josefina ha abandonado la casa que compartían, dejándole como único consuelo a su hija Evangelina.

Las protagonistas de las tres novelas —incluso Natalia Lorzain de *La tournée,* como advierte Ariza Viguera— están dibujadas de idéntica manera, todas ellas

[57] "Tanto la intención como los procedimientos nos son ya, en gran parte, conocidos: la sátira del erotismo y de la novela erótico-pornográfica a través de aventuras amatorias de grueso calibre, tratadas y recortadas humorísticamente, la había realizado ya J. Belda; el propósito aleccionador en la burla, el contraste doblemente crítico entre las versiones librescas del amor y la observación de la vida real, el pesimismo entre regocijado y amargo, nutría ya el *Relato inmoral* de W. Fernández Flórez; la misoginia feroz que sigue al derrumbamiento del ideal erótico, la saciedad embotada, asqueada, a costa y con sacrificio del sentimiento, están ya en Gómez de la Serna (*La viuda blanca y negra, El gran hotel, El chalet de las Rosas, El novelista,* etc.); Jardiel Poncela no hace más que entremezclarlos y combinarlos de un modo personal (o más bien arbitrario), con una ligereza amarga, con un dolido desenfado peculiar." E. de Nora, ob. cit., pp. 259-260.

parten de un denominador común: se enamoran a primera vista, siempre por un detalle baladí, por una frase graciosa, por una "apariencia", jamás por un valor contrastado o por una postura ante la vida. Todas ellas, pues, vienen a ser una idéntica protagonista de cabeza y vida vacías, que no sabe ver más allá de lo presente, más allá de la superficie de las cosas y de las personas. Su misma vaciedad las tiene prisioneras y las obliga a buscar elementos de relleno que nunca las satisfacen. Todas ellas, pues, se encuentran inmersas en un círculo vicioso del que están incapacitadas para salir.

Otro tanto les ocurre a los protagonistas masculinos, que E. de Nora denomina "títeres" y "fantoches". En ellos vierte Jardiel toda su sabiduría y todo su ingenio humorístico, pero en ellos hay un vacío mayor, si esto es posible, y en ellos se reflejará la más cruel de las paradojas: la del cazador cazado. Elías Pérez Seltz, de *Amor se escribe sin hache;* Mario Esfarcíes, de *¡Espérame en Siberia, vida mía!,* y Pedro de Valdivia, de *Pero... ¿hubo alguna vez once mil vírgenes?,* son otros tantos donjuanes que la sátira de Jardiel va degradando hasta convertirlos en personajes casi despreciables, donjuanes con minúscula, ridículos, enamorados vergonzantes, reducidos a polvo tras el primer "no". Cierto que quizás en esa situación resulten algo más normales y espontáneos, pero no menos cierto que su normalidad es entonces completa anormalidad. El enamorado donjuán jardielesco llega a ser un personaje absolutamente impresentable, en el que se caricaturizan todos los pequeños matices del amor que el romanticismo mal entendido ha hecho llegar hasta nosotros, desde el abandono del aseo corporal hasta el deseo de morir por inanición, pasando por la etapa de compositor de versos cargados de tópicos. Por suerte para estos donjuanes de altos vuelos y poca monta, a su lado va un auxiliar —un admirador casi siempre, como señala Ariza Viguera— que es un producto complejo, un híbrido situado en el centro de un triángulo cuyos vértices ocupan el espejo del protagonista, el gracioso de Lope y el intelectual

venido a menos. Este auxiliar llega a ser continuación
realizada del personaje central, una especie de hijo
artificial, y, desde luego, un amigo válido, aunque de
menor protagonismo.

Creados sus personajes, Jardiel difícilmente se olvida-
ba de los principales, a los que incorporaba en ocasiones
a obras posteriores, si bien en papeles mucho más
secundarios. No creo que pueda verse en la segunda
aparición de los mismos un deseo de continuidad semejante al que motivó una segunda parte del *Quijote,*
una continuación del *Lazarillo,* o descendientes a la
Celestina, por ejemplo, pero sí una especie de seña de
identidad e incluso una autocita entre cómica y seria, de
las que tanto gustaba Jardiel.

Por otra parte, no hay por qué desestimar la complacencia del creador ante su criatura a la que así contempla viva una vez más y le sirve de *spot* publicitario (de la
obra en que aparecía por primera vez) ante un lector
nuevo. En el caso de Jardiel, necesitado de publicar
continuamente para sobrevivir, no sería descabellado
considerar esta última opción.

En cuanto a lo que puede denominarse la "historia"
de cada novela, ésta apenas presenta continuidad, aunque se trata en cada caso de contar el proceso amoroso
de los protagonistas. Se parte de una entrevista de los
personajes centrales en la que se produce —como muy
bien observa Ariza Viguera— un diálogo ingenioso que
deslumbra e incluso cautiva a la mujer. A partir de
entonces Jardiel se abandona a su inspiración y deja
correr vertiginosamente su pluma en un afán desmedido
de rellenar cuartillas con la mayor cantidad posible de
agudezas, pero con poco orden. Las páginas se leen tan
deprisa como fueron escritas, y el lector se abandona
indefectiblemente al ritmo impuesto, incapaz de rebelar-
se ante la tiranía del autor. Las aventuras se suceden en
un ágil discurrir de situaciones a cuál más imprevisible,
a cuál menos lógica, desprovistas de ilación, sumadas
unas a las otras hasta proporcionar la talla y el peso que
humorística, pero en este caso el deseo de novelar se

su autor desea. Da la impresión de que Jardiel podría seguir acumulando secuencias hasta el infinito y que lo habría hecho si dispusiera de papel continuo o se sintiese presionado por el editor.

Sus héroes novelescos van de flor en flor, como si pretendiese dar a entender "que el apetito erótico, incluso en histéricas y ninfómanas (...) sólo se alimenta y renueva con la variedad". [58] La rapidez en la creación literaria y lo vertiginoso de la sucesión de acontecimientos permiten, por una parte, que el autor mantenga en todo momento a sus criaturas bien amarradas a su hilo conductor, pero le hacen caer en repeticiones de algunos motivos cómicos, en idénticas posturas vitales por parte de los protagonistas, y en un cierto desaliño en el nudo argumental. Todo se salva, si no con esa carcajada de 400 cuartillas que Jardiel buscaba, al menos con la sonrisa continua y el ánimo bien dispuesto a la risa frecuente.

La tournée de Dios, publicada el mismo año de su primer viaje a Hollywood, presenta unas características especiales que han hecho de ella la más interesante y la más abordada por la crítica. En ella Jardiel efectúa un giro muy digno de alabar por cuanto se había hecho con un público adicto, y había encontrado una serie de efectos que podía seguir usando sin preocuparse por dar mayor novedad a su obra. En *La tournée de Dios* Jardiel lleva a cabo por primera vez una novela con todas las de la ley, desde el planteamiento previo hasta la tesis final pasando por el desarrollo psicológico de los personajes y el aparente desorden en la sucesión numérica de los capítulos. [59] Claro que la clave, como en todo Jardiel, es

---

[58] E. de Nora, ob. cit., p. 262.

[59] "Lo primero que nos llama la atención al comenzar a leer la novela es la enumeración anárquica, al parecer, de los capítulos. Tratándose de un humorista, el primer pensamiento que nos hacemos es el de que se trata de un motivo cómico; sin embargo, esta ordenación, como explica Jardiel, es cronológica. Es decir, el capítulo 21 se encuentra entre el 55 y el 56, pero, como sucede antes del 22, lleva el número que le debía corresponder en el tiempo." Ariza Viguera, ob. cit., p. 49.

antepone al de hacer reír, justamente lo contrario que ocurría en la trilogía de tema erótico. Es la última de sus novelas y, sin duda, su novela de madurez, en que la reflexión domina a la inspiración, y el humor se supedita a la tesis. El protagonismo del humor —como indica L. Alemany— queda aquí al servicio de una determinada concepción del Universo. [60]

Dividida en tres partes, propone también una historia de amor, la del matrimonio Orellana, si bien mucho más humanizada por cuanto el hijo —Federico— muere, y la unidad familiar se deshace. Junto a ésta se desarrolla también la crónica de la segunda llegada de Dios a la Tierra, que Jardiel engarza con la historia de amor a través de dos personajes secundarios: el homosexual Perico Espasa y el doctor Flagg.

Tras la multitudinaria recepción hecha a Dios en el "Cerro de los Ángeles", donde se producen multitud de disturbios, el "divo" Dios va perdiendo adeptos hasta quedarse en la más hiriente soledad cuando no puede salvar al niño Federico. Abandonado por todos —reflejo tal vez del Viernes Santo—, Dios se marcha de la Tierra tras tomar el tren que, desde la estación de Atocha, lo ha de llevar nuevamente al Cerro de los Ángeles. Ha sido una *tournée* de veintiséis días durante la cual Jardiel ha tenido ocasión de exponer su ideología religiosa. Su propio desencanto de la religión se refleja en el desencanto de las muchedumbres, dispuestas a aceptar un Dios milagrero —el Dios que pedía Herodes—, pero en modo alguno el Dios comprometedor del *Nuevo Testamento,* el de las bienaventuranzas. El de Jardiel Poncela, como ya han hecho notar algunos estudiosos, era el Dios de los hebreos, por cuyo calendario se rige antes de emprender su segunda andadura terrestre, y cuya historia conoce a la perfección, por tratarse de su pueblo escogido. [61]

---

[60] L. Alemany, "Introducción" a *La tournée de Dios,* Madrid, Biblioteca Nueva, 1989, p. 30.

[61] No comparto, sin embargo, la opinión —un tanto extendida— de

2.2. *El teatro*

La aceptación pública de sus novelas era un premio deseado por Jardiel, pero un premio insuficiente para quien se había convertido en escritor a través de obras teatrales de diversa categoría. Jardiel era un dramaturgo por naturaleza, y como tal necesitaba la presencia de su público para poder saborear con plenitud sus creaciones: no buscaba lectores pasivos; necesitaba espectadores activos. Por ello, a mi entender, abandona definitivamente el género después de *La tournée de Dios,* aunque le quedan por delante veinte años de fecunda vida literaria.

Su dedicación a la novela le había proporcionado mayor soltura, algo de dinero, un gran número de adictos, y el descubrimiento de varios temas de interés que llevar a la escena. Era una deuda importante, y Jardiel tuvo en mente volver al género novelesco en algún otro momento, deseo que no vería cumplido. [62]

Entregarse al teatro en cuerpo y alma era su más ferviente anhelo, y el género era el que mejor se avenía a sus características de hombre "quijote, bohemio, y con mucho orgullo" [63] y de artista del diálogo y de las relaciones insospechadas.

---

que Jardiel asume el Dios judío en razón de la posible etimología hebrea de su apellido. Sería simplificar en exceso una problemática bastante más profunda. A mi modo de ver, Jardiel fue "mal educado" en la fe cristiana, y su formación religiosa no pasó de las primeras lecciones de Historia Sagrada aprendidas por imposición en el colegio. A este motivo pueden sumársele algunos otros, como su fobia a las masas y su afición por lo esotérico, ya comentada.

[62] A su regreso de América, por ejemplo, hará notar en el texto que sirve de introducción a *Angelina:* "Resuelto a abrir otra vez fábrica y a desparramar cuartillas escritas sobre mis pobres contemporáneos, repasé notas y papeles, y me hallé con suficiente material de 'stock' (diremos 'stock' para que se perciba lo que puede influir América sobre un español) con que escribir las siguientes cosas: *cinco comedias, un libro de viajes y dos novelas.*"

[63] C. Galán Lores, "Enrique Jardiel Poncela", *Zaragoza,* XXVI, p. 148.

Es justamente entonces cuando empiezan a salir de su pluma las mejores obras que dio a la escena, entre las que han de incluirse *Usted tiene ojos de mujer fatal* y *Angelina o el honor de un brigadier,* aquélla de 1932 y ésta de 1934; la primera en prosa, la segunda en verso, si bien ya era conocido como comediógrafo antes de esas fechas y comedias.

Cuando Jardiel planta sus tiendas en los escenarios del momento tiene como antecedentes y competidores de categoría especial a, cuando menos, tres maestros en sus respectivos campos: el laureado Benavente de la comedia costumbrista y el drama rural, el aplaudido Arniches de la tragedia grotesca, y el genial Muñoz Seca del estridente astracán. Jardiel los había leído a los tres, tuvo ocasión de ver representadas sus obras y de conocer el efecto de las mismas en el público, y supo asumir sus logros, [64] aunque intentase hacer creer que su propio éxito se debía única y exclusivamente a su ingenio:

> Mi plan, inspirado en un deseo de mejora del teatro, consistía sencillamente en lograr un humorismo escénico, o, lo que es igual, en elevar lo cómico; en basar lo cómico en el análisis, haciéndole penetrar así dentro de la órbita humo-

---

[64] No hay que olvidar, de ningún modo, el influjo de los hermanos Álvarez Quintero, Martínez Sierra y, sobre todo, de García Álvarez. El mismo Jardiel hizo notar: "Los Quintero, con Benavente y Martínez Sierra constituyen el triunvirato de los autores teatrales contemporáneos 'conocidos en todo el mundo' (...) los Quintero (...) han creado un Teatro propio, jugoso, ingenioso, brillante y personal, tras de cuyas emanaciones nutritivas han corrido como gatos hambrientos docenas de autorcetes sin personalidad ni vergüenza (...). Arniches es otro *gran autor* (...) García Álvarez, muerto recientemente, no sólo es otro de los *grandes autores* teatrales españoles contemporáneos, sino el único que, en su género, ha rozado varias veces lo genial (...) García Álvarez influyó, transformó y aguzó a quienes ya poseían una manera propia y condujo, orientó y creó a quienes no tenían un estilo absolutamente personal (...) ha dado a luz un Teatro cómico violento, grotesco, fantástico, maravillosamente disparatado, sin antecedentes en nuestro país ni en los ajenos." "Lectura de cuartillas", en *Tres comedias con un solo ensayo,* cit. pp. 24-26.

rística. // Eso en cuanto a la esencia. En cuanto a la
realización, mis propósitos eran igualmente definidos y
sintéticos, a saber: // posible novedad en los temas /
peculiaridad en el dálogo / supresión de antecedentes /
posible novedad en las situaciones / novedad en los enfo-
ques y en los desarrollos. [65]

Lograr el humorismo escénico era pretensión de todos
los autores cómicos de su época, y lo sigue siendo; la
novedad en los temas no es tanta como pretende —sí en
el tratamiento de algunos temas—; la peculiaridad en el
diálogo ha de concedérsele; la supresión de antecedentes
es discutible; la novedad en las situaciones es uno de sus
mayores aciertos, y su particular enfoque y desarrollo de
las obras puede considerarse otro de sus mejores logros,
aunque también una de las causas de alguno de sus más
sonados fracasos y de las críticas adversas.

Jardiel se consideraba un renovador de nuestro teatro
y lo fue en cuanto que hizo tambalear el conformismo
de los autores, sacó a la luz la escasa preparación de los
actores, despertó de un largo letargo a los tramoyistas
—encarándose por ello con los empresarios—, e hizo
afinar mucho más a los adocenados críticos que se
permitían el lujo de hacer el comentario de un estreno
sin haber asistido a él.

En palabras de uno de sus más tempranos y acertados
críticos, A. Marquerie, Jardiel tuvo muy en cuenta, a la
hora de componer cada una de sus comedias, "descartar
de la invención lo habitual y lo cotidiano, lo trillado y lo
fácil", imponiéndose "una autovigilancia para huir de lo
manido, del tópico, tanto en la construcción como en el
diálogo", y crear "un juego original y desusado y, por
tanto, lleno de riesgos, en el que invitaba a participar a
los menos y a los más, es decir, a todo el público". [66]

Por otra parte, Jardiel había proyectado también un
escenario nuevo que podía haber supuesto una auténtica

[65] Id., p. 78.
[66] "Novedad en el teatro de Jardiel", en *El teatro de humor en
España,* Madrid, Editora Nacional, 1966, p. 67.

revolución en nuestro teatro. Todo se le fue quedando pequeño a su desbordante fantasía y a su increíble capacidad de trabajo y visión del complejo mundo teatral. Los principales defectos que se le han achacado: superficialidad en el tratamiento de determinados temas, y ausencia de trascendentalidad, no le restan mérito alguno. Los "jardielistas", su público fiel, no asistían a sus puestas en escena para sumergirse en nuevos problemas que sumar a los de la historia universal, nacional y particular. Su teatro pretendía arrancar al espectador del ritmo cotidiano y hacerle olvidar siquiera por las dos o tres horas que duraba la representación, la coyuntura socio-económica, a través del más noble de los medios de catarsis: la risa.

Si a esta primera y nobilísima intención se añade la espléndida utilización del lenguaje en los diálogos (y en las acotaciones), el acierto en el manejo de un número verdaderamente elevado de personajes novedosos, y su incursión decidida en el teatro del absurdo, Jardiel merece un lugar más alto entre nuestros escritores contemporáneos del que se le ha venido concediendo. [67]

2.2.1. Estructuras y temas

En primer lugar, destaca el hecho de iniciar las obras con un prólogo, que casi nunca tiene nada de introductor como no sea en el caso de *Angelina*. [68] En esta obra, efectivamente, el prólogo sirve para la autopresentación de los personajes, al estilo más clásico. En el resto de las

---

[67] Pese a todo, como A. Valencia, "no estoy seguro de que llegase a ser todo lo que pudo". Probablemente, porque en "su obra hay mucho esfuerzo esterilizado por la dispersión —cine—, por las urgencias vitales, por la pugnacidad contra cosas o personas que no merecían la pena", "¿Qué pudo Enrique Jardiel Poncela?", *Estafeta Literaria,* núm. 340, p. 8.

[68] En *Los habitantes de la casa deshabitada* el prólogo sirve para proporcionar indirectamente al espectador algunos datos sobre los personajes y sobre el asunto.

obras, el prólogo puede considerarse "un acto indepen-
diente argumental y situacionalmente, que supone la
primera quiebra con la realidad". [69]

Impelido a trabajar con urgencia, apenas hallada la
idea nuclear de la obra, Jardiel se lanza a escribir el
prólogo, donde él mismo va tomando conciencia de las
posibilidades dramáticas del tema y donde sus personajes empiezan a tomar posiciones. Sólo en *Angelina*
—y hasta cierto punto en *Los habitantes de la casa
deshabitada*— al prólogo puede concedérsele la función
de sinopsis previa con material a desarrollar en los actos
subsiguientes. Las demás obras tienen en el prólogo su
primer acto.

Efectuado el planteamiento en el prólogo, Jardiel
pasa de inmediato a insertar una larga serie de secuencias que complican la trama hasta límites insospecha-
dos, con una continua incorporación de personajes y de
datos nuevos, alguno de los cuales pudieran haberse
evitado, pero que resultan un apoyo imprescindible para
la progresión de la obra, siempre "haciéndose sobre sí
misma". Tal cúmulo de elementos dispares y de enredos
subsidiarios resulta a veces casi inverosímil, y algunos
están tomados por los pelos; todos ellos proporcionan a
cada obra ese aire de controlado caos que Jardiel irá
desmadejando posteriormente, hasta llegar a un final
que responde al motivo inicialmente planteado.

En todos los casos la obra tiene un planteamiento
circular, en que se llega siempre al principio tras numerosas vueltas y digresiones, algunas peregrinas. Ni Jardiel pretendía una línea uniforme, ni su musa se lo
permitía: era imprescindible proporcionar de continuo
sorpresas, novedades con las que pasmar al espectador y
con las que obligarlo a salir de sus esquemas prefabricados. Sólo en las últimas escenas Jardiel se relaja y
permite que su público encuentre lo que buscaba después de haber reído sin tregua. "Sólo en los últimos

---

[69] M. J. Conde Guerri, *El teatro de E. J. Poncela: aproximación
crítica*, Zaragoza, Institución "Fernando el Católico", 1981, p. 28.

momentos, como en el viejo juego de las cajas chinas, se descubre la clave más pequeña, centro de lo racional, presentada en un entorno fantástico. En medio, el suspense, la intriga, luces y sombras que iluminan un clima de interés ascendente, equilibrado entre la tensión y la risa». [70]

Sin embargo, existe en las obras una unidad interna, un hilo conductor —en ocasiones, difícilmente asible— que tiene su origen, a mi entender, en tres causas: la idea proteica en estado de latencia, jamás preterida; el breve período de tiempo en que la obra solía gestarse —que permitía mantener frescos en la memoria todos los detalles—, y el destino de cada comedia, siempre escrita para una compañía y un teatro concreto.

Aunque en varias oportunidades el destino final no coincidió con el prefijado, ya porque los personajes cobrasen mayor alcance del previsto, ya porque la obra no fuese finalmente aceptada, o, simplemente, porque el elenco artístico no resultó el idóneo, Jardiel tenía muy en cuenta las características de cada compañía y la necesidad de hacer participar con un papel *ad hoc* a sus actores. Esto, que podría haber encasillado a Jardiel, sirvió de adecuado freno a su extraordinaria fantasía y a su no menor facilidad para crear personajes.

En cuanto a los temas —sigo a A. Marqueríe, en *Veinte años de teatro en España*—, las obras teatrales de nuestro autor podemos agruparlas en tres temas principales: amor, sátira y enigma, y uno secundario: la ultratumba. El tema del amor, presente en la práctica totalidad de las obras, está abordado desde muy diversos puntos de vista o subtemas: amor reconquistado por truco, por medio de la sinceridad, a través de la dialéctica, tras el perdón; amor desvanecido; amor imposible, y amor descubierto. [71] La sátira se hace del

---

[70] Id., p. 35.

[71] Amor reconquistado por truco: *El cadáver del señor García, Blanca por fuera y Rosa por dentro, Una noche de primavera sin sueño, Un marido de ida y vuelta;* por sinceridad: *Usted tiene ojos de mujer fatal* y

juego y el azar, del cine, del malo, de la inconstancia amorosa, de los prejuicios, de la suplantación y de la inmortalidad. [72] El enigma se sostiene con muy diversos elementos, [73] y la temática de ultratumba se desarrolla en *El pañuelo de la dama errante* y en algunas secuencias de otras obras.

Aunque excelente, como toda clasificación, resulta empobrecedora, ya que esos temas no son exclusivos en cada obra, y a veces resulta difícil determinar cuál es el predominante. *Angelina,* por ejemplo, catalogada entre las comedias de *amor reconquistado por medio del perdón,* puede considerarse sátira de las comedias de amor al uso, burla del donjuán e incluso caricatura del concepto español de *honra. Los ladrones somos gente honrada,* incorporada al quinteto de comedias de *enigma,* es también comedia moralizante en que se produce la regeneración del delincuente por medio del amor, y comedia policiaca o detectivesca. Y, desde luego, *Eloísa está debajo de un almendro* es comedia del *absurdo* —si éste es un tema y no un sistema—, de la locura, comedia detectivesca y también de amor.

Siempre se ha criticado, y así lo hace García Pavón en un espléndido trabajo, que "lo social, lo ético, lo político, lo filosófico, la misma crítica de costumbres" [74]

Agua, aceite y gasolina; por dialéctica: *Es peligroso asomarse al exterior;* por el perdón: *Angelina o el honor de un brigadier.* Amor desvanecido: *Margarita, Armando y su padre, Un adulterio decente.* Amor imposible: *Las cinco advertencias de Satanás.* Amor descubierto: *El amor del gato y el perro.*

[72] La sátira del juego y el azar: *Carlo Monte en Monte Carlo;* del cine: *El amor sólo dura 2.000 metros;* del malo: *Madre, el drama padre;* de la inconstancia amorosa: *A las seis, en la esquina del bulevard;* de los prejuicios: *El sexo débil ha hecho gimnasia;* de la suplantación: *Como mejor están las rubias es con patatas;* de la inmortalidad: *Cuatro corazones con freno y marcha atrás.*

[73] De enigma considera A. Marquerie *Eloísa está debajo de un almendro, Los ladrones somos gente honrada, Los habitantes de la casa deshabitada, Las siete vidas del gato* y *Los tigres en la alcoba.*

[74] "Inventiva en el teatro de Jardiel Poncela, *Cuatro corazones con freno y marcha atrás",* en *El teatro de humor en España,* p. 93.

estaban ausentes en sus obras. Aunque ya queda dicho que ni él pretendía ser la ruidosa conciencia de la sociedad, ni el público iba a sus estrenos en busca de la trascendentalidad perdida, la continua burla a que somete el modo de vida de la clase social en que se movía dota a sus comedias de una blanda moraleja, y les proporciona un aire de censura nada desdeñable. Por otra parte, sus obras dramáticas —y no sólo las de miedo, como predica Pérez Minik— sirvieron de terapéutica o analgésico para aliviar el dolor de sus contemporáneos y para distraerlos[75] de sus negocios, interpretados éstos en el sentido etimológico del término. No es Jardiel un escritor "social" y mucho menos hombre de hondas preocupaciones metafísicas, pero su afán por deleitar lo llevó a un agudo análisis de algunas aberraciones de la sociedad contemporánea, que supo motejar sin ira y con cierta compasión, postura que no deja de ser loable.

2.2.2. Lenguaje y humor

Si lenguaje y humor van estrechamente unidos en toda obra destinada a hacer reír, lo están más en el teatro Jardiel, cuya comicidad, en buena medida, se origina en los juegos de palabras de todo tipo, equívocos, retruécanos, chistes, refranes, etc. No se olvida, desde luego, del argot (puesto en boca de sus maleantes de diverso pelaje), hace uso de multitud de vulgarismos, arcaísmos y cultismos que le sirven para la auto-calificación/descalificación de sus personajes, y no se recata a la hora de hacerlos expresarse con regionalismos.

Los juegos de palabras forman el plato fuerte entre los instrumentos lingüísticos para producir el humor. En el primer acto de *Angelina,* sin ir más lejos, Jardiel crea en boca de Germán una nueva acepción al término

---

[75] D. Pérez Minik, "Jardiel Poncela o el humor extraviado", en *Teatro europeo contemporáneo. Su libertad y compromiso,* Madrid, Guadarrama, 1961, p. 420.

fumar, formando así un juego de palabras de suave sentido erótico: "Humo que a los dos evoca / fundiendo nombre con nombre, / por lo cual ansía el hombre / llevarse ambos a la boca; / y el final siempre ha de ser / idéntico de sencillo: / o *fumarse* el cigarrillo / o *fumarse* la mujer.»

En el mismo lugar y obra la aliteración y la similicadencia actúan también en sentido humorístico, como puede verse en este comentario de Federico: "Por ella estás sollozante... / Por ella un llanto abundante / te remoja en este instante..."

También allí encontramos casos de derivación —a veces, pseudo-derivación— que provocan la sonrisa: "la *amo* con *amor amargo*", y otros motivos humorísticos fundados en la hipérbole: "lumbre de cigarro, lava", o "Una mirada / y ya he quedado enterada / de que aquí hay gato encerrado. ¿Gato?... ¡Tigre, hijitas mías!"

Los ejemplos de metáforas disparatadas ("eres imán para los hierros de amor") o de comparaciones con ingredientes chuscos y vulgares ("y puesto que nuestra unión / ya es como una fruta pocha") son también numerosos, pudiéndoseles incorporar asociaciones de ideas diversas como la que presenta esta muestra: "¡Mientes con toda tu boca! / ¡Mientes con todos tus dientes!"

Todavía en ese primer acto de *Angelina* hallaremos ripios, versos ridículos, sentencias fuera de lugar, diminutivos con sentido irónico, dilogías, y un sinfín de resortes más que se completan en esa y otras obras mediante antítesis, alteraciones silábicas, repeticiones, onomatopeyas, creaciones léxicas, apodos, etc.

Como elementos humorísticos pueden rastrearse también a lo largo de su teatro algunas greguerías, que en otro lugar he definido como "una modalidad de expresión aforística dirigida a provocar la sorpresa del receptor". [76] Greguerías emparentadas con sus "máximas

---

[76] En mi edición de *Greguerías,* de R. Gómez de la Serna, próxima a ver la luz.

mínimas" pueden considerarse numerosos comentarios de diversos personajes, en especial las atildadas respuestas de Oshidori, que siempre tiene a flor de labios una frase de su señor en *Usted tiene ojos de mujer fatal:* "El crepúsculo es un fracaso diario de la Naturaleza"; "los héroes, los enamorados y los planetas no tienen apellidos"; "todo criado está en la obligación de ser un estuche a un amo que es una alhaja", o las expresadas por el mismo Sergio: "El amor, Adelaida, es como la salsa mayonesa: cuando se corta uno, hay que tirarlo y empezar otro nuevo.[77]

También los apartes suelen tener una función humorística, muchas veces con elementos distanciadores y en otras dirigiendo la atención del público hacia alguna cuestión que podía haber pasado desapercibida. Algunos rompen la monotonía de un momento más serio o menos movido, como cuando Oshidori, tras haber oído a Sergio despreciando a Leonor, comenta para sí y para el público: "Eso es castigar, y no dejar sin postre." El aparte entra así —dirá M. C. Guerri— "dentro del diálogo cómico ilógico, ya que gran parte del carácter inverosímil de sus conversaciones se difuminaría sin la doble perspectiva que se nos propone ahora".[78]

El diálogo cómico ilógico se integra también en los recursos más utilizados para hacer reír. Consiste en una serie de réplicas sucesivas entre dos personajes, cuya conversación nace en un hecho real para llegar a una situación o pensamiento absurdo a través de una concatenación lógica de ideas. Otras veces el humor se consigue a través de una conversación extraordinariamente anodina a base de alusiones más que de ideas,

---

[77] C. Escudero ha anotado, en *Es peligroso asomarse al exterior,* algunas tan interesantes como éstas: "la muerte por amor es la única que le permite a uno seguir viviendo"; "le parecía más fácil morir por una mujer que vivir con ella"; "vivir es lo más antihigiénico que existe, porque de vivir se muere todo el mundo"; "el ensueño es el domingo de los pensamientos». *Nueva aproximación a la dramaturgia de Jardiel Poncela,* Murcia, Universidad, 1981, p. 48.

[78] Ob. cit., p. 45.

con proliferación de esquemas lingüísticos prefabricados. Así puede comprobarse en éste de *Un marido de ida y vuelta,* cuando, en el primer acto, Díaz y Pepe hacen mutis:

> SIGERICO.   Porque tú y yo, tía Leticia, llevamos dentro, desde niños, un no sé qué...
> LETICIA.   Precisamente. ¡Un no sé qué! ¡Qué bien lo expresas!
> SIGERICO.   Un no sé qué que nos hace sentir... qué sé yo qué cosas, ¿no es cierto?
> LETICIA.   Es cierto.
> SIGERICO.   Y que a ratos nos pone cualquiera sabe cómo, ¿eh?...
> LETICIA.   Eso, eso...
> SIGERICO.   ... haciéndonos pensar a saber qué, ¿no?
> LETICIA.   Sí.
> SIGERICO.   ... sin que podamos decir lo que sentimos ni lo que pensamos, ¿verdad?
> LETICIA.   ¡Precisamente! Yo me analizo, y eso es lo que me pasa precisamente.
> SIGERICO.   Tú te has casado con un hombre vulgar.
> LETICIA.   *Incorporándose muy seria.* ¿Sigerico! ¡Pepe es tu tío!
> SIGERICO.   Sí, y a pesar de ello, es un hombre vulgar. Porque un hombre que opina que los "Sonetos" de Shakespeare son una lata...
> LETICIA.   *Echándose de nuevo en el diván.* Me es muy doloroso escucharte, pero te escucho porque aún no son las once. [79]

En resumidas cuentas, puede decirse que Jardiel utilizó todos los recursos a su alcance para hacer reír, desde los usados por el teatro clásico español, de Rueda o de

---

[79] *Dos farsas y una opereta,* cit., p. 270. Diálogos como éste darían pie, posteriormente, a numerosos ejemplos entre los seguidores de Jardiel. En el momento actual creo que el humor de las populares cómicas conocidas como "Las Virtudes" responde a estas características. Los "diálocos" que suelen publicar semanalmente Tip y Coll en la revista *Blanco y Negro* van más en la línea del diálogo ilógico y se fundamentan en múltiples deformaciones, tanto en la morfología como en el significado de las palabras.

Lope, hasta los más característicos del humor negro inglés, sin despreciar el movimiento, el gesto y las situaciones que pudieran despertar una carcajada. No menos importante dentro de su concepción del amor son las paradojas existenciales a que somete a algunos personajes, como la marquesa-criada, la enamorada-masoquista o el célebre autor de tangos convertido en chófer por su deseo de aproximación a Sergio, en *Usted tiene ojos de mujer fatal*. [80] Su humor no se detenía en una única parcela de la comicidad; era el humor total.

2.2.3. Personajes

Todo, en las novelas y en teatro de Jardiel, acabamos de ver, tiene una finalidad: hacer reír; todo está, por tanto, condicionado por el humor. De ahí que sus personajes aparezcan tratados superficialmente y que su dibujo psicológico nos proporcione tipos más que caracteres. La práctica totalidad de los mismos se reduce a estos tres: galanes y damas, criados, figuras secundarias.

Los galanes están configurados en mayor o menor medida con las prerrogativas del donjuán; esto es, pertenencia a una clase social acomodada que les permite vivir ociosamente, refinamiento, gracia natural, atractivo físico, actitud desdeñosa con las mujeres conquistadas, cierto hastío de la vida, arrogancia, familiaridad espontánea con sus subalternos, y algunas notas de infantilismo. [81]

---

[80] Véase F. Lázaro Carreter, "*Usted tiene ojos de mujer fatal,* de Jardiel Poncela., *Blanco y Negro,* 9-VII-89, p. 12.

[81] A. Marqueríe definirá a Valentín, protagonista de *Una noche de primavera sin sueño,* en estos términos: "elegante, gracioso, simpático, un poco o un mucho bohemio, con ciertos ribetes de cinismo y de dandysmo, a ratos petulante y otros grosero y sentimental, sin caer en la sensiblería ni en la cursilería, mitad caballero y mitad aventurero, atraído por el peligro del que luego procura ponerse a salvo con sangre fría, tranquilidad y buen humor; hombre de cierta cultura literaria que hace frases de apariencia wildeana o shawiana va a ser, con unos u otros

Aunque ocasionalmente los donjuanes jardielescos efectúen su autopresentación —como veremos en *Angelina*—, lo normal es que se los defina en las acotaciones previas a su salida a escena:

> Félix es, en síntesis, un hombre excepcionalmente agradable. A sus cuarenta y cinco años el refinamiento de su existencia ha conservado aún en él trazas de *juventud* gracias a la influencia vivificadora del cambio de ambientes, de sensaciones y de ideas, y, al mismo tiempo, el flujo y reflujo de las pasiones propias de un hombre maduro le han proporcionado la capacidad de crueldad y la dureza de alma necesarias al individuo si quiere triunfar sobre la vida, sobre los hombres, y más singularmente, sobre las mujeres. Félix ha triunfado sobre todo ello repetidamente y empieza ya quizá a sentir la fatiga de todo triunfador al apreciar lo hueco que es el éxito, lo insípido de su gusto y el humo en que se desvanece. [82]

Es, por tanto, un tipo netamente español, [83] en el que se ha visto retratado con excesiva frecuencia al comediógrafo madrileño. Por su tratamiento humorístico, el donjuán de Jardiel acusa, más que sus predecesores en el género, los defectos que le son inherentes: bravuconería, nihilismo, exageración y dejación tras el fracaso amoroso. En *Angelina,* además, Germán queda ridiculizado al ser vencido en duelo a pistola por un viejo corto de vista

---

nombres, y con determinadas variantes de circunstancias que no afectan a su esencia y sustancia fundamentales, un personaje-clave en la mayoría de las obras teatrales de Jardiel." Art. cit., p. 71.

[82] *Las cinco advertencias de Satanás,* en *49 personajes que encontraron su autor,* cit., p. 231. El subrayado es mío.

[83] Sobre este tema, véase el *Don Juan,* de G. Marañón (Madrid, Espasa Calpe, col. Austral), donde afirma que no es un prototipo español, ni andaluz, sino un producto de sociedades decadentes. O, entre tantos aportes notables, la *Contribución al estudio del tema de don Juan en el teatro español,* de J. Casalduero (Madrid, José Porrúa Turanzas), en cuya página 7 defiende: "El mito se engendra en España a comienzos del siglo XVII —importan muy poco sus raíces legendarias, pues los elementos folklóricos que lo constituyen adquieren un sentido gracias a *El burlador*— y él simboliza una de las facetas del hombre moderno."

a quien sus lentes apenas proporcionan una mínima ayuda. [84]

Respecto a las damas, cabe distinguir tres subtipos: en el primero han de incluirse aquellas que reflejan el ideal femenino de Jardiel y que se podían caracterizar por su dulzura, su encanto personal y su elegancia, y cuya edad no suele rebasar la treintena. Entre ellas destaca con luz propia Elena, en *Usted tiene ojos de mujer fatal,* sobre todo por cuanto no es un fiel trasunto de aquella Vivola Adamant devoradora de hombres de *Pero... ¿hubo alguna vez once mil vírgenes?,* que sirvió de base a la obra. La presentación de Elena nos la propone como un personaje casi de ensueño: "Tiene treinta años, pero con la luz eléctrica no debe aparentar más de veinticinco. Es de una belleza graciosa y pensativa. Mujer moderna, hecha para las sensaciones, lo mismo se la confundiría con una de aquellas dulces y románticas damas que aún pueden verse en los viejos grabados de la escuela inglesa". [85] Si tenemos en cuenta, además, que Elena conseguirá la redención del empecinado donjuán, estamos ante una criatura extraordinaria que tiene muy poco o nada que envidiar a las protagonistas del teatro "serio".

En el siguiente nivel podríamos considerar el de las jovencitas delicadas, todo candidez, todo ternura, apenas salidas de la adolescencia, a las que Jardiel trata con un mimo especial, ignoro si por representar a alguno de sus amores más o menos secretos, por encarnar la inocencia, o por reflejar la juventud perdida que él estaba contemplando en sus hijas, a las que profesó siempre un cariño singular. Entre ellas encontramos a Coral, en *Las cinco advertencias de Sanatás,* Herminia, en *Los ladrones somos gente honrada,* Sibila, en *Los habitantes de la casa deshabitada.* A Sibila se la presenta-

---

[84] En los prolegómenos del duelo don Justo comenta a Germán: *"tuvo una nube en un ojo / y ahora de vista anda flojo / y no ve tres en un burro."*

[85] "Prólogo" de *Usted tiene ojos de mujer fatal,* tras la conversación entre Pepita y Oshidori y la parrafada de éste al teléfono con la condesa.

rá en estos términos: "Se trata de una muchacha de unos veinte a veintidós años, de aspecto triste, melancólico, y de una palidez y un decaimiento casi enfermizos. Viste un traje de casa muy elegante, pero muy sencillo, casi infantil". [86]

En el tercer apartado han de incluirse una clase de damas que, sin dejar de estar bien provistas de encantos físicos y algunas gracias espirituales, sus visibles defectos y su mayor edad respecto a las del primer grupo, nos impiden considerarlas como ideal o prototipo de mujer. Más de una nos resulta de un romanticismo empalagoso, otras de una vanidad insoportable, algunas demuestran unos nervios excesivamente dispuestos a saltar por los aires, y un par de ellas se dejan caer en la melancolía. Annie Borel, como ya notó Ariza Viguera, es quizá la que cumple la mayoría de estos requisitos, pues Jardiel la presenta en estos términos: "Elegante y bastante distinguida (...) bonita pero no demasiado, y la seducción, la fascinación que se desprende de su persona radican, no en la belleza, sino en la delicada armonía de sus líneas (...) profundamente vanidosa, y su misma vanidad la lleva, a veces, a afectar una sencillez extremada (...) posee el convencimiento de ser una mujer extraordinaria, un prurito invencible de singularización y de hacerse admirar siempre por algo, y un temperamento caprichoso hasta lo absurdo, que no excluye ni la sed de dominio ni el amor al dinero". [87]

Los criados, por su parte, responden a tres subcategorías bien definidas: los pertenecientes al grupo del gracioso clásico que Lope tipificó en sus comedias como compañero y contraste de sus más genuinos protagonistas, particularmente Gregorio, en *Los habitantes de la casa deshabitada;* los que efectúan diversos servicios domésticos aportando papeles secundarios de tinte cómico, entre los que están Hermenegildo en *Es peligroso*

[86] *Los habitantes de la casa deshabitada,* Acto I, en *Teatro Selecto de E. J. Poncela,* Madrid, Escélicer, 1968, p. 194.
[87] *El amor sólo dura 2.000 metros,* Madrid, Escélicer, 1953, pp. 8-9.

asomarse al exterior, e incluso Leoncio en *Eloísa está debajo de un almendro,* y los geniales mayordomos jardielescos sobre los que destacan Fermín, en *Eloísa,* y, especialmente, Oshidori, en *Usted tiene ojos de mujer fatal.*

Estos últimos se nos presentan como lo mejor de las creaciones de Jardiel, y pueden definirse como "una proyección a pequeña escala de sus señores". [88] En el caso de Oshidori, prototipo de todos ellos, su protagonismo es tal que eclipsa a Sergio, relegándolo a un papel inferior y asumiendo el principal. Difícilmente puede verse en ellos a un criado, ni ellos se consideran así. Vienen a ser "hijos por adopción" y "ampliación de la vida de sus amos", una "sucursal operando en ciudades más reducidas, de menos habitantes". [89] Cierto que la suya es una personalidad al servicio exclusivo de su señor y que su proyección externa es nula, pero eso constituye toda su felicidad, y el único mal que podrían temer sería el resultar apartados de sus obligaciones. Su actitud, y algunos aspectos de su gracia, están próximos a la de los mayordomos ingleses, pero su caracterización completa es patrimonio exclusivo de Jardiel.

3. USTED TIENE OJOS DE MUJER FATAL

Estrenada primeramente en Valencia, el 20 de septiembre de 1932 —tras la espantada de Jardiel, que no creyó en ella—, la obra llegó al teatro Cervantes de Madrid precedida del éxito en provincias para estrenarse el 1 de septiembre de 1933. No era el proceso normal, pero ya vimos antes los diversos avatares por los que tuvo que pasar hasta su aceptación por la compañía de Benito Cibrián.

A pesar del éxito, del dinero que proporcionó al autor [89], de las más de mil representaciones efectuadas,

---

[88] Ariza Viguera, ob. cit., p. 160.
[89] Le permitió comprarse un coche y disponer de la tranquilidad suficiente para ponerse a trabajar a su gusto, sin prisas y sin trabas de ningún tipo.

Jardiel mantuvo siempre con *Usted tiene ojos de mujer fatal* cierta precaución, nacida, a buen seguro, de las críticas previas, pero quién sabe si originada también en un cierto hastío del tema, que había extraído, como se apuntó, de *Pero ... ¿hubo alguna vez once mil vírgenes?*

El argumento, seguramente, después de tantas lecturas, correcciones, variaciones, tenía que resultarle fastidioso y, desde luego, poco original: "Un famoso don Juan es requerido por los herederos de un viejo millonario para que, utilizando sus acreditadas dotes de seductor, separe de su lado a una mujer joven que está dispuesta a casarse con el millonario. Cuando se dispone a entrar en funciones, descubre que se trata de una de sus innumerables amantes, pero precisamente de la única de quien se enamoró sinceramente. Al intentar conquistarla, con amor verdadero, fracasa, cayendo en un estado de melancolía que, en definitiva, hace que ella vuelva a su lado, convencida de su sincero amor". [90]

Era, sin embargo, obra en la que podía manifestar ante el público una interpretación distinta del popular tema del donjuán, algo entonces de plena actualidad en el que se estaba tomando partido desde todos los frentes. Jardiel no compatía la mayor parte de los puntos de vista de Marañón sobre el mismo, pero el análisis psicológico del donjuán llevado a cabo por el ilustre médico e investigador le daban ocasión de crear aspectos inéditos en el tratamiento humorístico del personaje. La virilidad equívoca del donjuán, que Marañón delataba, le parecía a Jardiel algo descabellado, y por eso, a mi modo de ver, hace que Sergio bese a Oshidori en la boca confundiéndolo con Elena en el estado de semi-inconsciencia inmediatamente posterior al sueño.

Marañón proponía también que el donjuán era incapaz de amar, otro cuestionamiento que Jardiel va a desmentir enamorando a Sergio de Elena, y convirtiéndola en el objeto amoroso perfectamente diferenciado que se supone es la meta del varón normal.

En cuanto al tema de los celos, sobre el que Marañón había afirmado que el donjuán era incapaz de sentir el agravio amoroso, Jardiel convierte a Sergio en una furia cuando se entera por Pantecosti, en los últimos compases del primer acto, que el barón se va a casar con ella.

Desde luego, la comparación entre el sultán y el donjuán que Marañón lleva a cabo para afirmar que aquél convive con todas sus mujeres en un *status quo* de jerarquías aceptadas, mientras los amores del donjuán son irremediablemente sucesivos, pudo muy bien dar origen a la nómina de criadas y secretarias de Sergio en *Pero... ¿hubo alguna vez once mil vírgenes?* y de *Usted tiene ojos de mujer fatal,* una de las mejores aportaciones de Jardiel en ambas obras y géneros.

Claro está que el donjuán de Jardiel es una caricatura del clásico, y *Usted tiene ojos de mujer fatal* puede considerarse "una burla del donjuanismo, farsa en la que un conquistador triunfa precisamente cuando han fracasado en la apariencia sus dotes de seductor", [91] pero esta burla ha encontrado, a mi entender, muchas de sus posibilidades humorísticas en las discusiones que sobre el tema se sucedieron en los primeros años del siglo, y particularmente en los aportes de Marañón. [92]

Respecto al resto de los personajes y motivos diversos de la obra, muy poco cabe señalar ya. Si acaso resaltar la magistral tipificación del mayordomo en la figura del inefable Oshidori; recordar las marcadas diferencias psicológicas entre Vívola y Elena, figuras femeninas de la novela y la comedia respectivamente; notar la aparición en la comedia de dos tipos nuevos respecto a la novela: Francisca e Indalecio, de acusada personalidad, y señalar algunos procedimientos humorísticos presen-

---

[91] A. Marqueríe, art. cit., p. 77.

[92] El libro de Marañón no se publicaría hasta 1940, pero sus ideas sobre este tema eran bien conocidas por sus conferencias y artículos en prensa.

tes también en el resto de las comedias de Jardiel: los diálogos del absurdo, con juegos de palabras de tipo tradicional a los que se incorporan elementos sorpresivos que producen lo que García Pavón denomina "rupturas de sistema", [93] y el uso humorístico de los apartes que en esta obra funciona más y mejor que en otras, como puede verse en este ejemplo del segundo acto:

> BEATRIZ. Bondad de usted, benevolencia de usted, querida amiga, que es una de las personas más encantadoras del mundo y que sabe hacerse querer y estimar de todo el que la trata... A menos en esta casa todos la queremos y la estimamos como se merece.
> PANTECOSTI. *(Aparte a Mariano.)* (¡Qué cara dura tienen las mujeres!)
> MARIANO. *(Aparte también.)* (Estas cosas las hacen como nadie.)
> JULIA. *(A Elena.)* Y nos pasamos el día hablando de usted.
> PANTECOSTI. *(Aparte a Mariano.)* (Eso es verdad, pero ¡si oyese lo que decimos!...)

En resumen, sin ser genial, la obra se puede considerar entre las más dignas de Jardiel por cuanto le supuso un enorme esfuerzo para incorporarle novedades respecto a la novela, por cuanto hizo y aún hace reír al espectador, y por la calidad de la mayor parte de sus diálogos. En cuanto a la construcción de la obra misma y a los procedimientos para hacer reír, deja más que desear, como el propio Jardiel constató. Quizá se precipitó un poco a la hora de terminar el tercer acto, pero lo cierto es que quedaba muy poco por tratar, y así resultaba la obra equilibrada, si tenemos en cuenta que el prólogo puede considerarse como un primer acto.

[93] Art. cit., p. 99.

4. ANGELINA O EL HONOR DE UN BRIGADIER

En «La última entrevista», donde Jardiel asume sus
opiniones acerca de los mil y un componentes que
inciden en el teatro, y donde analiza una vez más su
propia producción, afirma que la comedia cuya imaginación y composición le exigió menos trabajo y le ocupó
menos tiempo —apenas quince días—, fue *Angelina,*
obra que considera como una de las mejores entre las
suyas. [94]

También la crítica, generalmente, la incluye en el
grupo de las más conseguidas por su autor, siendo fácil
hallar alabanzas a toda clase de aspectos, desde los
meramente formales a los que se detienen en los conteni-
dos, pasando por los que se fijan en los resortes
utilizados para conseguir el humor, o los que prefieren
el estudio de los personajes.

Ariza Viguera, que considera acertadamente como
fuentes de la obra *La pasionaria,* de Leopoldo Cano, y
El nudo gordiano, de Eugenio Sellés, recuerda que su
título iba a ser en principio *Adelina o las infamias de una
madre,* y opina que la modificación se debió a que
Jardiel tenía proyectada otra obra sobre líos de familias,
lo que seis años más tarde realizaría en *Madre, el drama
padre.* [95] A mi modo de ver, la sustitución de títulos se
debió a dos causas, ambas de índole familiar: *Angelina*
era el nombre de la hermana favorita de Jardiel, a quien
así recordaba, y la expresión *infamias,* referida a la
actividad de una *madre,* le resultó demasiado peyorati-
va, invitándole al cambio su especial cariño por doña
Marcelina Poncela.

En cuanto a los aspectos formales, hace una auténtica
"exhibición y un alarde de poesía cómica; acompañando
rima y ritmo, continente y contenido, porque Jardiel

---

[94] "La última entrevista", cit., p. 30. García Pavón, sin embargo,
indica, entre alabanzas a la comedia, que Jardiel nunca la apreció
demasiado. Art. cit., p. 93.
[95] Ob. cit., p. 105.

poseía en lo formal un don inapreciable de elección de vocablos en el verso burlesco, donde cada palabra, cada consonancia, cada ripio deliberado tenía gracia sustancial, con independencia de la frase o estrofa en las que se insertara".[96] Porque si bien es cierto que no estaba dotado para la poesía lírica, su capacidad de análisis crítico era muy considerable, sabía encontrar cuáles eran los puntos débiles de cada composición y acertaba parodiándolos en el momento oportuno.

Para una comedia burlesca en verso como *Angelina* no le hacía ninguna falta un profundo conocimiento de los recursos poéticos, que dominaba en lo elemental. Le resultaba imprescindible, sin embargo, estar al tanto de los tópicos usados por los dramaturgos contemporáneos que utilizaban el verso como medio de expresión, y de sus fórmulas más socorridas para salir de apuros. A todo ello añadió su capacidad para hallar las relaciones más insospechadas entre las palabras; el uso de la rima interna y de la rima parcial consonántica; de la aliteración; de las licencias métricas, y, desde luego, su particular concepción del diálogo con ruptura final del sistema, ya analizado en *Usted tiene ojos de mujer fatal*.

En cuanto al humor, "son innumerables los 'gags', tipos y chistes de viejo corte (...) con un traje nuevo, con una desviación imprevista",[97] de modo que, aunque esperamos determinado resultado, siempre nos encontramos con una sorpresa, incluso en los casos en que ésta nos va a ser escamoteada. El humor se basa, pues, en lo lingüístico —que tiene un apoyo incuestionable en el verso—, pero también en situaciones que provocan la carcajada sostenida, como el duelo bufo entre el viejo de vista cansada y el joven donjuán que, frente a sus antecedentes clásicos, no domina el uso de las armas.

De gran mérito han de considerarse también, como hace J. C. Mainer, aspectos como "la complejidad formal de su escenificación, la evocación minuciosísima

---

[96] A. Marquerie, art. cit., p. 78.
[97] García Pavón, art. cit., p. 93.

de todo el ambiente de un siglo (que debió exigir no pocas lecturas y una sensibilidad poco frecuente) y, por último, la fidelidad que, aun en la parodia, Jardiel seguía sintiendo hacia su tema predilecto, las relaciones del amor con la razón". [98]

El tema del amor está, en efecto, en la base del argumento: el mismo día de su petición de mano, Angelina, la hija del brigadier con cuya esposa mantiene relaciones Germán, huye con éste. Rodolfo —el novio-poeta abandonado— y don Marcial —padre y esposo injuriado— persiguen a la pareja, la localizan y retan al donjuán. En el duelo don Marcial hiere gravemente a Germán, pero éste, en contra de las predicciones del médico, no muere, yéndose a convalecer al hogar de su oponente. Allí, ante las súplicas de perdón para el ofensor, con apariciones fantasmales incluidas, don Marcial decide concedérselo siempre que Germán muera, deseo que no llega a realizarse de un modo eficiente.

En medio de todo esto, unos personajes a los que Jardiel no permite el menor respiro, desde el superficial Germán que cabalga en idéntico caballo que Sergio, aunque resulta peor parado, hasta la damisela romanticoide, con todos los defectos de la adolescencia a flor de piel, capaz de quedar deslumbrada por un detalle insignificante del donjuán tanto como por unos versos de dudoso gusto. Junto a ellos, la madura dama que intenta exprimir al máximo lo que le resta de vida amorosa; el duro marido que sufre mal que bien su oprobio; un médico burlado por la inquina del autor hacia los de su profesión; un poeta ridiculizado en su vida y por su obra, y un cura que dice lo que sabe, pero que probablemente no sabe lo que dice cuando se expresa en latín.

Personajes típicos, asuntos tópicos, temas recurrentes, escenas clásicas; pero tratamiento humorístico nuevo, desenlace nuevo, en *Angelina o el honor de un brigadier,*

---

[98] "La comedia de humor: Jardiel Poncela", en *La edad de plata,* Madrid, Cátedra, 1981.

"parodia muy completa del drama post-romántico", [99] modalidad que Jardiel termina de desmontar, y parodia que se convertirá en modelo para las que se harán desde ese momento sobre muy diversos asuntos; en resumen: una obra maestra del género.

ANTONIO A. GÓMEZ YEBRA

[99] Farris Anderson, "Hacia el teatro de Jardiel Poncela: *Una noche de primavera sin sueño*", *Papeles de Son Armadans*, 68, 1973, p. 339.

memoria que conservamos de una infancia pobre, pero digna, que hubiéramos querido prolongar indefinidamente, y donde todo quedaba en su sitio, sencillo y natural.

ANTONIO VILANOVA

NOTICIA BIBLIOGRÁFICA

Usted tiene ojos de mujer fatal. Comedia humorística en tres actos y un prólogo, en prosa, Madrid, La Farsa, núm. 320, 28 de octubre de 1933.

Usted tiene ojos de mujer fatal. Comedia humorística, Barcelona, Cisne, 1936.

49 personas que encontraron su autor (Usted tiene ojos de mujer fatal, Un adulterio decente y *Las cinco advertencias de Satanás,* precedidas de la "historia" de las tres obras y de una breve "Sinfonía"), Madrid, Biblioteca Nueva, 1939, 1942, 1954. *Usted tiene ojos de mujer fatal* en pp. 29-110. Uso edición de 1942, que denomino *A.*

En *Obras teatrales escogidas,* Madrid, Aguilar, 1949, pp. 171-279. Conozco ediciones de 1961 (4.ª), 1964 (5.ª), 1968 (5.ª), reimpresión.

En *Obras completas* de E. J. Poncela, México, AHR, 1958, que no he constatado. Sí las hechas en Barcelona, AHR, 1963 (3.ª), 1965 (4.ª), 1969 (5.ª), 1970 (6.ª), 1973 (7.ª). Cito por la de 1973, que denomino *O. C.,* pp. 569-648.

Usted tiene ojos de mujer fatal (Adaptación cinematográfica de la comedia). Hay un ejemplar a multicopista en la Biblioteca Nacional, de 1962.

Usted tiene ojos de mujer fatal, S. A. de Promoción y Ediciones, 1986.

* * *

Angelina o el honor de un brigadier (Un drama en 1880). Teatro. Tomo II (Con un prólogo explicativo de cómo se escribió la obra. Dibujos de A. R. C.). Madrid, Biblioteca Nueva, 1934. Primera edición. Se cita siempre como *A*.

Angelina o el honor de un brigadier (Un drama en 1880). Humorada en tres actos y una presentación en verso... Dibujos de Antonio Merlo. Madrid, Gráficas Rivadeneyra, 1934. La Farsa, núm. 360 *(B)*.

Angelina. Un drama de 1880. Tercera edición. Madrid-Segovia, s. a., 1938 (?).

Angelina: un drama en 1880, Madrid, Biblioteca Nueva, 1938.

Angelina o un drama en 1880, con dibujos de Arturo Ruiz Castillo, Madrid, Biblioteca Nueva, 1942 (4.ª) *(C)*.

En *Obras teatrales escogidas*, Madrid, Aguilar, 1949, pp. 281-429. (He tenido acceso, además, a las ediciones de 1961 (4.ª), 1964 (5.ª), 1968 (5.ª). Reimpresión.

En *Obras completas*, México, AHR, 1958, que no he constatado. Sí las ediciones hechas en Barcelona, AHR, 1963 (3.ª), 1965 (4.ª), 1969 (5.ª), 1970 (6.ª), 1973 (7.ª). Cito la sexta como *O. C.*

En *Teatro selecto*, de E. J. Poncela, Madrid, Escélicer, 1968, pp. 419-550. Cito como *D*.

Angelina o el honor de un brigadier, Madrid, Escélicer, s.a. (1968), Col. Alfil Teatro, núm. 610.

En *Obras selectas*, de E. J. Poncela, intr. de F. C. Sainz de Robles, Barcelona, AHR, 1971, pp. 503-680, y 1973, pp. 503-680.

Angelina o el honor de un brigadier. Un marido de ida y vuelta, Madrid, Espasa-Calpe, col. Austral, núm. 1533, ed. en 1973, 1979, 1983, 1984, 1986.

BIBLIOGRAFÍA SELECTA SOBRE EL AUTOR

Anderson, F.: "Hacia el teatro de Jardiel Poncela: *Una noche de primavera sin sueño*", *Papeles de Son Armadans*, 68, 1973, pp. 311-340.

Ariza Viguera, M.: *Jardiel Poncela en la literatura humorística española*, Madrid, Fragua, 1974.

Bonet Gelabert, J.: *El discutido indiscutible. Jardiel Poncela. Los que le ensalzan, los que le menosprecian y los que le imitan*, Madrid, Biblioteca Nueva, 1946.

Canay, A.: *Recuerdo y presencia de Enrique Jardiel Poncela*, Buenos Aires, Sudamericana, 1958.

Conde Guerri, M. J.: *El teatro de Enrique Jardiel Poncela: aproximación crítica*, Zaragoza, C.S.I.C., Institución "Fernando el Católico", 1981.

Escudero, C.: *Nueva aproximación a la dramaturgia de Jardiel Poncela*, Murcia, Universidad, Cuadernos de la Cátedra de Teatro, 1981.

Flórez, R.: *Mío Jardiel. Biografía de un hombre que está debajo de un almendro en flor: Enrique Jardiel Poncela*, Madrid, Biblioteca Nueva, 1966; *Jardiel Poncela*, Madrid, E. P. E. S. A., 1969.

Gómez de la Serna, R.: "Prólogo", en *Obras completas* de E. J. Poncela, t. I, cit., pp. 7-17.

Jardiel Poncela, E.: "Así era mi padre", *Sábado Gráfico*, núms. 729-766 (22 de mayo de 1971 a 5 de febrero de 1972).

Mac Kay Douglas, R.: *Enrique Jardiel Poncela*, Nueva York, Twayne, 1974.

Marqueríe, A.: *El teatro de Jardiel Poncela. Conferencias y ensayos*, Bilbao, 1954.

Pérez Minik, D.: "Jardiel Poncela o el humor extraviado", en

Teatro europeo contemporáneo. Su libertad y compromiso, Madrid, Guadarrama, 1961, pp. 413-420.

Ruiz Ramón, F.: "Jardiel Poncela (1901-1952) y el teatro de lo inverosímil", en *Historia del teatro español (2),* Madrid, Alianza, 1971, pp. 298-309.

Suárez Radillo, C. M.: "El teatro humorístico renovador de Enrique Jardiel Poncela", en *Itinerario temático y estilístico del teatro contemporáneo español,* Madrid, Playor, 1976, pp. 45-53.

Teatro, núm. 4, febrero de 1953, con "La última entrevista", de E. Jardiel Poncela, y artículos de M. Jardiel Poncela, E. Haro Teeglen, A. Zúñiga y otros.

Torrente Ballester, G.: *Teatro español contemporáneo,* Madrid, Guadarrama (1957), 1969-2, pp. 431-439, 497-510.

Varios: *El teatro de humor en España,* Madrid, Editora Nacional, 1966.

NOTA PREVIA

Sigo en ambas comedias la primera edición de Biblioteca Nueva, que se ha venido repitiendo en las siguientes hasta la actualidad. Por cuestiones formales, adopto la disposición gráfica de las *Obras completas.* En todo momento he limpiado una y otras de erratas y varios elementos extraños.

En el caso de *Angelina,* mucho más complicado, por cuanto existen numerosas variantes, he preferido incorporar en lo posible el texto original, ya en su lugar, ya a pie de página, por parecerme que de otra manera se privaría al lector amigo y al estudioso de algunos elementos de interés.

Con el texto de *Angelina* se reproducen los grabados y viñetas de la primera edición, originales de Arturo Ruiz-Castillo. También se incluye la partitura de la habanera original de Ricardo Boronat.

A. A. G. Y.

USTED TIENE OJOS
DE MUJER FATAL

Comedia en un prólogo y tres actos

PRIMER INTERMEDIO

CIRCUNSTANCIAS EN QUE SE IMAGINÓ,
SE ESCRIBIÓ Y SE ESTRENÓ
"USTED TIENE OJOS DE MUJER FATAL"

A raíz del estreno, verificado en abril de 1931 en el teatro de la Comedia, de *Margarita, Armando y su padre»* *, quedé comprometido con el empresario de aquel coliseo, Tirso Escudero, para entregarle obra nueva en la temporada siguiente.

Sin embargo, Margarita, Armando y su padre, que es quizá la comedia que más me ha elogiado la crítica, que constituyó un buen éxito y que se ha representado mucho desde entonces, no pudo llegar en su día a las cien representaciones. Se había estrenado cuarenta y ocho horas después de proclamarse la República [1] y la gente, en aquellos momentos, estaba tan ocupada en dar vivas y mueras por las calles, en subirse a los techos de los tranvías para golpear con los tacones los cristales de las ventanillas y en romper estatuas del ornato urbano, que, en realidad, ningún teatro arrastraba demasiado público.

Pero aun sin haberle dado a la comedia las cien

---

* Véase el primer tomo de teatro, *Tres comedias con un solo ensayo*. (Nota del autor.)

[1] Como ya se apuntó en la "Introducción", este hecho había sucedido tres días antes, el 14 de abril.

representaciones consecutivas, que son en Madrid el marchamo de los grandes éxitos, Tirso Escudero estaba satisfecho y yo me encontraba en la honrosa obligación de hacerle obra para la temporada siguiente.

Resolví escribirla durante el verano. Para ello me retiré al campo —a Quinto de Ebro, en la provincia de Zaragoza— en los primeros días del mes de agosto y empecé a trazar el prólogo de lo que había de ser *Usted tiene ojos de mujer fatal.* A las pocas sesiones de labor cayó una hija mía [2] gravísimamente enferma de bronconeumonía. Hubo que dejarlo todo, meter en el coche a la chiquilla, que se moría por momentos, y trasladarla a Madrid en un viaje alucinante al final del cual estaba la salvación problemática.

Hasta el 8 de septiembre no quedó la niña fuera de peligro ni yo en condiciones de seguir escribiendo. Releí lo hecho, no me gustó, lo rompí y volví a empezar. Releí lo empezado, no me gustó, lo rompí y comencé de nuevo. Releí lo comenzado de nuevo, no me gustó, lo rompí y principié una vez más.

Durante quince días me entregué de lleno, furiosamente, a estas cuatro tareas:

Escribir cuartillas.
Releer lo escrito.
Torcer el gesto.
Romper las cuartillas.

Y al cabo de los quince días, me encontré sobre la mesa el prólogo, concluido, de *Usted tiene ojos de mujer fatal* y debajo de la mesa, un cesto lleno de papeles rotos. Guardé el ceso de los papeles rotos, de recuerdo, y rompí de nuevo el prólogo de la obra, que seguía sin gustarme.

Por fin, a últimos de septiembre, el prólogo satisfacedor quedó ultimado. Me dejó jadeante y sudoroso,

---

[2] Evangelina.

como un caballo de carreras. Y cuando se serenaron mis pulmones y me hube enjugado el sudor, ataqué el primer acto.

Trabajaba en las primeras cuartillas de él cuando una tarde me llamó Tirso Escudero al teatro. Fui y me interviuvó: [3]

—¿Cómo lleva usted esa obra?

—Bien. Va saliendo.

Podía haber añadido: *Tengo a la disposición de usted el comienzo del primer acto y dieciocho prólogos,* pero me abstuve de hacerle semejante confesión incongruente. Tirso me comunicó de pronto:

—He contratado a la Esteso. [4] ¿Qué le parece a usted?

—Perfecto. Luisita tiene una gran personalidad y es inteligente. Bien ensayada y con papeles que "le vayan" puede ser una actriz cómica como seguramente no existe otra.

—Eso creo yo. ¿Tiene papel en su obra?

—Hasta ahora, no; pero lo tendrá.

—Hágale usted un papel que sea "Ortas [5] en mujer". ¿No la ve usted así?

—Sí, señor. Me parece muy bien. ¿Qué ha dicho del contrato de la Esteso Muñoz Seca? [6]

—También le ha parecido muy bien. Va a hacerle la obra de presentación.

---

[3] El irónico uso de neologismos es una constante en su proceder literario, cualquiera que sea el género abordado.

[4] "Luisita Esteso, la gran maquietista, ídolo del cuplé cómico español e hija de aquel talento de nuestra gracia escénica y precursor de los Ramper y Gilas, y que se llamó Luis Esteso. Su hija, joven triunfadora por el 1931-32, aunque el cuplé estaba en decadencia ya, iba a debutar como actriz cómica en el teatro de la Comedia." *Mío Jardiel,* p. 177.

[5] Casimiro Ortas Rodríguez, actor cómico (Brozas, 1880; Barcelona, 1947). Era uno de los cómicos preferidos del momento.

[6] Pedro Muñoz Seca (El Puerto de Santa María, 1881; Paracuellos, 1936), comediógrafo de gran talento y dotado de un ingenio poco común, puede considerarse el máximo cultivador del astracán. Entre sus obras, cabe destacar *La venganza de don Mendo, Los extremeños se tocan, La oca,* etc. Es uno de los claros antecedentes de Jardiel, como hemos visto.

—¿Para cuándo?

—Para diciembre.

—Pues cuente usted con que tendrá mi comedia a continuación.

Nos despedimos, y todavía al marcharme me advirtió Tirso:

—Que el papel sea largo, ¿eh?

—Descuide usted.

—Tenga en cuenta que le doy a la Estesito veinticinco duros de sueldo...

A esto último ya sólo contesté con un silbido.

El silbido había que traducirlo por la sospecha de "aquí va a haber lío". Porque aquel sueldo, seguramente superior al de la propia primera actriz de la Comedia, que lo era entonces Milagritos Leal, [7] y dado, de pronto, a Luisita Esteso, que no estaba considerada entre los actores como de "la profesión", sólo podía suscitar descontentos y rencores, y provocar protestas y hostilidades.

*   *   *

Mientras "el lío" se producía, me dispuse a continuar mi obra. Rectifiqué parte de lo que llevaba escrito del primer acto e introduje un nuevo personaje, el de *Francisca,* destinado a ser desempeñado por la Estesito, y, después de mucho batallar, de romper, de rehacer, de balancearme entre el optimismo, la duda y el desánimo, concluí el acto primero, muy pasados ya los primeros de noviembre. Había invertido en hacerlo más de cuarenta días, y lo cierto es que, al acabar, no estaba demasiado satisfecho de él.

---

[7] Milagros Leal (Madrid, 1902-1975), popular actriz teatral que extendió su actividad al cine interviniendo en filmes como *El clavo, El fantasma de doña Juanita, La señora de Fátima, La verbena de la Paloma, El mundo sigue, Novios a la española, La vil seducción, Tormento,* etc. Fue galardonada con el Premio María Rolland, la medalla de oro del Círculo de Bellas Artes, y otros.

El asunto de la comedia, que era el mismo de una de mis novelas, aunque variado y, sobre todo, simplificado, [8] se resistía como un ser vivo a pasar del campo novelístico al teatral, y, después de la testaruda lucha que ya llevaba sostenida contra él, todavía me ofrecía obstáculos, aun vencidos el prólogo y el primer acto. Éste adolecía de longitud y de retraso en el planteamiento de la trama; pero, por más que lo estudiaba, no veía la manera de corregir sus defectos.

Se lo leí a dos amigos que me merecían absoluta confianza mental —Alfredo Marquerie [9] y Manuel Gargallo—, que estuvieron de acuerdo en los defectos que veía yo. Nuevos exámenes del texto y la aplicación de una severa metodología me hicieron decidir al fin, y días después el acto quedó definitivamente concluido.

Como siempre que me he visto en igual trance, no dejé de considerar en tal ocasión la ligereza con que luego la mayoría de la crítica juzga y falla, tras una única audición no demasiado atenta, aquello que el autor ha pensado, consultado y trabajado minuciosamente.

—¡Cuánta fatuidad! —resumí—. ¡Cuánta pedantería necesita llevar un hombre en los bolsillos para fallar en una materia artística, de un plumazo, con tres horas de reflexión, suponiendo que la mayoría de los críticos le dedique tres horas de reflexión a cada comedia que se estrena! ¡Qué risa!

* * *

[8] Fundamentalmente se trata de la tercera parte, a la que se ha desprovisto de muchas secuencias y personajes.

[9] Uno de los primeros y más favorables críticos de Jardiel (Mahón, 1907; Minglanilla, 1974) fue también autor lírico y dramático. Entre sus libros de ensayo destacan los dedicados a C. Arniches, Jardiel Poncela, Alfonso Paso y Jaime Salom.

Por aquellos días —mediado ya noviembre— Luisita Esteso vino a verme repetidamente al café de Gijón *, donde solía escribir.

Entre Luisita y yo existía una cordialísima amistad desde hacía tres o cuatro años. Infatigable lectora, sentía hacia mí una admiración entusiasta, sólo comparable a la que yo manifestaba por su arte singular. Nos unía, además, el mutuo sentido del humor y la personal manera de "ver la vida"; ambos reaccionábamos de idéntica forma ante lo ridículo, lo afectado, lo necio y lo presuntuoso, y hasta solíamos entendernos con expresiones y frases de oculto valor convenido y dialogar por medio de camelos —ya ideados por uno, ya por otro— que poseían para los dos el valor y el significado de verdaderas palabras. Fuera de todo ello, en el carácter —por ejemplo— ya no había entre ambos más que divergencias. Luisita, incongruente, voluble, extremada y provista de un pronto irritable tras el que se ocultaban una necesidad de protección genuinamente infantil y una docilidad y un sentimentalismo capaces de llevarla a dejarse arrastrar por sus familiares. Y yo, por mi parte, fatalista, pero de fondo razonador; congruente, soberbio e inflexible en mis gustos, en mis aficiones y en toda decisión íntimamente tomada: inflexibilidad suficiente para llegar a arrastrar a los demás tras de mí.

En suma: como Daoíz [10] y Velarde, [11] estábamos unidos por las circunstancias, pero no congeniábamos.

La primera vez que Luisita apareció en aquellos días por el café de Gijón llegó fingiendo la voz de una vieja de pueblo y preguntándome qué tal se había dado la cosecha. La seguí inmediatamente el aire adoptando el

* Véase todo lo alusivo a dicho simpático Café en *Tres comedias con un solo ensayo*. (Nota del autor.)

[10] Héroe de la resistencia madrileña ante las tropas napoleónicas el 2 de mayo de 1808. Fue mortalmente herido en combate cerca de la calle Ancha de San Bernardo, muriendo poco después en su casa.

[11] Héroe también de la resistencia madrileña ante los ejércitos franceses el 2/5/1808. Con una compañía de voluntarios tomó el Parque de Artillería de Monteleón, aunque posteriormente moría de un balazo.

papel de alcalde y durante un buen rato divagamos sobre asuntos aldeanos. Luego, como el camarero esperase órdenes de ella, le pregunté:

—¿Vas a tomar café o prefieres café?

—No sé... El café no me gusta mucho, y el café tampoco...

—Entonces, ¿por qué no tomas café?

—Pues mira, sí... Es una idea. Tomaré café. *(Al camarero.)* Tráigame usted café.

Luego me habló de su contrato de la Comedia, interrumpiéndose varias veces para preguntar siempre lo mismo: *¿Qué hay por el pueblo?,* sin aguardar nunca respuesta y reanudando cada vez la conversación del contrato.

Quedó confirmado que Tirso le daba veinticinco duros de sueldo y que Muñoz Seca se había encargado de hacerle la comedia de presentación.

—Ya me la ha leído, pero yo quería debutar con una comedia tuya.

—Debuta con la de Muñoz Seca, que será, sin duda, un éxito tan grande como *Mi padre* *, y tiempo habrá para que estrenes luego *Usted tiene ojos de mujer fatal* —la recomendé.

Entonces, y aprovechando aquellos raros minutos de formalidad, me apresuré a aconsejarla lo que más le convenía para el presente y para el porvenir.

—Tú eres excepcional como canzonetista, pero la época de la canción ha pasado y es de presumir que cada día pase un poco más; tienes condiciones extraordinarias para hacerte en nada de tiempo una primera actriz cómica como no hay otra: ármate de paciencia, resígnate, por ahora, a ganar en el "verso" la quinta parte de lo que ganas en el *couplet;* sé dócil, ensaya mucho, aprende la media docena de cosas que tienes que

---

* *Mi padre,* comedia cómica de Muñoz Seca y Pérez Fernández, que se representaba a la sazón en el teatro de la Comedia con un éxito que sobrepasó las 200 representaciones. (Nota del autor.)

aprender para interpretar y ya me dirás si no haces en el
teatro una carrera brillante.

Me escuchaba atentamente, mirándome a los ojos, y,
al acabar, exclamó:

—Bueno, pero todo eso será capelayando el angudibrio, claro.

—Sí, claro; el angudibrio y el parfulio, pero en
remogosas. [12]

—¡No me digas!

Y ya no hubo más que bromas.

* * *

En diciembre concluía, al fin, *Usted tiene ojos de
mujer fatal.*

La compañía de la Comedia y Luisita, ya incorporada
a ella, ensayaban la nueva obra de Muñoz Seca y Pérez
Fernández con que iba a presentarse la Esteso, *La OCA,*
y que estaba llamada a ser, en efecto, un éxito tan
considerable como ya lo había sido *Mi padre* y como
había de serlo también después *Anacleto se divorcia,* [13]
tercera comedia que Muñoz Seca y Pérez Fernández le
dieron aquel año a Tirso Escudero, logrando con los
tres títulos una de las temporadas más triunfales que se
recuerdan en el local de la calle del Príncipe.

El "lío" que desde un principio sospeché, preví y
esperé por causa del contrato de Luisita, se hallaba ya
en pleno auge. Y no era sólo Milagritos Leal la que se
sentía herida, pospuesta y humillada: era la compañía
en bloque quien recibía el contrato de la Esteso como

[12] La creación de vocablos de gran sonoridad fue uno de los más
usados recursos humorísticos de Jardiel. Recuérdense, al respecto, los
términos del nervioso Castelar en *Los ladrones somos gente honrada.*
Existe algún caso similar en *Usted tiene ojos de mujer fatal.*

[13] Lo fueron, en efecto, y Jardiel no se recata de manifestarlo así
dando muestras de su generosidad para con los autores contemporáneos
de mérito. Podía, simplemente, haber omitido los datos.

una ofensa. Se la hacía el vacío más absoluto y murmuraban de ella constantemente. Vi un ensayo y comprobé que, en realidad, se movía entre enemigos implacables. Nadie se preocupaba de enseñarla aquella media docena de cosas que ya le había dicho yo que tendría que aprender para interpretar, y estaba alta de tono, escuchaba mal, apoyaba débilmente los finales de las frases, que se perdían, no ligaba sus réplicas con las de los demás, y, en fin, cometía esa serie de faltas que comete siempre el actor *amateur* y que todo director de escena o de compañía está en el deber de corregir.

Milagritos Leal, por su parte, no sólo se sentía pospuesta, herida y humillada, sino que vivía en un estado febril, casi enfermizo. Víctima, súbitamente, de una verdadera psicosis, se habían desarrollado en ella complejos de inferioridad por demás absurdos y aguardaba el estreno con angustia: como si fuese a plantearse en él una lucha de primeras actrices, cuando en realidad se trataba de la pugna entre una primera actriz joven, pero veterana ya y rebosante de recursos, que era ella, y una debutante sin experiencia del teatro de "verso", a pesar de todas sus grandes condiciones en potencia y su personal sentido del humor, que era Luisita.

En uno de los días correspondientes al período de este estado de cosas, eché definitivamente el telón sobre *Usted tiene ojos de mujer fatal,* cuyos dos últimos actos resultaron ya más dóciles de ejecución y en hacer los cuales había invertido alrededor de un mes. Al acabar la obra y antes de entregársela oficialmente a Tirso, me dispuse a llevársela, para que la leyera, a Milagritos Leal. Ella era quien con más calor y entusiasmo acogiera el año anterior *Margarita, Armando y su padre,* y le debía esta gentileza. Por otro lado, también mi amistad con Milagritos era sumamente cordial y estaba basada igualmente en una admiración mutua. Nada había enturbiado hasta entonces aquella amistad ni nada había de enturbiarla más adelante tampoco por mi parte, aunque sí llegó a estarlo temporalmente por parte de ella.

—Tenga usted. Quiero que sea usted la primera que la lea, y su opinión la primera opinión que reciba —le dije al entregarle la comedia.

—Esta noche me la "bebo" —contestó con su vehemencia característica.

—Entonces, ¿nos vemos mañana para charlar y comentar?

—Eso es. Mañana, después de la función de la noche, en el bar Regio.

A la una y media de la madrugada del día siguiente, entré, acompañado de un amigo, en el bar Regio de la carrera de San Jerónimo. Ya estaba allí Milagritos ante una de las mesas del fondo; su rostro ensombrecido me hizo pensar que acababa de tener un disgusto en el teatro.

—¿Qué le ocurre a usted?

Se disparó como un muelle.

—¿Qué quiere usted que me ocurra? —exclamó tirando sobre la mesa el manuscrito de la obra—. ¿Cómo ha tenido usted cara para hacer esto?

Me detuve sorprendido.

—¿Es que no le ha gustado la comedia?

—Sí. Me ha gustado, me ha gustado —respondió iracunda—. ¡Pero es una infamia! Usted lo que se propone es hundirme y desprestigiarme; ha cometido usted conmigo una verdadera canallada. Esto no se hace, porque no es de amigo, ni de caballero, ni...

La interrumpí, pues su excitación era tan creciente que el diálogo llevaba camino de extraviarse.

—Pero, bueno, ¿a qué viene todo eso, Milagritos?

Tardé aún bastante rato en enterarme. Al fin, su extraña actitud quedó explicada: suponía que el papel de *Francisca* de mi comedia, destinado a la Esteso, era superior en categoría, importancia, brillo y efecto al de la primera actriz, *Elena,* que era la parte destinada a sí propia. Todo aquello me parecía tan absurdo que me eché a reír. Luego la aclaré:

—Creo que está usted ofuscada, Milagros. *Francisca* es un tipo absolutamente episódico; por el contrario, la

Elena es la protagonista, el eje de la obra y una primera actriz indudable. Cualquiera que conozca la comedia, que juzgue serenamente y a quien usted pregunte, le dirá lo mismo.

Esta explicación sincera y espontánea, lejos de tranquilizarla, le encrespó aún más.

—¡No es cierto! ¡No es cierto! —protestó—. Usted sabe tan bien como yo que tengo razón... Y lo que no comprendo es por qué causa trata usted de rebajarme y de anularme. No me he portado tan mal con usted para recibir semejante pago. ¡Lo que hace no tiene nombre!

Y agregó mirándome fieramente:

—Pero desde ahora se lo advierto, Jardiel: ¡yo no trabajaré en su obra!... Dígaselo usted así a Tirso. Y no se molesten en ponerme en el reparto, porque no pienso acudir a la "lectura" *.

Durante mucho rato bromeé yo, que me sentía incapaz de tomar en serio una reacción tan inverosímil, y ella, que se exasperaba progresivamente, me lanzó las más duras invectivas. Al fin, no tuve más remedio que colocarme a la defensiva.

—La disculpo todo lo que me dice —concluí—, porque de sobra veo que no es usted dueña de sí misma; pero vuelvo a repetirla que nada de lo que cree es razonable, que la primera actriz de mi obra es *Elena* y que jamás he pensado en causarle a usted ningún perjuicio repartiéndole un papel inferior a su categoría. Respecto a lo de no querer trabajar en la comedia, hace usted mal y espero que lo reflexionará.

—¡Ya está reflexionando! —borbotó rápidamente.

Me incliné sobre mi taza de café.

—Como usted quiera, Milagritos.

Todavía charlamos unos momentos más, pero ya desarrollando temas sin importancia y en conversación general.

* * *

* La lectura oficial a la Compañía, que se celebra la víspera de empezar los ensayos. (Nota del autor.)

Un par de días después asistí al ensayo general de la *La OCA,* que fue un desastre, y al estreno, que fue un éxito brillantísimo, particularmente para Milagros Leal. Entré al camerino a felicitarla con todo entusiasmo, y coincidí con Gregorio Martínez Sierra, que hacía lo propio: nunca había tenido ocasión de que me lo presentaran y aquella noche nació nuestro conocimiento.

En cuanto a la actuación de Luisita Esteso, no pasó de discreta, resultando extraordinario, y sólo achacable a sus grandes condiciones y a su poderosa vis cómica, si se tiene en cuenta el desvalimiento en que la habían dejado actuar.

Con su éxito personal en *La OCA*, Milagritos pareció tranquilizarse, considerando ya ganada una batalla que, en realidad, no había existido más que en su imaginación. Y, por consecuencia, se revolvió contra mí, como si necesitara hostilizarme para redondear su triunfo.

Tirso guardaba ya en su poder la obra y había llamado a Bürmann para darle la pauta de los bocetos que tenía que hacer, a fin de elegir dos decorados entre ellos.

Y yo, por aquellos días, le transmití a Tirso los deseos de la Leal:

—Milagritos no quiere trabajar en lo mío. Dice que no nos molestemos en repartirle nada porque no acudirá a la lectura.

Tirso tuvo una de esas respuestas pintorescas que le han dado fama de hombre irascible sin serlo:

—Que se quede en el cuarto, o que se vaya si quiere.

Como es natural, no le transmití a la Leal la respuesta de Tirso. Y éste, que simpatizaba con la gracia madrileña, absurda, desconcertante y original de la Esteso, no volvió a pensar más por entonces ni en lo que habíamos hablado ni siquiera en lo que tendríamos que decidir cuando llegara el momento de poner en ensayo *Usted tiene ojos de mujer fatal*. De vez en cuando me refería una salida de tono o una *boutade*[14] de Luisita, que los dos celebrábamos y comentábamos. En otras ocasiones, lo que venía a contarme Tirso era:

—Luisita me ha dicho ayer que está enamorada de usted.

Y yo contestaba sin concederle a la broma mayor importancia:

—¡Vaya, hombre! ¿Ahora le ha dado por ahí?

Pero llegó un momento de alarma para mí, pues empecé a notar a mi alrededor una especie de deseo general de hacerme pasar por novio vergonzante y oculto de la Esteso. Esto no podía sino perjudicarme y bien estúpidamente; siendo verdad, yo habría acudido el primero a mantenerlo; pero que se dijera y comentara siendo mentira, me producía irritación indecible. Dejé de ir por el teatro.

* * *

Casi un mes transcurrió antes de que volviera por allí. Sabía extraoficialmente que Luisita estaba descontenta, que se quejaba de ganar por noche la quinta parte de lo que ganaba en el *couplet,* y sabía también que se continuaba murmurando acerca de ella y de mí; un periódico —*La Voz*— había dado incluso la noticia de nuestra boda para el mes de mayo. De lo que no sabía nada, ni siquiera extraoficialmente, era de lo que fuese a pasar con *Usted tiene ojos de mujer fatal,* aunque de sobra me lo presumía. En cartel de la Comedia continuaba el éxito de *La OCA.*

Por fin, una noche volví al teatro. Entré directo al escenario, y tras el telón de foro, me salió al paso Luisita.

—Prepárate a recibir una mala noticia...

La atajé:

—No hace falta que me lo digas; lo supongo: que no se estrena mi comedia.

[14] Galicismo, por exabrupto, salida de tono.

Luisita agregó:

—A don Tirso no le ha gustado.

Y añadió aún:

—Dice que es muy mala.

—¡Bueno! ¡Qué le vamos a hacer! Otra vez será...

Nos interrumpió el traspunte, llevándose a Luisita. Y a continuación hablé con Tirso. Se expresó rápidamente, con ganas de acabar, y en su tono comprendí que entre unos y otros habían logrado enturbiar nuestra amistad, al menos por el momento. Me confirmó lo dicho por la Esteso.

—La comedia no está bien —declaró—. La he leído, y, francamente, no me gusta. Se la he dado a leer también a Perico,* y está de acuerdo conmigo: dice que no es que le parezca bien o mal, sino que, a su juicio, es irrepresentable.

Aun hablamos algo más, que no recuerdo, y me despedí y abandoné el teatro, que no había ya de volver a pisar sino pasados dos años justos: hasta que, en febrero de 1934, le llevé a Tirso, sin que la estrenase tampoco, *Angelina, o el honor de un brigadier,* que en un principio se tituló *Adelina, o las infamias de una madre.**

* * *

Al día siguiente de mi última visita a la Comedia hice examen de conciencia profesional. Mi situación no era muy envidiable. Había perdido más de medio año en escribir una comedia, rechazada al fin, y me encontraba con poquísimo dinero y sin *"género"* que vender: pues, como no pertenezco —según he dicho ya alguna vez— a la especie de los idiotas que se creen infalibles, yo mismo empezaba ya a convencerme de que Tirso y Zorrilla

---

* El gran Pedro Zorrilla, hoy fallecido, que entonces figuraba como primer actor de la Comedia. (Nota del autor.)

* Véase la "historia" de esta obra en el tomo teatral correspondiente. (Nota del autor.)

tenían razón y de que mi obra era mala y sin virtud teatral. No me volví a ocupar más de ella, por tanto, y falto de ánimos para planear otra comedia con la que tampoco tenía seguridad de estreno, pues en aquella época estaba yo aún lejos de que me buscasen y me solicitasen las empresas, alejé mi melancolía y mi depresión más íntimas con la imaginación de un nuevo libro, que comencé al 2 de marzo.

Ajeno e indiferente a todo, en ese muelle *nirvana* que es la novela, trabajé desde el 2 de marzo hasta el 12 de junio, fecha en que puse la palabra FIN.

Pero la situación no se había resuelto; por el contrario, se hallaba más agravada aún por aquellos tres meses de trabajo sin remuneración. La cantidad que, desde 1929, me pasaba mensualmente mi editorial, con el compromiso, no siempre cumplido ni mucho menos por mi parte, de entregar a la imprenta un libro anual, constituía justamente la sexta parte del dinero que hubiera necesitado cobrar para cubrir gastos. Me encontraba, pues, con mis recursos agotados y ante el panorama de no tener ninguno en un plazo de un par de meses y en pleno verano: la *temporada muerta,* como se sabe.

Resolví intentar todavía algo con *Usted tiene ojos de mujer fatal* y para ello pedí a mi padre que fuera a buscar el manuscrito a la Comedia, donde ya no estaba por cierto Luisita Esteso, que se había reintegrado al *couplet.* Mi padre fue, recogió el manuscrito y me trajo nuevas palabras desalentadoras de Tirso.

—Esto es una equivocación de Enrique —le dijo al entregarle la obra—. Esta vez ha perdido la brújula...

Aun persuadido ya del todo de que, en efecto, la comedia era una equivocación, [15] hice algunas gestiones con ella, pero inútilmente.

Se la ofrecí, entre otros, al agente teatral Antonio

---

[15] Jardiel mantuvo esta postura hasta el último momento, como delatan estas expresiones suyas: "La más difícil, *Usted tiene ojos de mujer fatal,* que, a pesar de su éxito, es, para mí, de las peores." En "La última entrevista", cit., p. 30.

Navarro, a la sazón director artístico de la compañía de Hortensia Gelabert, que actuaba en Cervantes. Pero Navarro no quiso oír hablar del asunto y Hortensia, antigua amiga mía, quizá ni llegó a enterarse.

Guardé la obra en un cajón y nuevamente dejé de pensar en *Usted tiene ojos de mujer fatal*.

* * *

Finalizaba junio. Me quedaban unos cientos de pesetas. Muy pocos, y a mi alrededor, el vacío, la nada.

En vista de ello, llevé a la familia a veranear a San Rafael, entregándoles todo el dinero de que disponía, y me instalé solo en Madrid, sin un céntimo: con mi vitalidad personal por único recurso.

No había dinero, no sabía nunca de qué iba a vivir al día siguiente. Pero vivía e iba de un lado a otro en un *Whippet* domado a la "alta escuela" que andaba sin gasolina y que no aspiraba el olor del aceite desde dos años antes.

Se repetía en mí todo cuando ya me había sucedido en 1927, corregido y aumentado *.

Pero la mala época tocaba a su fin.

Cierto día de agosto, al ir a casa a recoger la correspondencia, encontré un cable de Hollywood. Lo firmaba un antiguo amigo, que estaba allí, contratado en Fox Film Corporation, departamento de producción en castellano, y decía: "CONTESTA SI TE INTERESAN SEIS MESES DE CONTRATO, CIEN DÓLARES SEMANALES SIN VIAJES."

Me lancé de nuevo a la calle apretujando el papelito azul que venía a dar solidez a mi bamboleante existencia de escritor conocido que no tiene para vivir; busqué diez duros e invertí ocho en el cable de respuesta: "CON VIAJES PAGADOS, DESDE LUEGO; SIN VIAJES, IMPOSIBLE."

---

* Véase el prrecitado tomo *Tres comedias*. (Nota del autor.)

Y los dos duros restantes me los gasté más alegremente que nunca.

* * *

Dos días después me encontré, a la puerta de la Maison Dorée, con el actor Benito Cibrián, a quien no conocía personalmente. Vino hacia mí impetuoso y arrollador. Se me presentó, nos estrechamos las manos, y dijo a voces:

—¡Hace tres días que le busco!

—¿Y eso?

—Me ha dicho Juan Calvo * que tiene usted una comedia inédita. La quiero hacer. ¿Me la da usted?

Me hizo gracia su fe, en una obra que no conocía en absoluto.

—Sí. Se la doy. Y se la doy encantado y deseando que la haga usted pronto, porque me pilla usted sin un céntimo.

—¿Cómo? ¿Necesita usted dinero? —gritó abriendo los ojos y los brazos.

—Sí —contesté afrontando los rigores de semejante publicidad callejera.

—¿Cuánto necesita?

—Por el momento, quinientas pesetas.

—¡Cuente usted con ellas! También yo estoy sin un real, pero eso no importa. ¡Lo buscaré para usted! ¿Qué hora es? ¿Las cinco? Venga a las nueve de la noche al café y le traeré las quinientas pesetas.

Y desapareció sin despedirse, abriéndose paso entre la gente, como un tornillo por una tabla.

A las nueve en punto compareció tremolando unos billetes. No eran las quinientas pesetas exactamente, sino trescientas cincuenta, pero fueron bien recibidas.

—El resto se lo daré mañana, o pasado.

---

* Primer actor entonces del teatro del Cisne, que conocía incidentalmente mi comedia. (Nota del autor.)

—Es igual —repliqué.

—¡Nada de igual! Yo cumplo siempre mi palabra y para usted tengo yo el dinero que necesite. Porque usted no debe estar sin dinero, ¡porque usted es el hombre de más talento de España!

—Tome algo, Cibrián —le dije para tranquilizarle. Pero él ni podía tomar nada ni estarse quieto.

—¿Tiene usted ejemplares de la obra? —indagó.

—Sí. El manuscrito: los ejemplares copiados y los "papeles" los tiene todavía don Tirso.

—¡Voy por ellos!

Y en alas de aquel singular movimiento continuo de que parecía estar poseído, se lanzó fuera del café, camino de la calle del Príncipe. Su representante le seguía con la lengua fuera.

* * *

Al día siguiente, por la noche, reunidas en casa de Cibrián las principales partes de la compañía, procedí a leerles la comedia. A todos gustó, menos a mí. De tal suerte, que sólo leí el prólogo y los dos primeros actos.

—No quiero seguir —expliqué al acabar el segundo—. La obra me parece insoportable.

Se levantó a mi alrededor un coro de protestas enternecedoras.

Les pregunté asombrado:

—Pero, ¿es que a ustedes les parece buena?

—¡Es estupenda!

—¡Es graciosísima!

—¡Es magnífica!

—¡Es colosal! *(Etcétera, etcétera.)*

Corté los elogios.

—¡Bueno, pues allá ustedes! Ahí queda la comedia y ojalá tengan razón.

* * *

Horas más tarde recibía el cable de respuesta de Hollywood. Decía solamente: "ENVIAMOS ANGLO SOUTH AMERICAN BANK CUATROCIENTOS CINCUENTA DÓLARES VIAJES. APRESURE MARCHA."

* * *

Los últimos días de agosto y gran parte de septiembre los dediqué a preparar el viaje a Estados Unidos.

Cibrián, de *tournée* por provincias, ensayaba *Usted tiene ojos de mujer fatal* con la caldera del entusiasmo a 30 atmósferas de presión.

Anunció el estreno para el día 20, en Valencia. Decidí asistir a los últimos ensayos, y, siempre a bordo del heroico *Whippet,* me trasladé allí con dos o tres amigos. El *Whippet,* agotado por la larga privación de sus elementos más vitales, se declaró definitivamente en huelga en Motilla del Palancar [16] y fue preciso abandonarlo en manos de uno de los amigos compañeros de viaje, continuando los demás en un taxi.

Ya en Valencia asistí al ensayo general de la comedia, que se estrenaba al día siguiente. El ensayo me produjo un efecto tan desastroso, que resolví el regreso sin aguardar al estreno siquiera. Dejé una carta de despedida al entusiasta Benito Cibrián, carta que no creo que tenga muchos precedentes en la historia del teatro, y que decía poco más o menos:

"Querido Benito: Les van a dar un meneo que se va a oír en El Grao. Me voy por no verlo. Dios le pague lo que ha hecho y ojalá me equivoque, que no me equivocaré. Despídame de todos y mis afectos a Pepita. Le abraza, Enrique."

Salimos en tren hacia Madrid, adonde llegamos aquella noche. Y mientras nosotros llegábamos a Madrid, en Valencia *Usted tiene ojos de mujer fatal* alcanzaba un

---

[16] Población en la provincia de Cuenca.

éxito rotundo e iniciaba su largo recorrido por los escenarios.

* * *

Veinticuatro horas más tarde, me despedía de la familia en la estación del Norte para emprender mi primera travesía a América.

Silbó la locomotora. Salté al estribo. El tren comenzó a rodar. El Plantío... Villalba... Valladolid... Irún... Tours... Poitiers... París... El Havre... New York... Pittsburgh... Chicago... Kansas... Cheyenne... Salt Lake City... Las Vegas... Los Ángeles... Hollywod...

Dieciséis días de viaje.

Y siete meses en los Studios Fox de la Western Avenue.

* * *

Entretanto, Benito Cibrián, con su entusiasmo progresivamente creciente, hacía por toda España *Usted tiene ojos de mujer fatal,* con éxito infalible.

Al regresar de Estados Unidos —vía Panamá— en mayo de 1933, le encontré representando la obra en el Poliorama, de Barcelona. Siguió haciéndola en otros sitios durante el verano, y preparó el *debut* en Madrid, en el Cervantes, para el 1 de septiembre.

Ahora todos los empresarios querían dar a conocer la comedia al público madrileño. A todos les contesté igual:

—Cibrián la cogió cuando no la quería nadie; él creyó en ella cuando ni yo mismo creía ya. No la explotará en Madrid más que él o quien él quiera. Consúltenle.

Y Cibrián la estrenó en Madrid en la fecha fijada.

El mismo éxito que en todas partes. Luisita Esteso, desde un palco entresuelo, asistió al triunfo que obtenía Mercedes Muñoz Sampedro, interpretando el papel que debió haber interpretado ella.

Benito Cibrián representó la obra en Madrid en cinco teatros distintos: Cervantes, Español, Benavente, Chueca y Maravillas, llegando a hacerla 350 veces.

En cuanto a las representaciones que —sólo su compañía— le había dado en toda España, un día hicimos la cuenta y resultaron más de 1.000.

Realmente eran excesivas representaciones para una comedia que un día había sido juzgada como "irrepresentable".

REPARTO DEL ESTRENO

PERSONAJES	ACTORES
ELENA	Pepita Meliá
FRANCISCA	Mercedes Muñoz Sampedro
ADELAIDA, CONDESA DE SAN ISIDRO	María Francés
PEPITA, MARQUESA DEL ROBLEDAL	Carmen Alcoriza
JULIA	Carmen García
NINA	Carmen Sánchez
FERNANDA	María Fuster
LEONOR	Carmen Almiñana
BEATRIZ, BARONESA DE PANTECOSTI	María Santoncha
AGATA	Ana María Noé
OSHIDORI	Benito Cibrián
SERGIO HERNAN	Antonio Armet
REGINALDO DE PANTECOSTI	Gonzalo Lloréns
INDALECIO CRUZ	Maximino Fernández
MARIANO	Manuel Aragonés
ARTURITO	Emilio Menéndez
ROBERTO DE PANTECOSTI .	Luis G. Guerrero
UN CRIADO	Manuel Alfonso
UN CHÓFER	N. N.

93

El prólogo y primer acto, en Madrid; el segundo y tercer actos, en un hotel de Cercedilla. Lados, los del actor. [17]

[17] En la primavera-verano de 1989 la obra volvió a presentarse en el teatro Maravillas, de Madrid, uno de los que la tuvieron en escena poco después de su estreno. En la reciente reposición el reparto se estableció así: *Elena:* María Kosty; *Francisca:* María Jesús Sirvent; *Adelaida:* Pilar Bardem; *Pepita:* Pepa Ferrer; *Julia:* Carmen Merlo; *Nina:* Charo Vázquez; *Fernanda:* Chelo Hurtado; *Leonor:* Olga Piquer; *Beatriz:* Mary Begoña; *Ágata:* Susana Buen; *Oshidori:* Fernando Delgado; *Sergio Hernán:* Víctor Valverde; *Reginaldo de Pantecosti:* Arturo López; *Indalecio Cruz:* José Cerro; *Arturito:* Lino Ferreira; *Roberto de Pantecosti:* Antonio Campos.

PRÓLOGO

Gabinete saloncito de una "garçonnière" elegante. Una puerta en el lateral derecha y dos más en la izquierda. Otra puerta en el foro derecha, esta última con forillo de vestíbulo. En el foro, ocupando todo el centro y la izquierda, se abre un gran arco provisto en toda su longitud de una barra, a lo largo de la cual corre un tapiz. Detrás de él figura existir la alcoba del dueño de la casa. En la izquierda, entre las dos puertas de ese lado, ventanal con persiana de madera que se cierra en guillotina. Bajo el ventanal, un fonógrafo eléctrico. En la derecha, una biblioteca enana que sostiene un puñado de revistas y cuatro únicos libros, iguales en tamaño, forma y encuadernación. Una mesita con una lámpara, un teléfono, un "gong" y servicio de licores y tabacos. La escena, puesta con un sentido personalísimo, es una de esas habitaciones que atraen por igual a las mujeres formales que a los hombres informales; una de esas habitaciones pintorescas y voluptuosas, donde todo se combina para formar confidenciales rincones, en los cuales es frecuente que —al anochecer— las visitas femeninas se detengan largos ratos a inquirir detalles y a hacer preguntas, aunque sin aguardar nunca —naturalmente— las respuestas. Los asientos son amplios, cómodos y resultan propicios a cualquier decisión; las luces están instaladas de modo imprevisto, y en cuanto a los muebles, son tan selectos, que ninguno vale para nada. Comienza la actuación a las dos de la tarde de un día de primavera.

Al levantarse el telón, no hay nadie en escena. Las lámparas están apagadas, las puertas cerradas y la persiana del ventanal corrida. En la puerta del primero izquierda, la llave se halla puesta por fuera. Suave penumbra invade la habitación. Una pausa. Luego se abre la puerta del foro y entra OSHIDORI en mangas de camisa, con pantalón y chaleco negros. OSHIDORI es un criado; aunque tiene cincuenta años, en su cédula pone cuarenta y nueve, él representa cuarenta y cinco, y declara cuarenta y dos. Viste irreprochablemente y habla, acciona y procede dentro de la órbita de la más exquisita depuración. Al aparecer por el foro, OSHIDORI se dirige al ventanal y lo abre. La escena se ilumina con luz de sol. Entonces, por el foro, entra Pepita. PEPITA es una doncella que no tiene más que el uniforme; su distinción al moverse y sus modales denuncian en ella a la gran dama. Trae al brazo un frac.

PEPITA. *(Avanzando.)* El frac, Oshidori.

OSHIDORI. Gracias, marquesa. *(Se lo pone.)* ¿Y el señor?

PEPITA. Duerme.

OSHIDORI. ¿A qué hora vino anoche, marquesa?

PEPITA. A las doce.

OSHIDORI. ¿Sólo?

PEPITA. Acompañado. Y a la una volvió a marcharse.

OSHIDORI. ¿Acompañado?

PEPITA. Solo. Y a las cinco regresó de nuevo oliendo a whisky.

OSHIDORI. ¿Solo?

PEPITA. Con soda.

OSHIDORI. No me refería al whisky, sino al señor, marquesa. *(Calculando.)* Pues cinco y diez son quince...

(Consultando su reloj.) Ahora son las dos, que son las catorce... *(Resumiendo y guardándose el reloj.)* Marquesa, prepare el desayuno del señór para las quince, que son las tres.

PEPITA. Muy bien. *(Se va por el foro. Suena el teléfono.)*

OSHIDORI. *(Descolgando el auricular.)* ¡Diga! ¡Ah! *(Amabilísimo.)* Señora condesa... Oshidori, para servir a la señora condesa. Efectivamente: el señor duerme todavía.... Muy bien. Le despertaré inmediatamente. ¿Qué es lo que debo preguntar al señor, que si esta tarde a las cinco o que si mañana a las cuatro? Perfectamente: corro a preguntárselo. *(Se retira el auricular del oído, tapa la bocina y durante un rato permanece inmóvil, de pie junto a la mesita. Pasado el rato destapa la bocina y vuelve a aplicarse el auricular.)* ¿Señora condesa? El señor, que se ha alegrado extraordinariamente de que le despertase, acaba de expresarme, con lágrimas en los ojos, cuánto lamenta no poder acudir ni hoy a las cinco ni mañana a las cuatro al sitio donde él y la señora condesa saben. Dice que irá cualquier otra tarde, sin fijar fecha; pero, eso sí, suplica a la señora condesa que no se impaciente por muchas tardes que tarde en llegar esa tarde... ¿Cómo? *(Asombrado de la burrada que por lo visto le ha contestado la condesa. Aparte.)* (¡Arrea!) *(Alto.)* Muy bien. Así mismo se lo comunicaré al señor, señora condesa. *(Cuelga.)* La verdad es que el señor tiene razón cuando dice que la condesa sólo se diferencia de un carabinero en que fuma con la mano derecha... Aunque claro que tiene motivos para todo: en un mes se ha llevado trece plantones. Y ahora a despachar la conquista de anoche. *(Acercándose a la puerta del primero izquierda.)* Debe de estar aquí. *(Llamando con los nudillos.)* Señora... ¡Señora!...

ELENA. *(Dentro.)* ¿Quién llama?

OSHIDORI. Aquí está. *(Hace jugar la llave y aguarda a pie firme junto a la puerta. Inclinándose.)* Señora... *(Entra Elena. Tiene treinta años, pero con la luz eléctrica no debe aparentar más que veinticinco. Es de una belleza graciosa y pensativa. Mujer moderna, hecha para las sensaciones, lo mismo se la confundiría con una de aquellas dulces y románticas damas que aún pueden verse en los viejos grabados de la escuela inglesa. Ahora Elena se viste con un pijama frívolo y se reviste con una actitud profundamente grave. Avanza y se detiene un instante junto al fonógrafo.)*

ELENA.   ¡El fonógrafo! ¡El maldito fonógrafo! *(Da dos pasos más y se encara con Oshidori.)* ¿Quién es usted?

OSHIDORI.   Soy Oshidori, el criado del señor.

ELENA.   ¡Ah! ¿Es usted el criado de Sergio?

OSHIDORI.   Sí, señora... Pero no lo parezco, ¿verdad, señora?

ELENA.   No. No lo parece usted.

OSHIDORI.   Todo el mundo me lo dice.

ELENA.   ¿Y cómo no le vi a usted anoche cuando yo vine?

OSHIDORI.   Porque ayer me despedí después de vestir al señor para la tarde; era sábado y yo, como buen español, hago semana inglesa...

ELENA.   Entonces ¿quizá no puede usted decirme dónde está ahora Sergio?

OSHIDORI.   *(Rápidamente.)* El señor no está en casa, señora.

ELENA.   ¿Que no está en casa? Tengo la certidumbre de que está... *(Va hacia el foro y mira en la alcoba por uno de los extremos del tapiz.)* ¡Ya lo creo que está! *(Despreciativa.)* ¡Y durmiendo! *(Indignada.)* ¿Por qué ha mentido? ¿Por qué ha dicho que no estaba en casa?

OSHIDORI.   *(Recurriendo a toda su habilidad.)* Señora, cuando un hombre duerme teniendo en la habitación de al lado una mujer como la señora, lo mejor que se puede decir de él es que no está en casa...

ELENA.   Tiene usted razón. *(Mirándole con curiosidad.)* Y lo ha dicho usted muy bien; con una frase muy intencionada...

OSHIDORI.   *(Rectificando modestamente.)* La frase no es mía.

ELENA.   Pues ¿de quién es?

OSHIDORI.   Del señor.

ELENA.   Eso hará Sergio: ¡frases!

OSHIDORI.   Y no es poco, señora. La Humanidad entera no ha hecho otra cosa hasta el presente. Y el mundo se creó con la frase "hágase la luz"; se pobló con la de "creced y multiplicaos", y se civilizó con la de "vacaciones sin *kodak* son vacaciones perdidas". [18]

ELENA.   (*Sonriendo.*) Eso me ha hecho gracia...

OSHIDORI.   Pues también es del señor.

ELENA.   (*Poniéndose seria.*) Lo siento. Pero en cambio me alegra observar que tiene usted un aire respetable, Oshidori. Y le voy a comunicar un secreto...

OSHIDORI.   La señora me distingue mucho.

ELENA.   El secreto es éste: Oshidori, su amo es un canalla. (*Después de una pausa.*) ¿Qué dice usted?

OSHIDORI.   Que en ocho años mil cuatrocientas señoras me han comunicado el mismo secreto que la señora. [19]

ELENA.   ¿Mil cuatrocientas señoras? ¿Y en ocho años?

OSHIDORI.   A ciento setenta y cinco señoras un año con otro. Lo he calculado varias veces.

ELENA.   Entonces, ¿qué clase de hombre es éste?

OSHIDORI.   Un don Juan, señora. Un don Juan que se llama Sergio. Un Barba Azul al que yo afeito la barba dos veces al día. [20]

ELENA.   Luego ¿su fama?

OSHIDORI.   Cierta.

---

[18] Otro de los sistemas humorísticos: habilitar los **spots** publicitarios que el público conoce. En *El libro del convaleciente,* donde se incluyen sus "máximas mínimas", encontramos esta definición: *KODAK: Aparato para desfigurar a distancia.* Madrid, Biblioteca Nueva, 1943², p. 23.

[19] La hipérbole es menor que en *Pero... ¿hubo alguna vez once mil vírgenes?*

[20] Probablemente ésta es una forma de acentuar la virilidad del donjuán, cuestionada, como queda dicho, por G. Marañón, a quien Jardiel había leído con interés. El tema se aborda en el apartado 3 de la Tercera Parte de *Pero... ¿hubo alguna vez?*

ELENA. ¿Y lo de que no ha habido una mujer que se le resista?

OSHIDORI. Absolutamente verdad, señora.

ELENA. ¿Y eso de que jamás se ha enamorado de ninguna?

OSHIDORI. Completamente exacto.

ELENA. ¡Estúpida de mí! Y yo que pensé que lo que se contaba era exagerado. *(Transición. Confidencial.)* Pero imagínese, Oshidori, que después de muchos meses de pensar en él me lo encontré de pronto ayer tarde en Sakuska...[21]

OSHIDORI. Va mucho.

ELENA. Eran las siete. Caía la tarde. Todavía brillaban al sol algunas azoteas y el cielo se había teñido de morado. ¿Se lo imagina?

OSHIDORI. Sí, señora.

ELENA. Me parece que no se lo imagina, Oshidori.

OSHIDORI. Sí, señora, sí. Me lo imagino como si lo estuviera viendo. No obstante, cerraré los ojos para imaginármelo mejor. *(Cierra los ojos.)* Me imagino a la señora en Sakuska sentada en una mesa de la derecha.

ELENA. ¡No! De la izquierda.

OSHIDORI. Eso es; de la izquierda. A veces falla la imaginación.

ELENA. Anochecía... A mí el crepúsculo me pone muy triste...

OSHIDORI. A mí también, señora. Y se explica. Al fin y al cabo, el crepúsculo es un fracaso diario de la Naturaleza.[22]

ELENA. *(Admirada.)* ¡Qué bonito, Oshidori!

OSHIDORI. *(Siempre modesto.)* Es una frase del señor.

ELENA. ¡Vaya por Dios! Pues estaba yo triste, triste... y sentía ganas de... no sabía de qué...

---

[21] Con Vivola Adamant había estado en el *Claridge's*. Los nombres de las salas no responden solamente a un esnobismo adocenado que se ha achacado a Jardiel. Es práctica habitual.

[22] La expresión tiene todos los visos de una greguería, como ya se hizo notar.

OSHIDORI. Quizá de llorar.

ELENA. ¡Eso! De llorar. Cuando, de pronto, se detuvo a la puerta un auto...

OSHIDORI. Packard.

ELENA. Y bajó de él un hombre...

OSHIDORI. El señor.

ELENA. No. primero bajó el chófer... [23]

OSHIDORI. Indalecio.

ELENA. Después bajó Sergio y entró en Sakuska. Entró erguido, fascinador, dominándolo todo con la mirada, levantando a su paso una nube de cuchicheos femeninos, elegantísimo, vistiendo un traje...

OSHIDORI. ...azul con rayitas blancas.

ELENA. Sí. ¿Cómo lo sabe?

OSHIDORI. Se lo había puesto yo.

ELENA. ¡Es verdad! Ya no me acordaba. Y en el ojal de la solapa lucía...

OSHIDORI. ...una dalia. Los sábados por la tarde le toca dalias...

ELENA. Una dalia, justamente. Entró, se fijó en mí, me invitó y merendamos juntos...

OSHIDORI. ...sin que la señora pudiera precisar lo que tomaron.

ELENA. ¡Eso es! Pero, ¿cómo lo adivina usted todo?

OSHIDORI. Ocho años al servicio del señor... Mil cuatrocientos "casos" observados... ¿Y después?

ELENA. Después paseamos por el campo. Hablamos del alma. Me dijo que estaba muy solo...

OSHIDORI. Eso suele decir cuando está junto a una mujer.

ELENA. Me recitó versos de Byron.

OSHIDORI. ¿Y los de Lamartine?

ELENA. ¡También! Calle usted... ¿qué fue lo que me recitó de Lamartine?

OSHIDORI. "El lago."

ELENA. ¡"El lago", sí!

OSHIDORI. Siempre recita "El lago". Lo único que

---

[23] "Chauffeur", en A.

sabe de Lamartine es "El lago" y que le gustaban mucho las alcachofas.

ELENA. Tengo entendido que lo que gustaban a Lamartine eran los espárragos.

OSHIDORI. Precisamente, pero al señor se le han metido en la cabeza las alcachofas. ¿Y luego, señora?

ELENA. Luego comimos en un reservadito de cierto restaurante campestre. Me contó cosas de su vida... Porque ha debido de viajar mucho, ¿verdad?

OSHIDORI. Tanto como un maletín roto.

ELENA. Y después..., ya a medianoche, me trajo aquí. Yo perdí el sentido por completo, Oshidori... Y ocurrió... pero usted también se imaginará lo que suele ocurrir cuando una mujer enamorada pierde el...

OSHIDORI. *(Cortándola.)* Eso se lo imagina cualquiera.

ELENA. Sin embargo, aún no he podido explicarme qué fue lo que me hizo llegar a todo aquello...

OSHIDORI. A lo mejor, una sola frase.

ELENA. Una sola frase, es verdad. Ahora veo claro que me sentí subyugada cuando mirándome fijamente en el campo, me dijo...

OSHIDORI. ...la [24] dijo: *Usted tiene ojos de mujer fatal.*

ELENA. ¡Justo! ¡Justo! ¿Es que se lo ha dicho a varias?

OSHIDORI. La frase *Usted tiene ojos de mujer fatal* es la que utiliza siempre el señor para rendir a las señoras.

ELENA. ¡Pero es indignante que conmigo utilizara el recurso que utilizó con las demás!

OSHIDORI. Eso mismo me dijeron las demás.

ELENA. ¡Oshidori!... *(Suena el teléfono.)*

OSHIDORI. Con permiso de la señora... *(Al aparato.)* ¡Diga! Sí, señora. ¿Cómo? ¡Ah! Muy bien. *(A Elena, tapando la bocina.)* Aquí tiene la señora a una señora que lo primero que advierte es que no es señora, sino señorita.

---

[24] Los casos de "laísmo" son numerosos.

ELENA. ¿Otra... aspirante, Oshidori?

OSHIDORI. Sí. De éstas caen diez diarias...

ELENA. ¿Caen?

OSHIDORI. O por lo menos se mueven mucho. *(Al aparato.)* ¿Cómo? ¿Señorita? *(Cuelga.)* Ha colgado. Eso es que el marido ha entrado en la habitación.

ELENA. ¿El marido? ¿Pero no es señorita?

OSHIDORI. Conozco el género, señora. Y todas estas que piden que se les llame señoritas están casadas, veranean en El Escorial y tienen diez hijos, el más pequeño arquitecto. *(Por el foro entra Pepita.)*

PEPITA. ¿El teléfono, Oshidori?

OSHIDORI. Ya lo he atendido yo, marquesa. Puede retirarse...

PEPITA. *(A Elena.)* Señora... *(Se va por el foro.)*

ELENA. ¿Por qué llama marquesa a la doncella?

OSHIDORI. Porque lo es.

ELENA. ¿Qué dice usted?

OSHIDORI. Sí, señora; la marquesa del Robledal. Quizá es conveniente que sepa la señora que toda la servidumbre de la casa está formada por antiguas amadas del señor...

ELENA. ¡No es posible!

OSHIDORI. Sí, señora, sí. Son corazones románticos que, al terminar con el señor, suplicaron plazas en la servidumbre para poder verle [25] diariamente, ya que no les era posible otra cosa.

ELENA. ¡Pero es absurdo!

OSHIDORI. Lo cierto es siempre absurdo, señora, y amar quiere decir esclavitud. Realmente es una servidumbre para enorgullecer a cualquiera. Las hay de todos los gustos. Al frente de la cocina, por ejemplo, está nada menos que Nita Numi, la famosa bailarina húngara, única en el mundo que ha bailado el "Ave María" de Gounod... [26]

·

[25] También son copiosos los casos de "leísmo".

[26] Charles Gounod, compositor francés (París, 1818-1893) que alcanzó sus mayores éxitos con *El médico a palos, Fausto* y *Romeo y Julieta.*

ELENA.   ¡Sí que es extraordinario!

OSHIDORI.   Y el chófer...

ELENA.   *(Alarmada.)* ¿El chófer también, Oshidori?

OSHIDORI.   Déjeme acabar la señora. El chófer vino expresamente de Buenos Aires por curiosidad de conocer al señor para descubrir el secreto de su éxito con las mujeres. Como el señor no tenía tiempo de atenderle, se quedó de chófer para observar. Es Indalecio Cruz, el autor de tangos de fama mundial.

ELENA.   ¿Y ha conseguido descubrir el secreto del éxito de Sergio?

OSHIDORI.   Todavía, no. A mi juicio, el éxito del señor con las mujeres obedece a que no les hace ningún caso.

ELENA.   Eso explica lo ocurrido conmigo, porque aún no le he dicho, Oshidori, que anoche, cuando volví a recobrar el sentido, me dijo que le esperase en esa habitación. *(El primer izquierda.)* Y en cuanto entré, él mismo fue el que me encerró con llave. Y así que empecé a protestar y a llamar.

OSHIDORI.   ...el señor puso en marcha el fonógrafo y colocó un disco del "O Marie".

ELENA.   Exactamente. ¿También eso lo ha hecho con varias?

OSHIDORI.   Sí, señora. Y a las que gritan demasiado las pone el "Torna a Sorrento", cantado por un orfeón vasco.

ELENA.   Pero el fonógrafo sonó hasta la madrugada...

OSHIDORI.   Es eléctrico y tiene un dispositivo gracias al cual cuando concluye el disco empieza de nuevo.

ELENA.   ¡Un encanto! ¿De suerte que su primera obligación por las mañanas es comprobar si hay víctimas cautivas?

OSHIDORI.   Sí. Y en el caso de que las haya, despedirlas.

ELENA.   ¿Cómo?

OSHIDORI.   Los procedimientos varían.

ELENA.   ¿Y cuál es más eficaz?

Enrique Jardiel Poncela.

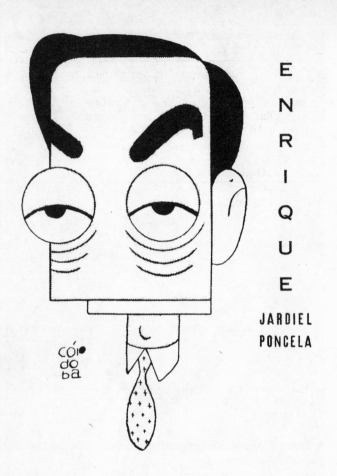

E
N
R
I
Q
U
E

JARDIEL
PONCELA

Caricatura de Jardiel, por Córdoba.

OSHIDORI. El que estoy empleando con la señora.

ELENA. *(Escandalizada de su cinismo.)* ¡Pero, Oshidori!

OSHIDORI. Yo aconsejo a las señoras que se marchen. Ellas se echan a llorar y se desmayan. Yo recurro al éter y las vuelvo en sí, y mientras ellas se van muy tristes, retocándose los ojos con el lápiz.

ELENA. ¿Y por qué a mí no me aconseja que me marche, Oshidori?

OSHIDORI. Perdón; es que me he distraído hablando. Le aconsejo a la señora que se marche.

ELENA. *(Levantándose con un esfuerzo.)* Sí... Y ya me hubiera ido antes si estuviera convencida de que sólo he sido para Sergio una más...

OSHIDORI. Eso es fácil, señora, porque el señor apunta todas sus conquistas. Don Juan las apuntaba también.

ELENA. ¿Que las apunta? ¿Dónde?

OSHIDORI. En estos cuatro libros. *(Señala la biblioteca.)* Y por orden alfabético.

ELENA. ¿De apellidos o de nombres?

OSHIDORI. De nombres. Los héroes, las enamoradas y los planetas no tienen apellido [27] *(Inclinándose, como siempre.)* Es una frase del señor...

ELENA. Lo sospechaba.

OSHIDORI. Si la señora ha sido "una más" para el señor, la señora estará apuntada aquí con las restantes...

ELENA. ¿Y si aún no le hubiera dado tiempo de apuntarme, Oshidori?

OSHIDORI. ¡Por Dios! Con el ruido del último cañonazo se escriben ya las batallas en la Historia... *(Inclinándose.)* Es una frase...

ELENA. ...del señor.

OSHIDORI. No, señora; ésta es de Napoleón Bonaparte. *(Yendo hacia la biblioteca.)* ¿El nombre de la señora?

ELENA. Elena.

---

[27] Otra posible greguería.

OSHIDORI.   Tomo primero. *(Coge uno de los tomos, pero al ir a abrirlo se lo arrebata Elena.)*

ELENA.   ¡Por favor! Lo veré yo misma... *(Vuelve al sillón con el libro; lo hojea ansiosamente. Oshidori ha cogido otro tomo y lo hojea a su vez junto a la biblioteca. Hay un silencio profundo. De pronto Elena levanta la cabeza radiante.)* ¡No estoy![28] Eso quiere decir... *(Levantándose.)* ¡Llámele, Oshidori! ¡Despiértele! *(Con brusca decisión, yendo hacia el foro.)* ¡Le despertaré yo! Quiero que...

OSHIDORI.   *(Deteniéndola con el gesto.)* Perdón... Siento darle ese disgusto a la señora, pero acabo de ver que la señora está incluida en el tomo segundo...

ELENA.   *(Paralizada.)* ¿Eh? Me llamo Elena... Tenía que estar en el tomo primero, letra E, ¡y no estoy!

OSHIDORI.   Sí, señora. Pero es que el señor escribe Elena con hache... Es lo clásico.

ELENA.   *(Sintiendo derrumbarse todo a su alrededor.)* ¡¡Oshidori!!

OSHIDORI.   La señora aparece aquí bien claramente. *(Leyendo en su tomo.)* "Número 1401. Helena. Conocida en Sakuska el 10 de junio. Una merienda, un paseo, una comida en el campo. — Eligió 'pijama' a rayas. Ella sabía quién era yo y todo me fue fácil."

ELENA.   Todo le fue fácil, pero es que yo no sabía quién era él...

OSHIDORI.   "Lloró con 'El lago' de Lamartine."

ELENA.   Eso es mentira, pero pudo ser verdad.

OSHIDORI.   "Perdió la cabeza cuando le dije lo de los ojos."

ELENA.   Eso es verdad y ahora me parece mentira.[29]

OSHIDORI.   "Bonita. Rubia. Joven."

ELENA.   Todo exacto.

OSHIDORI.   "Romántica, tirando a cursi..." *(Después de leerlo se arrepiente de haberlo leído.)*

---

[28] ¡No estoy! ¡No estoy!, en *A.*

[29] El juego de palabras cobra todo su significado al efectuarse la comparación con la última expresión de Elena.

ELENA. ¿Eh? ¿Qué dice?

OSHIDORI. Nada; no dice nada...

ELENA. Déjeme... Necesito convencerme por mí misma. *(Leyendo en el tomo.)* "Romántica, tirando a cursi. Empalagosa. Irresistible..." *(Se separa de Oshidori y va hacia el sillón lentamente.)* (Romántica, tirando a cursi... Empalagosa. *(Dejándose caer en el sillón.)* Irresistible... Me ha encontrado irresistible... *(Apoya su codo en el sillón y oculta el rostro en la mano. Hay una pausa. Oshidori da un golpecito en el "gong". Luego contempla a Elena, y por fin saca un pañuelo y un frasquito del bolsillo y vierte en el pañuelo el contenido del frasquito. En aquel momento Elena se rehace y alza la cabeza.)* ¿Qué hace usted, Oshidori? ¿Qué es eso?

OSHIDORI. El frasco del éter, señora. Tomo mis precauciones para cuando la señora se desmaye...

ELENA. *(Moviendo la cabeza tristemente.)* Esta vez no hay desmayo, Oshidori. Desmayarse significa nervios, voluntad contrariada, corazón, sentimientos..., y todo eso, Oshidori, acaba de quedar muerto dentro de mí. ¿No lo cree? También soy para usted una cursi...

OSHIDORI. ¡Oh, no, señora! Ni mucho menos...

ELENA. Entonces, para usted, ¿yo qué soy, Oshidori?

OSHIDORI. Hasta hace un momento una verdadera enamorada, y desde que la señora ha leído... lo que ha leído, una mujer dispuesta a la desesperación.

ELENA. ¡Cuánta clarividencia! ¡Qué conocimiento del alma!

OSHIDORI. Sí, señora.

ELENA. Y ahora me marcho. *(Levantándose.)* Voy a vestirme.

OSHIDORI. He avisado ya a una doncella. *(A Pepita, que acaba de aparecer en el foro.)* Póngase a las órdenes de la señora.

ELENA. Está usted en todo. *(Volviéndose y viendo a Pepita. Respetuosamente.)* ¡Ah! La marquesa...

PEPITA. *(Indicándole a Elena el primero izquierda.)* Pase la señora.

ELENA. ¿Yo primero? No, no... Usted delante, marquesa, usted delante... *(Obliga a hacer mutis a Pepita y se va ella detrás.)*

OSHIDORI. *(Viéndola ir.)* ¡Pobrecilla! Siendo la única que no se ha desmayado, es la única que me ha dado lástima... [30]

---

[30] Es el primer rasgo de la originalidad de Elena, motivo de la extrañeza y la compasión de Oshidori.

ACTO PRIMERO

*La misma decoración. Todo aparece igual que apareció
al comenzar el prólogo. Han pasado tres meses, pero nada
ha cambiado en casa de Sergio. La persiana del ventanal
está descorrida y la escena iluminada con luz del sol. En
las dos puertas del primero y segundo izquierdas, las
llaves están puestas por fuera. Las puertas aparecen
cerradas.*

*Comienza la acción a las tres de la tarde. Otoño. Al
levantarse el telón, la escena sola. El fonógrafo se halla
funcionando con un disco de "O Marie". Una pausa
durante la cual se oye el "O Marie" a más y mejor.
Después entra Oshidori por el foro, se dirige al fonógrafo
y lo para. En ese momento rompe a sonar el teléfono, y
coincidiendo con él entra Pepita por la derecha.*

OSHIDORI. *(Al teléfono.)* ¡Diga! Señora condesa...
Buenas tardes, señora condesa. ¿Cómo dice la señora
condesa? *(A Pepita.)* Marquesa, la señora condesa dice
que está negra.
PEPITA. ¿Que está negra?
OSHIDORI. Completamente negra. *(Al teléfono.)*
¿Tres meses, señora? ¡Es increíble, cómo se pasa el
tiempo! *(A Pepita.)* Dice que hace ya tres meses que yo

109

la anuncié que el señor acudiría una tarde al sitio de costumbre, y que ¡nanay! [31]

PEPITA.   ¿Nanay?

OSHIDORI.   Nanay y moscas tres...

PEPITA.   ¡Es siempre la misma!

OSHIDORI.   Pero ¿cómo se explica que la condesa de San Isidro sea tan chula, marquesa?

PEPITA.   Presume de chispera. [32] Según parece, a su bisabuela le hizo un retrato Goya, y ese acontecimiento ha arruinado sus buenos modales para siempre.

OSHIDORI.   ¡Qué caso! *(Cuelga el auricular.)*

PEPITA.   No me explico cómo Sergio ha podido llegar a nada con la condesa.

OSHIDORI.   Fue el año pasado. El señor quería completar su lista particular de aristócratas. Sólo que la condesa está en esa edad en que las mujeres, antes que renunciar a un hombre, renuncian a la ondulación Marcel... *(Oshidori ha cogido de encima de la mesita un pulverizador del tamaño de los del "Flit" y se ha liado a pulverizar la atmósfera.)*

PEPITA.   Pero ¿qué haces, Oshidori?

OSHIDORI.   Pulverizo éter. He descubierto que es más cómodo pulverizarlo en el aire que gotearlo en un pañuelo, con la ventaja de que así los desmayos no llegan a producirse.

PEPITA.   ¡Qué talento!

OSHIDORI.   Y cada vez que voy a echar una, pues pulverizo.

PEPITA.   Pero ¿es que hoy hay más de una, Oshidori?

OSHIDORI.   Hoy hay dos.

---

[31] Un vulgarismo que, puesto en boca de una condesa, resulta chocante y se convierte en motivo humorístico.

[32] El *D. R. A. E.* define *chispero* como "hombre del barrio Maravillas de Madrid, cuyos vecinos se llamaron así antiguamente por los muchos herreros que en él había". A mi modo de ver, en este caso vendría a ser sinónimo de *chulapa*. Al pintor veneciano G. D. Tiépolo (1696-1770) corresponde un magnífico lienzo titulado *Chisperos,* donde podemos ver un grupo de tres personajes ataviados con la clásica indumentaria madrileña.

PEPITA.   ¡Dos!

OSHIDORI.   Dos, marquesa. Una que vino por la noche y otra que vino por la tarde, pero que volvió por la noche, porque las hay que repiten. ¡Se está matando!

PEPITA.   Y acabará matándonos a todas las que le queremos sin egoísmos. Nita Numi ha perdido seis kilos; yo estoy quedándome ya como una sombra, y Leonor ha presentado su dimisión de secretaria porque no puede resistir más los celos. *(Se oyen unos golpecitos en la puerta del segundo izquierda.)*

OSHIDORI.   Una que se impacienta... Hay que actuar. *(Deja el pulverizador y va hacia el segundo izquierda.)*

PEPITA.   Yo prefiero no verlo. Voy a dar la cera en el "hall".

OSHIDORI.   Hasta luego, marquesa. *(Pepita se va tristísima por el foro. Oshidori hace jugar la llave del segundo izquierda. En seguida se abre la puerta y aparece Francisca. Oshidori se inclina.)* Señora... *(Francisca es una mujer esbelta, de edad indecisa, elegante, con una elegancia explosiva y provista de un aire dramático que lo mismo puede significar que es un personaje de Shakespeare, que puede significar que está mal de la cabeza. Entra con los ojos tapados por un pañuelo que sostiene en la mano derecha y lleva en la otra mano el sombrero y un "renard"* [33] *a la rastra. Recorre la escena lentamente, deteniéndose en todos los rincones a llorar un poco hasta que Oshidori la aborda.)* Si la señora se sentase..., lloraría más tranquila la señora. *(Ella no le hace caso.)* ¿Por qué no se sienta la señora?

FRANCISCA.   *(Muy cargada de razón, al través de sus lágrimas.)* ¡Sé llorar de pie!

OSHIDORI.   Pero es que sentada lloraría la señora mucho más a gusto...

FRANCISCA.   ¿Usted cree?

OSHIDORI.   Pruebe la señora y verá... *(Le acerca un sillón.)*

---

[33] Piel de zorro para llevar al cuello.

FRANCISCA. *(Sentándose.)* ¡Pues es verdad! *(Llora sentada.)* ¡Qué bien se llora así! ¡Se llora divinamente! *(Llora más fuerte y de pronto levanta la cabeza.)* ¿A usted no le gusta llorar?

OSHIDORI. Muchísimo. Yo lloro todas las tardes, de cinco a seis.

FRANCISCA. ¡Qué suerte! ¡Yo no puedo! No puedo, porque a las cinco y media llega la manicura... [34] *(Llora fuertemente.)*

OSHIDORI. *(Aparte.)* (Es una histérica... ¡Mi especialidad!...) *(Alto.)* Llorar es realmente estupendo, señora.

FRANCISCA. ¡Es divino! *(Llora con más furia.)* ¡Divino!

OSHIDORI. Pero piense la señora que el llanto hace caer las pestañas...

FRANCISCA. *(Dejando de llorar en el acto.)* ¿Es cierto eso?

OSHIDORI. El evangelio del Instituto Isis. [35]

FRANCISCA. Gracias... Avise a Sergio.

OSHIDORI. El señor no está visible, señora.

FRANCISCA. *(Cayendo en un súbito estado de desesperación.)* ¡Que no está visible! ¡Eso más!... ¡Eso más, Dios mío! ¡Eso más, Dios del Sinaí!... [36] *(Se levanta y pasea su desesperación.)* ¡Mofa sobre mofa! ¡Befa sobre befa!

OSHIDORI. *(Siguiéndola.)* Señora...

FRANCISCA. ¡Mofa sobre befa!

OSHIDORI. Señora; yo le ruego...

FRANCISCA. ¡Estoy que mufo!

OSHIDORI. ¿Mufo?

---

[34] Recuérdese lo que se dijo en la "Introducción" sobre los diálogos y sobre la "ruptura del sistema".

[35] Ignoro si existió ese Instituto. Jardiel solía usar como verdaderos algunos elementos de su invención. Lo interesante aquí es la paradoja *evangelio / Isis*, donde se encierra una falacia que pasa desapercibida para Francisca.

[36] El Dios de los hebreos, como ya se hizo notar en la "Introducción".

FRANCISCA.   Bueno..., ¡mafo!

OSHIDORI.   *(Hecho un lío.)* ¿Mafo o bafo?

FRANCISCA.   *(Liándose también.)* ¡Fobu!

OSHIDORI.   *(Más liado todavía.)* ¡Bofu!

FRANCISCA.   *(Triunfalmente.)* ¡¡Bufo!! [37]

OSHIDORI.   Bufo, eso es... ¡Lo que nos ha costado!

FRANCISCA.   *(Cayendo otra vez en el sillón, hipando.)* ¡Jurarme que me quería para tenerme luego toda la noche bajo llave, como unos documentos!... ¡Trece horas encerrada! ¿Usted cree que se puede estar trece horas encerrada? ¿Y trece horas oyendo "O Marie"? ¿Usted cree que se puede estar trece horas oyendo "O Marie"?

OSHIDORI.   Los italianos lo están oyendo hace ciento cuarenta y dos años...

FRANCISCA.   ¡Pero yo no soy italiana!

OSHIDORI.   Se nota en seguida.

FRANCISCA.   Yo soy de Albacete.

OSHIDORI.   Eso ya no se nota tan pronto. *(Aparte.)* (Histérica de la Mancha.) [38]

FRANCISCA.   ¿Y para eso me dijo que estaba muy solo? ¿Y para esto me recitó "El lago", de Víctor Hugo?

OSHIDORI.   De Lamartine, señora.

FRANCISCA.   ¡Bien se ha reído de mí! ¡Su amor, una burla; sus juramentos, una irrisión, y su encierro, un oprobio! ¡Todo mofa! ¡Todo befa! ¡¡Todo!! *(Con una transición.)* ¿Qué hora es?

OSHIDORI.   Las tres de la tarde.

FRANCISCA.   No.

OSHIDORI.   Sí, señora. Las tres y cinco en punto.

FRANCISCA.   ¡No! ¡No me quejo! Lo prefiero...

OSHIDORI.   ¡Ah! Bueno...

FRANCISCA.   Prefiero que haya sido así. Es mi sino. Es mi destino. Soy una mujer fatal.

---

[37] Juego de palabras basado en la aliteración, pero también en los significados.

[38] El apodo, en esta ocasión, parece aludir al *Quijote*.

OSHIDORI.   Sí, señora.

FRANCISCA.   Sergio me lo dijo ayer tarde, y tien razón. Yo he nacido para llorar. Para llorar y para sufrir intensamente. ¿Usted ha nacido para sufrir intensamente?

OSHIDORI.   Empiezo a creer que sí.

ÁGATA.   (Dentro.) ¡Oshidori!

OSHIDORI.   (Aparte.) (La otra... Ahora se arma.) (Acercándose al primero izquierda seguido por la mirada estupefacta de Francisca.) ¿Señora?

ÁGATA.   (Dentro.) Oshidori, avíseme un taxi y proporcióneme un abrigo. No es cosa de salir a la calle en traje de noche.

OSHIDORI.   Sí señora. (Da un golpe en el "gong".)

FRANCISCA.   (En el colmo del estupor.) Pero... Pero, ¿qué es eso? Pero... ¿otra mujer, Oshidori?

OSHIDORI.   Sí, señora. Otra mujer.

FRANCISCA.   (Desesperada.) ¡Otra mujer! ¡Otra mujer encerrada! ¡Otra mujer a la que también le han tocado el "O Marie"! ¡Cristo del Gólgota! ¿Y quién es? El amor de Sergio, ¿verdad? ¡Bien me lo había sospechado yo! ¡Otra mujer el amor de Sergio! ¡San Mateo! ¡San Francisco de Asís! (Cae en el sillón y queda con el rostro entre las manos.)

OSHIDORI.   ¡Pero qué exclamaciones más raras les enseñan en Albacete! (Por el foro entra Pepita.)

PEPITA.   ¿Llamabas, Oshidori?

OSHIDORI.   Sí, marquesa. Que avisen un taxi. Y tráigase un abrigo.

PEPITA.   ¿El que se utiliza para que salgan a la calle las que vienen vestidas de noche?

OSHIDORI.   El mismo. (Pepita se va por el foro.)

FRANCISCA.   (Alzando la cabeza.) ¡Cómo sufro, Oshidori! Todo se ha derrumbado a mi alrededor... Sufro tanto, que ya no puedo ser más feliz...[39]

OSHIDORI.   Mi enhorabuena, señora.

---

[39] El oxímoron revela definitivamente que Francisca es masoquista.

FRANCISCA.   Porque está claro que yo sólo he sido para Sergio una diversión.

OSHIDORI.   Justamente.

FRANCISCA.   Menos aún: un juguete, una cosa insignificante, una especie de...

OSHIDORI.   Una especie de pirulí.

FRANCISCA.   ¡Exacto! Un pirulí. Algo que se coge, se paladea...

OSHIDORI.   Y se tira al llegar al palillo. [40]

FRANCISCA.   ¡Eso es, eso es!

OSHIDORI.   Créame la señora: lo mejor que puede hacer es marcharse despreciando al señor.

FRANCISCA.   ¡Eso no, Oshidori!

OSHIDORI.   ¿No?

FRANCISCA.   ¿Despreciar? [41] ¡Nunca! ¿Despreciarle, sabiendo que no le importo? ¿Despreciarle, sabiendo que sólo soy para él un pirulí? ¡Jamás! ¡Pero si mi vida es eso! Sufrir, apretarme el corazón, mascar pañuelos... Y marcharme, dejar de verle para siempre, ¡tampoco!

OSHIDORI.   ¿Tampoco?

FRANCISCA.   Tampoco, Oshidori. Sergio me ha explicado el origen de su servidumbre. Y puesto que la secretaria ha presentado la dimisión, yo la hablaré para quedarme en su lugar.

OSHIDORI.   ¡Ah! Muy bien.

FRANCISCA.   Seré una más entre las que sufren...

OSHIDORI.   Claro, claro.

FRANCISCA.   Y seré lo que no son las otras: seré feliz. Al fin y al cabo, yo traduzco sufrimiento por regocijo. ¿Le choca?

OSHIDORI.   No. He conocido gentes que todavía traducían peor. *(Por el foro entra Pepita con un abrigo de pieles.)*

PEPITA.   El abrigo, Oshidori.

OSHIDORI.   Gracias, marquesa. *(lo coge.)* Esta seño-

---

[40] Véase "Introducción", llamada y nota 21.
[41] "¿Despreciarle?", en *A*.

ra quiere hablar con la secretaria; tenga la bondad de
acompañarla.

PEPITA.   Cuando la señora guste...

FRANCISCA.   Vamos. Pero, señora, no, marquesa.
Señora, no. ¡Compañeras, marquesa! ¡Compañeras! *(Se
van por el foro.)*

OSHIDORI.   *(Viendo abrirse la puerta del primero
izquierda.)* ¡Ah! Ya está aquí la otra... *(En efecto, por el
primero izquierda entra Ágata. Es joven, elegante, bonita.
Viste, como anunció, traje de noche y entra abrochándose
los guantes.)* Señora... Aquí tiene el abrigo la señora...
(Avanza hacia ella.)

ÁGATA.   *(Deteniéndole con el gesto.)* No se moleste.
Lo he pensado mejor y no me voy... He oído todo
Oshidori... ¡Todo! Hasta eso de que Sergio no está
visible y de que esta histérica se queda de secretaria...
Pero si Sergio no está visible, esperaré a que lo esté. He
decidido no aguantar en silencio ni sus manejos estúpidos ni las doscientas seis audiciones del "O Marie". *(Se
sienta.)*

OSHIDORI.   *(Aparte.)* (¡Las ha contado!)

ÁGATA.   Yo no soy mujer con la que un hombre
pueda divertirse un rato...

OSHIDORI.   La señora me parece demasiado pesimista.

ÁGATA.   Muchas gracias. [42]

OSHIDORI.   Pero la verdad es que el señor no está en
casa. Ha huido esta mañana, señora.

ÁGATA.   ¿Que ha huido? ¿De quién?

OSHIDORI.   De un marido. De un marido que quería
matarle.

ÁGATA.   ¿Pero todavía hay maridos que matan?

OSHIDORI.   En las grandes ciudades, no, señora;
pero éste era de provincias, donde todavía atizan. Al
señor sólo le dio tiempo de saltar al coche, resuelto a
irse a Córdoba por una temporada; pero la prueba de lo

---

[42] La expresión de agradecimiento indica que Ágata no se ha
percatado de la ironía que encerraban las palabras de Oshidori.

que ama a la señora está en que me encargó que la dijese que, hasta las cinco de la tarde, esperaba a la señora en la carretera de Andalucía, kilómetro 56. *(Aparte.)* (Me parece que la mando cerca.)

ÁGATA.　¿Qué dice usted? *(Se levanta.)*

OSHIDORI.　La verdad, señora. *(Da un golpe en el "gong".)*

ÁGATA.　¡Dios mío! Pero ya son más de las tres...

OSHIDORI.　Sí, señora...

ÁGATA.　¡Pronto! El abrigo... *(Se lo pone ayudada por Oshidori.)* Me estaba temiendo algo. No he hecho más que mezclarme en su vida, y ya se ve Sergio perseguido y huyendo... Y es que no cabe duda; él tiene razón: hay en mí algo fatal... *(En el foro aparece Pepita.)*

OSHIDORI.　Sí, señora. *(A Pepita.)* ¿Avisaron el taxi?

PEPITA.　Está abajo.

AGATA.　¡Y aún tengo que ir a casa, cambiarme de ropa, coger el coche!... ¡Con tal que llegue a tiempo! *(Inicia el mutis.)* ¿Ha dicho kilómetro 56, verdad?

OSHIDORI.　No. Ciento, cincuenta y seis,[43] señora.

ÁGATA.　Sí, sí... *(Se va por el foro.)*

OSHIDORI.　*(Desde la puerta.)* Pero si el señor no estuviera ya allí le aconsejo a la señora que siga hasta Córdoba... *(Frotándose las manos.)* ¡Útil!

PEPITA.　¡Qué talento, Oshidori!

OSHIDORI.　Práctica, marquesa, nada más que práctica... Acompáñela y prepare el desayuno del señor... Yo voy a llamarle.

PEPITA.　Muy bien. *(Se va por el foro. Oshidori se dirige al tapiz, pero antes de que llegue a él se descorre éste y entra Sergio. Tiene alrededor de los treinta y cinco años, pero cierto aire de aburrimiento y de prematuro cansancio le hace parecer de más edad. Viste un pijama y un batín y calza zapatillas.)*

SERGIO.　Salud, Oshidori.

---

[43] "Ciento, ciento cincuenta y seis", en *A*.

OSHIDORI.   Buenas tardes, señor. ¡El señor se ha levantado hoy sin que le llamase!

SERGIO.   Sí. ¿Te extraña?

OSHIDORI.   De ningún modo... Yo siempre espero del señor algo original. *(Se va por la alcoba.)*

SERGIO.   *(Acercándose al ventanal.)* Hace buen día, ¿verdad?

OSHIDORI.   *(Dentro.)* Sí, señor. El barómetro indica lluvia, pero el sol luce de un modo espléndido.

SERGIO.   Yo nunca hago caso de los barómetros.

OSHIDORI.   *(Entrando en escena.)* Ni el sol tampoco.

SERGIO.   ¡Muchas gracias, Oshidori! *(Oshidori ha sacado de la alcoba uno de esos muebles de níquel y cristal denominados "pajes" que se utilizan para el afeitado. Sergio se mira al espejo.)* ¡Qué mala cara tengo! Cada vez amanezco con peor cara... ¿No te parece? [44]

OSHIDORI.   No, señor. *(Preparando los chismes para afeitar a Sergio.)* ¿Quiere el señor que le ponga apaisado?

SERGIO.   Sí. Oshidori; ponme apaisado. *(Oshidori le apoya las piernas en un asiento, dejándole tumbado.)*

OSHIDORI.   ¿Algo más?

SERGIO.   Nada, Oshidori. Eres un estuche.

OSHIDORI.   *(Empezando a enjabonarle la cara para afeitarle.)* Todo criado está en la obligación de ser un estuche cuando sirve a un amo que es una alhaja. [45]

SERGIO.   ¿Cuándo he dicho yo eso?

OSHIDORI.   El año pasado en Ostente. *(Suena el teléfono.)*

SERGIO.   Es verdad, es verdad... Ya no me acordaba.

OSHIDORI.   *(Al aparato.)* ¡Diga! *(A Sergio.)* Señor, la señorita Lilí.

SERGIO.   ¿Cuál de ellas? Porque las Lilís son tres.

OSHIDORI.   *(Al aparato.)* ¿Lilí, qué, señorita? *(Sergio.)* Lilí Emiliana, señor.

SERGIO.   Pues dile que se vaya a paseo.

---

[44] "¿Qué te parece?", en *O. C.*, sin duda por errata.
[45] Otra greguería, como se hizo notar en su momento.

OSHIDORI.   Señorita, el señor dice que esta tarde, a las seis, en la Moncloa. *(Cuelga. Vuelve a enjabonar a Sergio.)*

SERGIO.   No quiero saber nada de ella. Se trata de una de esas muchachas, que ahora se estilan tanto, que toman baños de sol, nadan, gastan boina, leen a Freud y se pasan el resto del día encaramadas en un auto.

OSHIDORI.   ¿Y al señor no le agradan esas deportivas?

SERGIO.   No. Les sabe la boca a neumático y convierten el amor en una carrera de las XII horas.

OSHIDORI.   *(Empezando a afeitarle.)* ¡Precioso! ¡Precioso! Con permiso del señor voy a apuntar esa frase. *(Saca un cuadernillo y escribe en él.)* ¡Qué día! ¡Qué día! ¡Qué día tiene hoy el señor! *(Escribe rápidamente.)*

SERGIO.   ¿Y a las de anoche? ¿Te ha costado mucho trabajo echarlas?

OSHIDORI.   No, señor. A una de ellas la he mandado a Córdoba. *(Vuelve junto a Sergio y prosigue el afeitado.)*

SERGIO.   Bien hecho. Hay que fomentar el turismo.

OSHIDORI.   La otra quiere quedarse de secretaria del señor. Asegura haber venido al mundo para sufrir intensamente.

SERGIO.   Sí. Le falta un tornillo.

OSHIDORI.   El señor es muy benévolo; yo creo que le falta también la tuerca. *(Por el foro entra Pepita empujando una mesita con ruedas, en la que hay un desayuno.)*

PEPITA.   El desayuno, Sergio.

SERGIO.   Hola, Pepita.

PEPITA.   *(Muy solícita y enamorada.)* ¿Has descansado bien?

SERGIO.   *(Con aire aburrido.)* Sí, Pepita. Muy bien.

PEPITA.   ¿Te diste la ducha fría?

SERGIO.   Sí...

PEPITA.   ¿Has tomado el reconstituyente? ¿Has hecho la gimnasia respiratoria y el...?

SERGIO.   Sí, Pepita, sí.

PEPITA.   Cuídate, Sergio, ¡por Dios!... Mira que llevas una vida imposible... Que esa vida no hay quien la resista...

SERGIO.   Prescinde de darme consejos, Pepita. Soy mayor de edad desde 1922. [46]

PEPITA.   *(Suspirando.)* ¡Está bien! *(Pepita se va suspirando, tristísima, por el foro.)*

OSHIDORI.   El señor tiene locas a todas. Yo cada vez admiro más al señor.

SERGIO.   Pues no me admires ni me envidies, Oshidori, porque no soy feliz. Empiezo a darme cuenta de que coleccionar mujeres es tan absurdo como coleccionar sellos, con la desventaja de que al final nadie te compra la colección.

OSHIDORI.   ¡Estupendo! *(Deja de afeitarle y recurre al* cuaderno.) ¡Qué día! ¡Pero qué día tiene hoy el señor! Si el señor sigue así de inspirado, no sé cuándo acabaré de afeitarle.

SERGIO.   Este oficio es muy pesado, Oshidori...

OSHIDORI.   Sí, señor. Debe ser pesadísimo. *(Acabando de afeitarle.)* El señor está servido. Puede el señor pasar aquí. *(Le instala ante el desayuno, le sirve y queda de pie a su lado.)* En cuanto a mi opinión personal, es que el señor vive demasiado bien para ser feliz.

SERGIO.   ¿Tú crees?

OSHIDORI.   Seguramente. El señor necesita una catástrofe.

SERGIO.   ¿Automovilística?

OSHIDORI.   Cardíaca. El señor necesita enamorarse.

SERGIO.   *(Poniéndose pálido.)* ¡¡Oshidori!!

OSHIDORI.   ¿Qué es eso? ¿Le ocurre algo al señor?

SERGIO.   Oshidori, ¿tú crees que yo puedo enamorarme?

OSHIDORI.   Sí, señor.

SERGIO.   Y si yo te dijese: "Tengo la sospecha de estar enamorado", ¿lo creerías también?

---

[46] La fecha de este acontecimiento biográfico de Sergio coincide, como vemos, con la del propio Jardiel.

OSHIDORI. También, señor.

SERGIO. ¿Y por qué lo creerías?

OSHIDORI. Porque el señor se está untando la mantequilla en la palma de la mano.

SERGIO. *(Limpiándose.)* Acabas de tener un rasgo de talento, Oshidori.

OSHIDORI. *(Inclinándose con modestia.)* Señor, es mi costumbre.

SERGIO. Y la verdad es esa. La triste verdad es que entre todas las mujeres que han pasado por mi vida, Oshidori, ha habido una a la que no he podido olvidar y de la que no he vuelto a saber nunca nada. Era rubia y tenía ese "no sé qué" que se nos mete en el corazón no se sabe cuándo, que se nos agarra no se sabe cómo, que nos incita no se sabe a qué y que nos arrastra no se sabe adónde. [47] ¿Te enteras?

OSHIDORI. Es difícil, pero sí, señor.

SERGIO. La amé, la archivé y la olvidé, [48] como a tantas otras; pero un día el fantasma de aquella mujer comenzó a rondarme, y desde entonces sólo vivo para su recuerdo, la busco inútilmente en las demás y no tengo más esperanza que volver a encontrarla de nuevo. [49] Y desde entonces también, el nombre de ella no se borra jamás de mi imaginación. ¿Sabes qué nombre es ese?

OSHIDORI. Elena.

SERGIO. *(Estupefacto.)* ¡Elena! ¡Elena, sí! Pero, ¿cómo has podido adivinarlo?

OSHIDORI. Ya hace tres mañanas que cuando entro a despertar al señor, el señor me coge por las solapas, y, exclamando "¡Elena mía!", me da un beso...

SERGIO. ¿Qué? ¿Que yo te doy un beso?

OSHIDORI. Un ardiente beso, señor.

SERGIO. ¡No es posible!

---

[47] Acumulación de elementos vacuos, otra de las características del humor de Jardiel, como se ha señalado en la "Introducción".

[48] Es la fórmula del vencedor, el *veni, vidi, vici,* de César. Véase, al respecto, la nota 78.

[49] Algún crítico ha hecho notar que el fantasma de la mujer perfecta para Jardiel tiene que ver con su madre.

OSHIDORI. Sí, señor.

SERGIO. Pero, ¿y cómo no me lo has dicho hasta hoy?

OSHIDORI. Señor, uno tiene sus pudores...

SERGIO. (*Levantándose airado.*) ¡Es el colmo! ¡El colmo! ¡Haber dado un beso a un hombre!...

OSHIDORI. Tres, señor, tres.

SERGIO. ¡Haber dado tres besos a un hombre! [50] ¡Yo! ¡¡Yo!! Oshidori, te juro por mi honor que eres tú el primer hombre a quien beso.

OSHIDORI. (*Emocionado.*) ¡Qué feliz me hace el señor con sus palabras!

SERGIO. (*Más indignado todavía.*) ¡Pero no te lo digo para hacerte feliz! ¡Se necesita ser fatuo...! (*Por el foro entra Leonor seguida de Francisca.*)

LEONOR. ¿Se puede, Sergio?

SERGIO. Adelante. (*Entra Leonor. Es guapa y lleva una cartera con documentos.*)

LEONOR. (*A Sergio, tan solícita y cariñosa como Pepita.*) ¿Descansaste bien? ¿Has...?

SERGIO. (*Cortándole, de muy mal aire.*) Sí, Leonor, sí. Me encuentro admirablemente y no necesito nada. Así es que sobran las preguntas. (*Leonor se muerde los labios y se retira cobizbaja a la mesita.*)

OSHIDORI. (*Aparte.*) (Eso es castigar, y no dejar sin postre...)

SERGIO. ¿Ocurre algo?

LEONOR. Nada. Venía a despachar y a saber si aprobabas la elección de la señorita Montánchez, que quiere sustituirme.

FRANCISCA. ¡Di que sí! ¡Di que sí, Sergio! ¡Y perdóname, dueño mío!

SERGIO. ¿Eh?

FRANCISCA. ¡Perdóname el no haberme marchado! Perdóname si intento quedarme... No me digas nada. Ya sé que no me quieres. Ya sé que sólo soy para ti un pirulí.

---

[50] Esto no afecta a la virilidad del donjuán, que Jardiel defiende. Se trata de un efecto cómico, que ya se advirtió en su momento.

SERGIO. ¿Un pirulí?

FRANCISCA. Un pirulí. Tu criado lo ha dicho.

SERGIO. *(A Oshidori.)* ¿Tú has dicho que ella es un pirulí?

OSHIDORI. Me he permitido esa pequeña definición, señor.

FRANCISCA. ¿Lo ves? ¡Y no me importa! Lo que sí me importa, Sergio, es quedarme, verte a diario, envidiar a las que ames, gemir, morder el polvo...

SERGIO. ¿Morder el polvo?

FRANCISCA. ¡Morder el polvo, Sergio! Trátame como a una esclava, pero ¡consiente! Humíllame, pero ¡déjame quedarme en el puesto de esta señorita de la falda tableada! ¡Sergio! ¡¡Sergio!! *(Se echa hacia él, que continúa sentado ante el desayuno y se inclina hasta casi tocar la alfombra con el pelo.)*

SERGIO. *(A Oshidori.)* Pero ¿qué hace?

OSHIDORI. Debe estar mordiendo el polvo.

SERGIO. Vamos, vamos, Francisca... Quédate, pero sin histerismos...

FRANCISCA. *(Levantándose muy alegre.)* ¡Que me quede! ¡Santa Madona! *(Dentro, en el foro, se oyen voces femeninas que disputan.)*

SERGIO. ¿Qué es eso? ¿Qué pasa?

OSHIDORI. Será que pelean algunas de las señoras que hay esperando a que el señor reciba...

SERGIO. ¡Claro! Habréis puesto a dos juntas en la misma habitación... ¿Cómo voy a deciros que a las visitas me las pongáis siempre incomunidadas? Anda a ver...

OSHIDORI. Sí, señor. *(Dirigiéndose a las que están dentro.)* ¡A la cola, a la cola, señoras! *(Se va por el foro.)*

SERGIO. *(Que sigue desayunando, a Leonor, que ha abierto la cartera y se ha sentado ante la mesita, teniendo a Francisca de pie a su lado.)* Correo, Leonor...[51]

---

[51] "Corre, Leonor", en *O. C.*, por errata.

LEONOR. *(Consultando sus papeles.)* Veintitrés declaraciones de Madrid y catorce cartas de aspirantes de provincias...

SERGIO. Contestad a todas negativamente. Esas cartas fueron escritas ayer, que era domingo. Y las mujeres que escriben a un hombre en domingo no lo hacen porque estén enamoradas, sino porque no habían salido de paseo por la tarde y se aburrían en casa solas.

FRANCISCA. *(Aparte. Admirada.)* (¡Qué psicólogo!)

SERGIO. Adelante, Leonor...

LEONOR. Nueve anónimos llenos de insultos.

SERGIO. ¿Escritos con letra de hombre o de mujer?

LEONOR. Con letra de hombre.

SERGIO. Entonces son de mujer.

FRANCISCA. *(Aparte.)* (¡Qué psicólogo tan tremendo, Santa María de la Cabeza!) *(Por el foro entra Oshidori llevando ropas de Sergio y con dirección a la alcoba.)*

SERGIO. ¿Qué visitas hay esperando, Oshidori?

OSHIDORI. Siete señoras. *(Se va por la alcoba.)*

LEONOR. Y un caballero.

SERGIO. ¡Ah! ¿Un caballero también? ¿Con aspecto de padre, de hermano, de marido, de amante?...

LEONOR. No, no. Viene de buenas. *(Por la alcoba entra Oshidori después de dejar allí las ropas que llevaba.)*

SERGIO. ¿De buenas?

LEONOR. Sí, porque viene a traerte dinero...

OSHIDORI. Entonces viene de buenísimas.

SERGIO. *(Levantándose, dando su desayuno por acabado.)* ¿Que viene a traerme dinero?

LEONOR. Doscientas mil pesetas. *(Estupefacción.)*

SERGIO. ¿Doscientas mil pesetas, Leonor? Pero doscientas mil pesetas, ¿de qué?

OSHIDORI. ¡Mira que si fueran de plata!

LEONOR. Se ha negado a facilitarme detalles. Aquí está su tarjeta. *(Se la da.)* Dice que sólo hablará contigo.

SERGIO. *(Leyendo la tarjeta.)* "Barón Reginaldo de Pantecosti. París. Londres. Cercedilla."[52]

OSHIDORI. Se ve que es un hombre internacional.

SERGIO. No lo conozco. ¿Qué tipo tiene?

LEONOR. Es distinguido, desenvuelto... Parece haber vivido mucho.

SERGIO. Pero ¿haber vivido dónde?

OSHIDORI. Sí, porque si ha sido en Cercedilla...

LEONOR. Lo único que sé es que para decidirse a que te pasara recado me ha enseñado el cheque, extendido a tu nombre.

SERGIO. ¿Qué has visto el cheque? ¿Tú qué opinas de esto, Oshidori?

OSHIDORI. Que el señor debe recibirle en seguida. *(Por el foro entra Pepita, agitada.)*

PEPITA. ¡Sergio!

SERGIO. ¿Qué hay?

PEPITA. Acaba de llegar la condesa de San Isidro...

SERGIO. ¿La condesa?

PEPITA. La he visto desde el ventanal del "hall". Debe de venir furiosa, porque, al bajar del coche, ha cerrado la portezuela con un golpe tan fuerte que se ha parado el motor...

OSHIDORI. ¡Total, nada!

SERGIO. Pues anda, Oshidori, sal e inventa algo para que se vaya y no vuelva más.

OSHIDORI. Sí, señor. *(Aparte.)* (Se van a oír los gritos en Londres.) *(Se va por el foro.)*

SERGIO. Tú, Pepita, haz pasar al caballero que está esperando. *(Pepita se va por la derecha.)* Y tú Francisca, hazte cargo de todos los papeles. *(Por los de la cartera)* y despide a esas siete señoras. Les dices que no recibo. Y si hubiera ataque de nervios, avisas a Oshidori para que pulverice éter en el vestíbulo. *(Inicia el mutis por la alcoba.)*

---

[52] Junto a "París" y "Londres", "Cercedilla" rompe el sistema y se convierte en rasgo de humor.

FRANCISCA. Muy bien. *(Arregla los papeles ante la mesita.)*

LEONOR. *(Saliendo al paso a Sergio.)* Y a mí..., ¿no tienes nada que decirme, Sergio? *(Con voz ahogada.)*

SERGIO. Que quedo muy agradecido a tus servicios y que celebraré que seas feliz... *(Se va por la alcoba.)*

LEONOR. *(Echándose a llorar.)* ¡Que seas feliz! ¡Como si yo pudiera ser ya feliz algún día!... *(Llora. Por la derecha entra Reginaldo de Pantecostí seguido de Pepita. Es un señor ya maduro, elegante y con cierto aspecto de infeliz y de sinvergüenza a partes iguales. Al entrar y ver llorar á Leonor se detiene un instante, pero en seguida reacciona y saluda con una inclinación.)*

PEPITA. Pase, caballero, y tenga la bondad de esperar un instante. ¡Leonor! ¿Qué es eso? *(Va hacia ella.)*

LEONOR. ¡Que es un infame! ¡Que no tiene corazón!

PEPITA. ¡Qué va a tenerlo!

FRANCISCA. Y si lo tiene, lo usa para otras cosas...

LEONOR. ¡Sabe que todo lo dejé por él y lo único que se le ocurre al despedirme es que sea feliz!

PEPITA. *(Llora también.)* ¡Y menos mal que a usted le dice eso, porque a mí, que también lo dejé todo por él, lo único que me dice de vez en cuando es que saque bien la cera!

FRANCISCA. *(Llora también. Iniciando el mutis detrás de ellas.)* ¡lloren! ¡Lloren ustedes, amigas mías!... ¡Es estupendo! Se caen las pestañas... ¡Pero es estupendo! *(Se van las tres por el foro después de hacer inclinaciones a Pantecosti.)*

PANTECOSTI. *(Que ha seguido la escena atentamente y que también las ha saludado en el mutis.)* Bueno; esto parece una casa particular, pero no es una casa particular: es la casa "Ufa". Muchos me habían contado hasta decidirme a venir, pero la realidad supera el chisme callejero, como dijo el poeta. ¡Qué caso! En mi vida he conocido un hombre que tenga tanto éxito entre las mujeres... Si consigo convencerle, el triunfo es seguro... Y vive bastante bien. Debe de tener dinero, y eso es lo malo, porque como le dé por no aceptar los cuarenta mil duros, estamos perdidos... ¿Cuántas mujeres habrá hecho desfilar ese hombre por aquí? Se ve que está todo preparado para recibir visitas femeninas. *(Fisgando en la mesita.)* Cigarrillos turcos... Lápices de los labios... Imperdibles... Agujas para coger puntos de las medias... No olvida un detalle. *(Mirando al fajo de revistas que hay sobre la biblioteca.)* Y en periódicos sólo tiene revistas técnicas. "La Mujer y la Casa", "La Mujer y la Moda", "La Mujer y el Adulterio". Todo revistas técnicas. *(Viendo los cuatro libros de la biblioteca.)* ¿Serán éstos los famosos libros donde dicen que apunta sus conquistas?... *(Abriendo uno.)* ¡Pues sí que son! ¡Qué ocasión para descubrir algunos de sus secretos! ¡Pero no! *(Deja el tomo en su sitio.)* Más vale dejarlo. A lo mejor me encuentro aquí apuntada a mi mujer, y el médico me tiene dicho que no me disguste... *(Se sienta. Se oye un rumor de voces dentro y en seguida entran por el foro Oshidori y Adelaida, dama de cuarenta años largos, muy elegante, de expresión autoritaria y desgarrada. Al entrar, todavía Oshidori intenta cortarle el paso.)* [53]

OSHIDORI. Señora condesa... Le aseguro a la señora condesa...

ADELAIDA.—*(Apartándole con la mano.)* Oshidori, no hagas más el canelo y déjame en paz.

OSHIDORI. Créame la señora condesa que...

ADELAIDA. Pues nada, chico, no te creo; para que veas... *(Entra.)* He dicho que vengo a verle y lo veré; ya lo verás... Y tú quítate de mi vista, porque estoy viendo que te veo y no te veo... ¡Vamos, tendría que ver! [54] *(A Pantecosti.)* Caballero, perdone usted, que no le había visto... *(Se sienta.)*

PANTECOSTI. *(Que se ha puesto de pie.)* Señora...

ADELAIDA. ¿También usted viene a ver a Sergio, verdad? Pero a usted no le habrán dicho que no está en casa... A usted no le habrán dicho, como me ha dicho a

---

[53] "cortarla el paso", en *A*, evidente laísmo aquí subsanado.
[54] Juego de palabras basado en la *derivatio*.

mí ese, que se ha ido a Logroño a un partido de fútbol.
(Al accionar se le escapa el bolso.)
PANTECOSTI.   No, señora; no me lo han dicho.
ADELAIDA.   Por eso conserva usted la tranquilidad.
Pero yo he perdido la tranquilidad y el bolso. [55] ¿Dónde
está el bolso?
OSHIDORI.   Aquí lo tiene, señora condesa. *(Se lo
da.)*
ADELAIDA.   Gracias.
OSHIDORI.   Lo que me es imposible devolverle es la
tranquilidad. Por el contrario: tengo que decirle a la
señora condesa algo muy grave, que...
PANTECOSTI.   *(Levantándose.)* Si estorbo...
ADELAIDA.   No estorba usted, caballero. Siéntese.
PANTECOSTI.   Sí, señora. *(Se sienta.)*
OSHIDORI.   Ante todo, saque un pañuelo la señora
condesa. La señora condesa va a llorar amarguísima-
mente cuando yo le diga...
ADELAIDA.   Mira, no sigas, Oshidori. Nos conocemos de antiguo y te consta que a mí los trucos sentimen-
tales, ¡carrasclás!
PANTECOSTI.   *(Extrañado.)* ¿Carrasclás?
ADELAIDA.   Carrasclás y lerén lerito, que cantaba mi
bisabuela. [56]
OSHIDORI.   La del retrato de Goya...
ADELAIDA.   La misma. Y si lo sabes, me ahorras las
explicaciones. Y no me vengas con cuentos de camino
acerca de tu amo, porque yo no lloro. En el primer
momento me ablando, [57] pero pasado el primer momen-

[55] En este caso el juego de palabras se basa en la enumeración
caótica, al enlazar un elemento de tipo psicológico, como la tranquilidad, con uno de tipo material: el bolso.
[56] La condesa ya se había anunciado en el prólogo (a través de una
conversación telefónica con Oshidori) como una efectiva usuaria de los
vulgarismos. En esta ocasión toma términos de dos cancioncillas de tipo
popular que los niños aún usan en ambientes informales, en especial la
primera. A. M. Pelegrín recoge la segunda, con el estribillo *larán, larán,
larito,* en su antología *Poesía española para niños,* Madrid, Taurus, 1979,
p. 129.
[57] "hablando", en *A,* que no deja de constituir una errata singular.

to, me acuerdo de mi bisabuela, que era de las que bajaban al Pardo por bellotas, y soy capaz de sacudir a la remanguillé... [58]

PANTECOSTI. ¿A la remanguillé, señora?

ADELAIDA. A la remanguillé, caballero. Es castellano.

PANTECOSTI. *(Aparte.)* (Será castellano antiguo...)

ADELAIDA. Con tu amo, después de cuatro meses de micos, de esquinazos y de toreo de la escuela rondeña, [59] el primer pronto se me ha pasado ya.

OSHIDORI. ¡Ya!

ADELAIDA. ¿Es eco?

OSHIDORI. Es asentimiento, señora condesa.

ADELAIDA. Y hoy me he acordado de mi bisabuela y vengo dispuesta...

PANTECOSTI. ¡Ya, ya! A sacudir a la remanguillé.

ADELAIDA. Exactamente, caballero. Usted me entiende... *(A Oshidori.)* Así es que dile a ese que salga.

OSHIDORI. ¿A ese?

ADELAIDA. A ese, sí. A Sergio.

OSHIDORI. Lo siento, señora condesa; pero el señor se enfadaría mucho si le pasara recado...

ADELAIDA. ¿Que se enfadaría? ¿Por qué?

OSHIDORI. Porque... *(Aparte a Pantecosti.)* (Caballero, trasládese usted a aquel rincón...) *(La izquierda.)*

PANTECOSTI. (¿A aquel rincón?)

OSHIDORI. (Sí, señor. Esto es zona peligrosa...)

PANTECOSTI. (¡Caramba!) *(Se levanta y, disimulando, se va a la izquierda.)*

OSHIDORI. *(A Adelaida, con una gran valentía.)* El

---

[58] "A la remanguillé", expresión que incorporan V. León a su *Diccionario de argot* (Madrid, Alianza, 1980), y M. Alvar Ezquerra a su edición del *Diccionario General Ilustrado de la Lengua Española* (Madrid, Biblograf, 1987), en el sentido "en completo desorden", "patas arriba", que aquí no corresponde, pues debe entenderse como un golpe dado de revés.

[59] Forma de entender el toreo por el famoso matador de Ronda Pedro Romero (1754-1839), considerado como uno de los mitos de la tauromaquia. El toreo aquí es metafórico.

señor me ha dicho que no quiere ver más a la señora condesa...

ADELAIDA. *(Dando un respingo.)* ¿Cómo?

OSHIDORI. Que ha acabado con la señora condesa para siempre.

ADELAIDA. *(Se levanta con un verdadero rugido, atiza un puñetazo en la mesita y se carga la lámpara.)* ¡¡¿Eh?!!

PANTECOSTI. ¡Arrea! *(Oshidori no se inmuta.)*

ADELAIDA. *(Pálida de rabia.)* Pero... Pero ¿qué estoy oyendo? Pero... ¿qué has dicho? ¡Repite eso! ¡¡Repítelo otra vez!!

PANTECOSTI. *(Aparte a Oshidori.)* (No lo repita usted, que está allí mi hongo...)

ADELAIDA. ¡¿Qué ha acabado conmigo para siempre?! ¡¿Qué no quiere verme más?!...

PANTECOSTI. Señora, calma.

ADELAIDA. ¡¿Que no quiere verme más?! ¡¿Que ha acabado conmigo para siempre?!

PANTECOSTI. Tranquilícese usted, señora... *(En este momento por la alcoba aparece Sergio. Viste el traje que llevó a la alcoba Oshidori. Al aparecer él, hay un silencio profundo.)*

SERGIO. *(Dominando la situación con una mirada.)* ¡Qué espectáculo! ¡Qué espectáculo tan repugnante! *(A Adelaida.)* Tú tenías que ser...

OSHIDORI. Señor...

PANTECOSTI. *(Aparte.)* (El protagonista...)

SERGIO. *(A Adelaida.)* Ni una palabra más... ¿Entendido? Ni una palabra más...

PANTECOSTI. *(Aparte.)* (Las domina...)

SERGIO. *(Volviéndose a Pantecosti, muy amable.)* Dipense usted, caballero, que me presente de este modo, pero las mujeres acaban por ponerle a uno alguna vez en ridículo.

PANTECOSTI. Lo sé, señor Hernán. Soy casado. *(Se estrechan la mano.)*

SERGIO. Discúlpeme un instante. Siéntese. Soy con usted en seguida.

PANTECOSTI. Sí, señor. Muchas gracias. *(Se sienta. Oshidori se va por la derecha.)*

ADELAIDA. *(Acercándose a Sergio, sin los humos de antes, con voz dulce.)* Supongo, Sergio, que lo que acaba de decirme Oshidori será una fantasía morisca para canto y piano...

SERGIO. Nada de fantasías moriscas, Adelaida. "Aquello" concluyó y ya no se reanudará nunca. Sabes que no tolero las "segundas ediciones".

PANTECOSTI. *(Aparte.)* (¡La llama segunda edición!)

SERGIO. Y lo que te ha dicho Oshidori es la verdad.

ADELAIDA. Pero, ¿la verdad fetén? [60]

SERGIO. La verdad fetenísima.

PANTECOSTI. *(Aparte.)* (Las domina... Las domina, no cabe duda.) *(Oshidori entra por la derecha con un clavel blanco en la mano y se lo pone a Sergio.)*

ADELAIDA. ¿Y no tienes nada más que decirme?

SERGIO. Sí. Tengo que decirte que no insistas; que el amor, Adelaida, es como la salsa mayonesa; cuando se corta uno, hay que tirarlo y empezar otro de nuevo. [61]

PANTECOSTI. *(Aparte a Oshidori.)* (¡Qué frase!)

OSHIDORI. *(Aparte.)* (Ocho cuadernos tengo llenos de cosas así...)

ADELAIDA. Está bien. Me voy. *(Inicia el mutis.)*

PANTECOSTI. *(Aparte.)* (¡Ya se va!... Se ha olvidado de su bisabuela...)

ADELAIDA. *(Parándose en el foro.)* Pero oye, Sergio... Tú podrás estar muy acostumbrado a jugar a tu antojo con las mujeres, pero que se te quite de la cabeza la idea de que también vas a jugar conmigo, porque yo no soy un "meccano"...

PANTECOSTI. *(Aparte.)* (Se acuerda de su bisabuela otra vez...)

ADELAIDA. Y ya que aquí había una mesa puesta

---

[60] Otro término del argot que no contempla el *D. R. A. E.* Viene a significar "auténtico", "verdadero". A Jardiel le servirá para otra de sus creaciones lingüísticas a continuación.

[61] Nueva greguería, ya señalada.

para dos, en la que ahora quiere comer uno solo, pues voy a tirar del mantel para que no coma nadie.

SERGIO. Bueno...

ADELAIDA. Abajo, en el coche, está mi marido, que le he dicho que esperase, que venía al dentista...

PANTECOSTI. *(Aparte.)* (¡Qué cosas nos dicen a los maridos!)

ADELAIDA. Pero ahora le voy a explicar la clase de dentista que eres tú, y la clase de consultas celebradas entre tú y yo, ¡con lo cual me figuro que el único que va a empezar a estropear dentaduras va a ser él!

PANTECOSTI. ¡Atiza!

ADELAIDA. Atizará, caballero. Y mucho gusto. *(Se va por la derecha.)*

PANTECOSTI. *(Alarmadísimo, a Sergio.)* ¡Y además es capaz de hacerlo como lo dice, señor Hernán! ¡Es capaz de todo! Porque si usted la hubiese oído respirar cuando...

SERGIO. *(Muy tranquilo.)* No se preocupe usted, caballero.

OSHIDORI. No se preocupe el señor barón.

PANTECOSTI. ¡Pero es que!...

SERGIO. No pasa nada.

OSHIDORI. No pasa nunca nada.

PANTECOSTI. Bueno... *(Desconcertado.)* Le juro a usted que estoy lleno de admiración...

SERGIO. ¡Bah!

OSHIDORI. Si el señor barón tuviera nuestra práctica...

SERGIO. Si tuviera usted nuestra práctica caballero... *(Alzándose de hombros.)* ¡Maridos, Oshidori!

OSHIDORI. ¡Maridos! ¡Qué risa!

PANTECOSTI. ¡Maridos! ¡A mí ya! *(Se encoge de hombros.)*

SERGIO. Y ahora hable usted tranquilamente. Me han dicho, con mi natural sorpresa, que viene usted a traerme doscientas mil pesetas... ¿Es cierto eso, barón?

PANTECOSTI. Es cierto, señor Hernán. *(Oshidori le*

da un cigarro al barón y se lo enciende. Luego coge dos almohadones y se los pone en la espalda.)

SERGIO. Y esos cuarenta mil duros, barón, ¿me los regala usted o tendré que ganarlos?

PANTECOSTI. Tiene usted que ganarlos.

SERGIO. *(Desilusionado.)* ¡Ah, vamos!... *(Oshidori le quita los almohadones al barón. Después le quita también el cigarro. Pantecosti se queda como quien ve visiones.)* [62]

PANTECOSTI. ¡Bueno!... Pero su trabajo es tan agradable y tan propio de usted... En dos palabras: cuando se necesita un traje, se va a casa del sastre, y cuando se necesita un sombrero se va a casa del sombrerero... Yo necesito un seductor y vengo a su casa, señor Hernán.

SERGIO. ¿Entonces?

PANTECOSTI. Sí, señor. Le ofrezco los cuarenta mil duros a cambio de enamorar a una mujer.

SERGIO. Comprendido. Alguna vieja loca que...

PANTECOSTI. Nada de viejas locas. Vea usted su retrato. *(Saca un retrato del bolsillo y se lo da.)*

SERGIO. *(Viendo el retrato, levantándose y dando un grito terrible.)* ¡¡Ah!!

PANTECOSTI. *(Asustado.)* ¡Caray! *(Se levanta y se parapeta.)*

SERGIO. ¡Ah!

OSHIDORI. ¿Qué es eso? ¿Qué le ocurre al señor?...

SERGIO. ¡Ah! ¡Mira! *(Le enseña el retrato.)*

OSHIDORI. *(Aparte.)* (¡Demonio! [63] ¡Si es ella!) *(Sergio se pone muy pálido, cierra los ojos y se tambalea, Oshidori le echa en el sillón.)*

PANTECOSTI. *(Asombrado.)* ¡Qué impresión le ha hecho!

OSHIDORI. ¡Y se ha desmayado!

PANTECOSTI. ¿Que se ha desmayado? ¡Válgame Dios! ¿Grito? ¿Llamo? ¿Traigo agua?

---

[62] Una de las más clásicas escenas humorísticas de Jardiel, anotada por buena parte de los comentaristas.

[63] "¡Demonios!", en *O. C.*

OSHIDORI. ¡Chist! ¡¡Quieto!! Nada, no haga nada el señor barón. En la casa no hay más que mujeres enamoradas de él... ¡Pues menudo barullo se armaría si llamásemos! Déjeme a mí... Sujétele la cabeza... Voy a pulverizar éter...

PANTECOSTI. Sí, sí... *(Le sujeta la cabeza a Sergio mientras Oshidori pulveriza éter.)* ¿Volverá?

OSHIDORI. ¡No ha de volver!

PANTECOSTI. ¿Y cuándo notaremos que vuelve?

OSHIDORI. Pues cuando vuelva.

PANTECOSTI. ¡Caballero, regrese! *(Sergio suspira.)*

OSHIDORI. ¡Ya!

PANTECOSTI. ¿Ya?

OSHIDORI. ¡Ya! *(Sergio abre los ojos.)* Vamos, señor, vamos... Ya pasó... ¿Quiere el señor que le traiga algo?

SERGIO. *(Con voz débil.)* Tráeme al barón...

OSHIDORI. Está aquí...

PANTECOSTI. Estoy aquí, señor Hernán...

SERGIO. ¡Ah! ¿Está aquí? Pues, pronto... ¡Sin dilaciones, barón!... ¡Explíqueme! Dígame todo lo que sepa de esa mujer... Hable... Y no omita detalle. *(Oshidori vuelve a ponerle los almohadones en la espalda a Pantecosti, derrochando amabilidad. Luego le mete otro cigarrillo en la boca y se lo enciende.)*

PANTECOSTI. ¿No me lo quitará usted luego?

OSHIDORI. Éste, no, señor barón.

PANTECOSTI. Vaya, menos mal... *(A Sergio.)* Pues... ante todo... ¿Conoce usted al marqués de la Torre de las Trece Almenas?

SERGIO. Por referencias. Sesenta años, gotoso, dieciocho millones de pesetas de capital, ¿no?

PANTECOSTI. Exactamente. Pues bien; yo soy uno de los herederos del marqués de la Torre, señor Hernán...

SERGIO. Mi enhorabuena, pero no veo la relación que...

PANTECOSTI. Va usted a verla en seguida... Este verano, mi tío el marqués y yo coincidimos en Cercedilla, donde su casa-palacio y mi residencia veraniega están próximas. Le visité y, como le encontraba muy acabado, avisé de ello a los restantes herederos, los cuales se apresuraron a venir instalándose en mi casa con gran alegría del marqués, que celebró mucho vernos reunidos cerca de él, porque, según dijo, sentía llegar la muerte y quería fallecer entre los suyos.

SERGIO. Muy legítimo.

PANTECOSTI. Nosotros nos dedicamos a cuidarle y a mimarle hasta que una tarde el marqués nos leyó el testamento hecho a nuestro favor. Lloramos, le abrazamos, le dijimos: "Ahora, tío, ya puedes morirte cuanto antes." Y a los pocos días en lugar de llegar la muerte, llegó el mes de agosto.

OSHIDORI. Sería que estaban a últimos de julio. [64]

PANTECOSTI. Precisamente. ¡Qué penetración tiene este hombre! Con el mes de agosto llegó la catástrofe, y ahora entramos en lo que a usted le interesa... El marqués se enamoró locamente de cierta dama conocida en un té del Club Alpino...

SERGIO. ¡¡Ella!!

PANTECOSTI. Ella, sí, señor. Elena Fortún... [65]

SERGIO. ¡Elena! *(Mira el retrato y lo besa.)*

OSHIDORI. ¡Su Elena!

PANTECOSTI. El marqués la pidió seriamente en matrimonio, y de aquí a dos semanas se toman los dichos...

SERGIO. ¿Que se casa con ella?

PANTECOSTI. Que se van a tomar los dichos.

SERGIO. ¿Que se va a casar con ella?

PANTECOSTI. Que se toman los dichos.

---

[64] La explicación de lo obvio es aquí, como en otros ejemplos, la fuente del humor.

[65] No es casual la coincidencia del nombre de la protagonista con el pseudónimo de Encarnación Aragoneses Urquijo, *Elena Fortún,* (Madrid, 1886-1952), autora de numerosas obras de literatura infantil, entre las que han destacado las que tenían a Celia o a Cuchifritín como protagonistas. Sin duda alguna, el propio Jardiel y sus hijas tuvieron alguno de sus libros en las manos.

SERGIO.   ¿Y usted viene a decirme que se va a casar con ella?

PANTECOSTI.   Vengo a decirle a usted que se van a tomar los dichos...

SERGIO.   ¡¡Fuera!! ¡A la calle, barón!

PANTECOSTI.   Pero, señor Hernán...

SERGIO.   ¡A la calle!

OSHIDORI.   Y en este sillón no se sienta más. *(Retira el sillón.)* ¡A la calle, caballero!

PANTECOSTI.   ¡Estése quieto! ¡Pero si yo no quiero que se casen, señor Hernán!

SERGIO.   ¿Eh?

PANTECOSTI.   Pero, ¿no comprende usted que si el marqués se casa, la herencia volaría de nuestras manos y pasaría íntegra a su esposa?

SERGIO.   ¡Pues es verdad!

PANTECOSTI.   Si precisamente se trata de que usted impida esa boda...

SERGIO.   ¿De que yo impida esa boda? *(Dentro se oye un vocerío terrible)* ¿Qué es eso?

OSHIDORI.   ¿Qué pasa?

PANTECOSTI.   *(Asustadísimo.)* ¡El marido! ¡Ése es el marido! *(Por el foro entra Francisca corriendo.)*

FRANCISCA.   ¡¡Oshidori!!

OSHIDORI.   ¿Qué ocurre?

FRANCISCA.   ¡El éter, pronto! ¡Que a las señoras que estoy despidiendo les dan ataques!

OSHIDORI.   ¿Muchos?

FRANCISCA.   Sendos.

OSHIDORI.   ¿Cómo sendos?

FRANCISCA.   ¡Que uno a cada una! [66]

OSHIDORI.   ¡Ah, bueno!

SERGIO.   Anda, Oshidori...

OSHIDORI.   Sí, señor. *(Se va por el foro con el pulverizador al hombro, seguido de Francisca. Aparte.)*

---

[66] La utilización del distributivo es poco corriente, y, en más de un ejemplo, su uso es incorrecto; de ahí que Jardiel lo convierta prácticamente en un cultismo a explicar.

(Va a haber que comprar el éter por bidones...) *(Se va por el foro.*

PANTECOSTI. ¡Caramba! ¡Menuda impresión...! No gano para sustos... Y es que como no está uno acostumbrado a ciertas cosas...

SERGIO. Barón... Barón, que me parece que empiezo a ver claro...

PANTECOSTI. ¡Claro![67]

SERGIO. ¿Dice usted que se trata de que yo impida esa boda?...

PANTECOSTI. ¡Eso es! Porque cuando nos enteramos de que el marqués pretendía casarse, mis parientes y yo caímos en una desesperación tumultuosa. Decidimos impedir aquello, y después de pensar en el veneno y en la pistola "Star", pensamos en usted...

SERGIO. ¡Cuánto honor para mí!

PANTECOSTI. Le fingimos amistad a la prometida del marqués, la invitamos a vivir en mi casa...

SERGIO. ¡Ah! ¡Ella está en su casa! ¡Magnífico! ¡Magnífico! Luego el proyecto de ustedes, barón...

PANTECOSTI. Nuestro proyecto es llevarle a Cercedilla, instalarle también en mi casa, como un invitado más, y que, con sus procedimientos infalibles, enamore a esa mujer y le haga renunciar a la boda. Y usted cobra los cuarenta mil duros y nosotros heredamos al marqués y...

SERGIO. *(Alegrísimo.)* ¡A mis brazos, barón! ¡¡A mis brazos!!

PANTECOSTI. *(No menos alegre.)* Entonces, ¿acepta?

SERGIO. ¿Que si acepto? ¡Aceptar!... Con esa palabra no se puede dar idea... Hay que inventar otra. ¡La voy a inventar! No acepto, barón: "¡esgorcio!".[68]

PANTECOSTI. *(Estupefacto.)* "¿Esgorcia?"

SERGIO. "¡Esgorcio!"

PANTECOSTI. Bueno, oiga usted, en serio... ¿De ver-

---

[67] Este parlamento no existe en *O. C.*, por lo que hay que considerarlo una errata.

[68] Otra creación lingüística disparatada para provocar el humor.

dad, de verdad que "esgorcia"? ¡¡Gracias, señor Hernán!! *(Se abrazan otra vez. Por el foro entra Oshidori.)*

SERGIO.   Oshidori, prepáralo todo. Mañana nos vamos a Cercedilla.

OSHIDORI.   Sí, señor. *(Por el foro entra Pepita.)*

PEPITA.   Sergio, el conde de San Isidro, que quiere verte inmediatamente.

SERGIO.   Mi sombrero y mis guantes, Oshidori. *(Los coge.)* ¡Y usted, póngase el hongo! *(Le encasqueta el hongo a Pantecosti. A Pepita.)* Que pase el conde... *(Pepita se va por el foro. A Oshidori.)* Recíbele tú... Dile lo que quieras... Nosotros nos vamos por la escalera de servicio. El barón y yo tenemos que almorzar juntos, brindar juntos, emborracharnos juntos...

PANTECOSTI.   ¡¡Colosal!!

SERGIO.   Estamos muy contentos... Estamos contentísimos, ¿verdad?

PANTECOSTI.   Yo no bailo porque soy reumático...

SERGIO.   Almorzaremos juntos... ¡Digo! Almorzaremos juntos si acepta usted el convite, barón.

PANTECOSTI.   ¡Pues no, señor; no lo acepto! ¡¡Lo "esgorcio"!!

SERGIO.   ¡Olé! ¡Lo "esgorcia"! ¡Viva España! *(Se van del brazo, derrochando optimismo, por la derecha.)*

TELÓN

ACTO SEGUNDO

Vestíbulo con mezcla de salón en la villa que el marqués de Pantecosti posee en Cercedilla (Guadarrama), según se va a la estación a mano derecha. Es una bonita finca rodeada por un jardín no muy extenso, pero bien cuidado, adonde llega el aire puro de la Sierra unido con el humo de los trenes; un diez por ciento de aire puro de la Sierra y un ochenta por ciento de humo de tren.[69] En el foro izquierda se abre una gran puerta, que da acceso a la casa, provista de un toldo que avanza hacia el jardín. En el segundo término derecha, dos puertas más, una grande; segundo término, que conduce a las restantes habitaciones de la planta baja, y en el primer término otra pequeña por donde se va a los pisos superiores, con arranque de escalera que se pierde en el lateral. En primer término izquierda, ventanal muy bajo que se abre sobre el campo. En el fondo derecha se alza una gran chimenea con lar pueblerino y morillos[70] labrados, y a ambos lados de la chimenea dos armaduras italianas del siglo XVI, que han sido fabricadas en España y en el siglo actual, pero que parecen más del siglo XVI y más italianas que si fuesen

---

[69] Queda todavía un 10 por 100 de aire por explicar, lo que no puede considerarse un fallo de cálculo, sino algo premeditado por el autor.

[70] Caballetes de hierro que sirven para sostener la leña.

139

italianas y del siglo XVI. En el frontis de la chimenea hay esculpido un escudo nobiliario. Una panoplia con armas mohosas y de manejo inexplicable concluyen de darle cierto abolengo señorial a la habitación. El resto es eminentemente campestre. En las paredes se ven esos trofeos de caza —cabezas de ciervos, de cabra hispánica, etcétera—, propios de las casas donde no se caza ni se ha cazado nada nunca. El moblaje, severo y entonado, no carece, sin embargo, de alegría. Entre la puerta del segundo izquierda y el ventanal apoya sus espaldas un diván amplísimo al que hacen guardia unos butacones no menos amplios y entre los cuales hay una mesita. Arcones, mesas, sillas, etc., completan el "atrezzo", y abundan esos taburetes de paja con asas, llamados serijos, característicos de las casas de campo de Ávida y Segovia. En los muros, lámparas de cristal diáfano, y un farol de la misma traza en el centro. Estratégicamente colocados sobre algunos muebles, cacharros con flores y cestos planos con frutas. Comienza la acción a las cinco de la tarde de un espléndido día de octubre, cuarenta y ocho horas después de transcurrido el primer acto.

Al levantarse el telón, en escena Julia, Beatriz, Pantecosti *y* Roberto. Julia *es una dama de unos veinticinco años cuidadísimos: una de esas mujeres capaces de hacer feliz a cualquier hombre que no sea marido.* Beatriz *está en los cincuenta años, y su empaque de gran señora no puede disimular los feroces estragos que ha hecho en ella el tiempo, y* Roberto *es una verdadera ruina: cerca de setenta años y sordo: resulta, rotunda y definitivamente, sordo. En cuanto a* Pantecosti, *ya tenemos el gusto de conocerle.* Julia, Beatriz *y* Roberto, *sentados en el diván y en los butacones de la izquierda, parecen aguardar algo.* Pantecosti *se pasea de un lado a otro, nervioso e impaciente. En esa actitud, sin hablar, permanecen unos instantes después de levantado el telón. Al rato se oye el claxon de un automóvil, lo cual solivianta a todos los personajes menos a* Roberto, *que, naturalmente, no lo oye.*

PANTECOSTI. ¡Un auto! ¡Un auto! *(Echa a correr hacia el foro y hace mutis.)*

BEATRIZ. ¡Un auto! ¡Un auto! *(Se levanta y se va por el foro.)*

JULIA. *(Levantándose.)* ¡Un auto, Roberto!

ROBERTO. ¿Queé? *(Julia se inclina sobre la mesita y escribe algo rápidamente en un bloc que hay en ella y se va escapada por el foro. Roberto, que se ha quedado solo, se levanta y lee lo escrito. "Un auto."* ¡Caray! *Tira el bloc en la mesa y se va precipitadamente por el foro. Hay una ligera pausa con la escena sola; luego vuelven a entrar todos por el foro. Pantecosti, Julia y Beatriz delante y Roberto el último. Vienen muy contrariados.)*

PANTECOSTI. ¡Otra camioneta de pescado!

BEATRIZ. ¡Dichosas camionetas de pescado! *(Se sientan ellas de nuevo, y Pantecosti vuelve a sus paseos.)*

ROBERTO. *(Sentándose también.)* Pero, ¿no era un auto?

BEATRIZ. No. Era una camioneta que pasaba.

ROBERTO. ¿Cómo?

BEATRIZ. ¡¡Que era una camioneta!!

JULIA. *(A Pantecosti.)* No te canses, yo se lo escribiré. *(Escribe algo en el bloc.)*

BEATRIZ. ¿A qué hora fija te dijo que llegarían, Reginaldo?

PANTECOSTI. No habló de hora fija... Dijo que caerían por aquí alrededor de las cuatro.

BEATRIZ. Pues son ya las cinco menos cuarto, porque acaba de pasar el tren de las dos y media.[71]

PANTECOSTI. Bueno, pero han podido retrasarse, salir más tarde de Madrid, tener un pinchazo...

ROBERTO. *(Leyendo en el bloc que le da Julia.)* "No era un auto; era una camioneta de pescado." ¡Ah, ya! *(Se oye dentro otro claxon. Nuevo sobresalto en todos.)*

PANTECOSTI. ¡Caramba! *(Va hacia el foro.)*

JULIA. Ya está ahí. *(Se levantan con ánimo de irse,*

---

[71] Este comentario de Beatriz no es otra cosa que una recurrencia al tópico del retraso de los trenes.

pero la entrada de Fernanda y Mariano les detiene, evitándoles el mutis. En efecto, por el foro entra Fernanda, una hermosa mujer de veinticinco años, y Mariano que es un cuarentón muy elegante. Viene sin nada a la cabeza, dando la sensación de que estaban en el jardín, y con aire aburrido.)

MARIANO. *(A los de la escena.)* Nada; no os mováis.

PANTECOSTI. ¿Tampoco?

MARIANO. Tampoco.

PANTECOSTI. ¿Otra camioneta de pescado?

MARIANO. ¡Otra camioneta de pescado!

BEATRIZ. ¡Jesús! *(Vuelven a sus primitivas posiciones, y Fernanda y Mariano se sientan también.)*

ROBERTO. ¿Y ahora, qué ocurre? ¿No venía un auto? *(Julia por toda respuesta le da el bloc, y Roberto lee.)* "No era un auto; era una camioneta de pescado." ¡Pero esto es lo de antes!

JULIA. ¡Y lo de ahora!

ROBERTO. ¿Cómo? *(Julia escribe de nuevo en el bloc.)*

PANTECOSTI. ¡¡Que van diez camionetas!!

ROBERTO. ¿Queeé? *(Julia le da el bloc y Roberto lee.)* "Que te calles y no des más la murga." ¡Bueno!... ¡Siempre acabamos igual! *(Se levanta.)* ¡Hasta luego!

BEATRIZ. Hasta luego.

MARIANO. Adiós. *(Roberto se va por el foro.)*

FERNANDA. ¡Pobre Roberto!

PANTECOSTI. No se entera de nada.

JULIA. Un año hace ya que para entenderme con él tengo que escribirle las cosas.

PANTECOSTI. Y lo malo es que por culpa de la sordera ha tenido que renunciar a su destino...

FERNANDA. *(Aparte a Mariano.)* (¿Pues qué era Roberto?)

MARIANO. *(Aparte a Fernanda.)* (Auditor de guerra).[72]

---

[72] La profesión de Roberto no es más que un simple motivo cómico. Auditor de guerra, propone el *D. R. A. E.*, es el funcionario del cuerpo

BEATRIZ.   Reginaldo, ¿por qué no sales otra vez a ver si llega el coche?

PANTECOSTI.   Estoy harto de entrar y salir. Cuando llegue, ya avisarán los chicos, que andan por ahí fuera.

BEATRIZ.   ¿Por ahí fuera? No los he visto...

MARIANO.   Sí. Están en el "tennis" con Elena.

BEATRIZ.   ¡Esa maldita mujer es la que tiene la culpa de todo!

FERNANDA.   ¡Bien ha sabido embaucar al tío Ernesto!

BEATRIZ.   Y embaucarle cuando ya teníamos una herencia en las manos. ¡Porque es que la teníamos en las manos!

PANTECOSTI.   Yo hasta había cerrado los dedos.

FERNANDA.   Como que dos días después de leernos el testamento el tío Ernesto estaba en las últimas...

BEATRIZ.   Estaba acabadísimo.

MARIANO.   Y con una disnea espantosa.

PANTECOSTI.   ¡Hombre! Pero si respiraba ya ahogándose, con un ruido que daba gusto oírle...

BEATRIZ.   ¡Reginaldo, por Dios! Desde entonces se han sucedido las catástrofes: su entusiasmo cada vez mayor, su proposición de boda...

MARIANO.   Y la herencia cada vez más lejana. ¡Con la falta que nos está haciendo a todos! A mí me llaman de tú los porteros del Banco Hipotecario.

PANTECOSTI.   Pues lo mío es peor, porque a mí ya no me dejan pasar.

MARIANO.   No hay más solución que Sergio Hernán...

BEATRIZ.   Lo que es como él no enamore a esa intrusa...

PANTECOSTI.   No lo dudes siquiera, Beatriz. La enamorará. Cuarenta mil duros en perspectiva tienen fuer-

---

jurídico militar que informa sobre la interpretación o aplicación de las leyes, y propone la resolución correspondiente en los procedimientos judiciales y otros instruidos en el ejército o región militar donde tiene su destino.

za. Sin contar con que él es infalible, ¡y, además, que le gustó Elena muchísimo!

MARIANO.   Pero que, por lo visto, fue una cosa de ver el retrato y desmayarse...

PANTECOSTI.   ¡De quedarse tieso en el sillón!

FERNANDA.   Pues, hijos, no es para tanto...

JULIA.   Se desmayaría porque tendría el estómago sucio.

PANTECOSTI.   Y gracias a que su ayuda de cámara, que es la Enciclopedia Sopena de los criados, le volvió en sí en dos minutos... Pero la lata que me dio luego Hernán, preguntándome cuándo y de qué manera había aparecido Elena por aquí, prueba que ella le interesa, y que está dispuesto a triunfar poniendo en juego todos sus recursos. El primero ya lo sabéis: es empezar por haceros el amor a todas vosotras...

MARIANO.   Eso es lo único que me tiene un poco fastidiado.

FERNANDA.   ¡Vamos, tonto! ¿Vas a tener celos?

BEATRIZ.   Mi marido no tiene celos de mí...

MARIANO.   ¡Hombre!, ¡¡claro!!

PANTECOSTI.   ¿Por qué claro?

MARIANO.   No, por nada; por nada...

JULIA.   Y mi Roberto tampoco tiene celos.

MARIANO.   Tu Roberto no tiene celos, porque tu Roberto no se ha enterado; pero escríbeselo en el bloc a tu Roberto y ya veremos lo que dice tu Roberto...

BEATRIZ.   Además, que Sergio Hernán nos va a hacer el amor de mentirijillas: para interesar a Elena.

MARIANO.   ¡Toma! Por eso no me he negado en redondo.

JULIO.   *(Mirando por el foro.)* ¡Ahí viene Arturito!

BEATRIZ.   ¿Arturito? Esto es que hay noticias.

PANTECOSTI.   A ver si es que llega ya... *(Va hacia el foro. La expectación renace en todos. Por el foro entra Arturito. Es un muchachote fuerte, deportivo, con unos músculos de atleta y un cerebro de galápago. Viste pantalón blanco y lleva en la mano una raqueta de "tennis" y trae un humor de todos los diablos.)* ¿Ya, Arturito?

BEATRIZ. ¿Ya, hijo mío?

TODOS. ¿Ya?

ARTURITO. Pero ya, ¿qué?

PANTECOSTI. ¿Cómo que ya qué? Que si se ve venir el coche de Hernán...

ARTURITO. ¿Hernán? ¡Maldita sea, hombre! ¡Estoy ya harto, hala, maldita sea! ¿Eso es! ¡Esto no hay quien lo aguante, maldita sea, hala!

PANTECOSTI. Pero, bueno, ¿viene o no viene el coche de Hernán?

ARTURITO. ¡Que no viene, hala! ¡Maldita sea! *(Le da un zurrido a la silla con la raqueta.)*

PANTECOSTI. Pero, hijo, Arturito, ¿qué te ocurre?

ARTURITO. ¿Qué va a ocurrirme, hombre? ¿Qué va a ocurrirme? ¡Maldita sea! ¿Qué os figuráis vosotros?... ¡Que no vamos! ¡Porque no, maldita sea, hala!

PANTECOSTI. ¡Pero explícate, hijo mío!

ARTURITO. ¿No me estoy explicando? ¿No me explico ya? ¿No estoy hablando bien claro? ¡He dicho que no, hala! ¡Que no, maldita sea! *(Nuevo trastazo a una mesa.)* Y que si vosotros... ¡pues bueno, hala! Pero, ¡a mí, maldita sea, hombre! ¡A mí no! ¡Hala! ¡A mí no! ¡¡Y ya he dicho bastante, hala, maldita sea!! ¡¡Y no digo más, maldita sea, hala!! [73] *(Se va por el foro derecha, entre la estupefacción de todos, pegando morradas al aire y a los muebles.)*

PANTECOSTI. Pero, ¿qué le ocurre a éste? *(Por el foro entra Nina, una muchacha de diecisiete a dieciocho años, muy mona, que viste también traje de "tennis" y trae otra raqueta en la mano. Entra como una tromba.)*

NINA. *(A Pantecosti.)* ¡Pues le ocurre que es un imbécil, tío! ¡Que es un imbécil desde el flequillo a la raqueta, y me quedo corta!

PANTECOSTI. ¿Qué?

---

[73] Claro exponente de vacuidad, otro de los sistemas humorísticos de Jardiel, como se hizo notar.

BEATRIZ.   Nina... ¿qué es eso?

NINA.   ¡Que tiene celos el muy majadero! ¡Que desde que llegó ayer de Madrid el tío Reginaldo, y supo iba a venir Sergio Hernán a enamorar a Elena, está hecho un pollino y dice que yo ando loca por Sergio!...

BEATRIZ.   ¡Válgame Dios!

NINA.   ¡Que estamos todas locas por Sergio!

MARIANO.   ¿Todas?

NINA.   ¡Sí! ¡Yo! ¡Y la tía Julia! ¡Y la tía Fernanda!

JULIA.   FERNANDA.   ¿Nosotras?

JULIA.   ¡Ese Arturito es un memo!

NINA.   Y es lo que yo he dicho: "Pero grandísimo idiota, ¿cómo vamos a estar locas por Sergio Hernán, si aún no le conocemos? Espérate a que le conozcamos."

JULIA.   ¡Claro!

FERNANDA.   ¡Naturalmente!

MARIANO.   (A Fernanda.) Oye, oye, pero ¿es que tú estás esperando a conocerle para...?

FERNANDA.   ¡Vamos, Mariano! No seas majadero.

NINA.   Y así viene dándome el té desde ayer y ahora, con Elena me preguntaba que quién es ese amigo que esperábamos y el tiempo que iba a estar entre nosotros, pues Arturito ha vuelto a ponerse burro y a barbarizar de tal modo, que ha estado en un tris que Elena no oyese el nombre y el apellido de Sergio Hernán...

FERNANDA.   (Alarmado.) Pero ¿los ha oído?

NINA.   No, no los ha oído.

PANTECOSTI.   Tened cuidado, que lo que más me recomendó Hernán fue que no le descubriésemos su personalidad a Elena.

BEATRIZ.   ¿Y eso no te parece raro, Reginaldo?

PANTECOSTI.   Me supongo que la conocía de antes y quiere darle una sorpresa.

NINA.   Total: que le he dicho a Arturito que se busque novia, porque él y yo, ¡tarifados! [74]

BEATRIZ.   ¡Pero, Nina!

---

[74] Reñidos. La expresión es poco común en la actualidad.

Julia. ¿Qué dices, chica?

Nina. ¡Tarifados y tarifados! Y si me gusta Sergio Hernán, que me gustará, porque dicen que les gusta a todas, y yo no soy menos que las demás, pues... ¡me hago novia de Hernán!

Pantecosti. ¡Nina! ¡Aquí no habrá otra novia de Hernán que Elena! ¡Maldita sea, hala!

Beatriz. ¡Dios mío! La de disgustos que nos está proporcionando esa infame mujer.

Mariano. ¡Chist! No habléis mal de ella, que viene ahí. *(Por el foro entra Elena, en efecto, en traje de "tennis". Está más linda que en el prólogo: se comprende que ha sufrido, y el sufrimiento le ha prestado más finura y mayor encanto. Su aire es melancólico, pero sonriente. También trae raqueta. Al verla entrar, la amabilidad y el agrado aparecen en todos los semblantes.)*

Julia. ¡Elena! *(Va a su encuentro.)*

Beatriz. *(Amabilísima.)* Venga usted acá, querida amiga. *(La señala un sitio a su lado en el diván.)* Tengo que suplicarle perdón en nombre de estos muchachos, que no respetan ni la presencia de usted para enzarzarse en sus discusiones y sus niñerías...

Elena. Eso no tiene importancia, baronesa. *(Se sienta.)* Nina y Arturito proceden como dos enamorados, y a los enamorados les está disculpado todo.

Beatriz. Bondad de usted, benevolencia de usted, querida amiga, que es una de las personas más encantadoras del mundo y que sabe hacerse querer y estimar de todo el que la trata... A menos en esta casa todos la queremos y la estimamos como se merece.

Pantecosti. *(Aparte a Mariano.)* (¡Qué cara dura tienen las mujeres!)

Mariano. *(Aparte también.)* (Estas cosas las hacen como nadie.)

Julia. *(A Elena.)* Y nos pasamos el día hablando de usted...

Pantecosti. *(Aparte a Mariano.)* (Eso es verdad, pero ¡si oyese lo que decimos!...)

Beatriz. *(A Elena.)* Y crea usted que la tarde que

tío Ernesto nos presentó a usted como a su futura esposa, fue una tarde de júbilo en esta casa... *(A Pantecosti.)* ¿Verdad?

PANTECOSTI.   ¡Uf! ¡Menuda tarde fue aquélla!

ELENA.   *(Con acento sincero.)* Todos son muy amables, y realmente entre ustedes me siento como en familia...

BEATRIZ.   *(Fingiendo una gran complacencia.)* ¡Huy, mira, Reginaldo! Dice que se siente como en familia...

PANTECOSTI.   ¿Sí? *(Aparte.)* (¡Qué mona!)

ELENA.   Y todavía es más de agradecer ver tanto cariño desinteresado en una mujer como yo, que, huérfana desde muy chiquilla, ha vivido siempre sola, errante, y con la amargura de no encontrar verdaderos afectos. Porque mi padre me educó los nervios para que pudiera andar por el mundo sin la ayuda ajena, pero no pudo educarme el corazón para que pudiera vivir a gusto entre la soledad de las gentes.

BEATRIZ.   Pero con su juventud, su belleza y sus méritos no debe usted desesperar de encontrar algún día un hombre enamorado y joven. ¡Sobre todo un joven, que es lo digno... *(Rectificando.)* Que es lo digno... de un joven!

PANTECOSTI.   *(Insinuante.)* Este mismo amigo que estamos esperando, sin ir más lejos... ¿Quién le dice a usted que al verle no se enamora de él, y él de usted, y se arrepiente de su boda con Ernesto, y... *(En voz baja)* ¿nosotros cobramos?

MARIANO.   ¡Eso es!

BEATRIZ.   ¡¡Claro!! ¿Quién le dice a usted que no ocurre algo así?...

ELENA.   *(Levantándose con un suspiro.)* ¡Ay! Los hombres, los jóvenes... Tengo ya de ellos una triste experiencia... Quise a uno como sólo se quiere una vez, poniendo en él toda mi fe, y todos mis sueños, y la desilusión me hizo tanto daño, que desde entonces he renunciado al amor para siempre.

PANTECOSTI.   Pero, bueno, también a los hombres nos hace cisco fumar, y no renunciamos al tabaco.

ELENA. Y a ello precisamente se debe mi proyectado matrimonio con Ernesto, que a muchos les parecerá incomprensible y a otros les parecerá indigno...

BEATRIZ. ¿Dice usted que se debe a ello?

PANTECOSTI. ¿Al desengaño?

ELENA. Sí. Porque he visto en el marqués interés por mí, adhesión y ternura paternal, y como yo no me atrevo a aspirar a más en la vida, he resuelto casarme con él, puesto que es esa su mayor ilusión, para pagarle así su interés, su adhesión y su ternura... [75]

MARIANO. (Aparte a Pantecosti.) (Se explica, ¿eh?).

PANTECOSTI. (También aparte.) (¡Hombre! Es más larga que el "Rocambole"...) [76]

ELENA. Pero más vale no hablar de estas cosas... Me subo con Nina, que quería arreglarse un poco.

NINA. Anda, sí, vamos, Elenín...

ELENA. Hasta luego.

BEATRIZ. (Amabilísima.) Hasta luego, querida amiga. (Elena y Nina se van por el primero derecha. En cuanto Elena desaparece, estalla la indignación en todos.)

JULIA. ¡Qué cinismo!

BEATRIZ. ¡Qué descaro tan inaudito!

JULIA. Pues ¿no dice que se va a casar con el tío Ernesto porque ha visto en él ternura paternal?

PANTECOSTI. Lo que ha visto son dieciocho millones de pesetas, uno detrás de otro.

MARIANO. ¡Hombre, claro! En fila india.

JULIA. ¡Naturalmente! (En este momento, en el foro aparecen Oshidori, Francisca y Roberto. Ella viste traje de viaje, y Oshidori abrigo al brazo y gorra inglesa; los dos llevan maletines. Entran pidiéndole informes a Roberto, que, como es de suponer, no los oye.) [77]

---

[75] Elena ha trasladado la figura del padre muerto cuando ella era una niña, al marqués. A mi modo de entender, Jardiel ha hecho una trasposición de sexos, de forma que él se correspondería con Elena, y el padre de ésta con doña Marcelina Poncela.

[76] Personaje de conocida truculencia y aventuras descabelladas creado por el escritor francés Ponson du Terrail (Montmaur, 1829; Burdeos, 1871), que lo hizo protagonista de 40 de sus obras.

[77] "no les oye", en A, leísmo aquí subsanado.

OSHIDORI.   ¡Digo caballero, que si es éste el hotel del barón de Pantecosti!

ROBERTO.   ¿Qué?

FRANCISCA.   ¡¡De Pantecosti!!

PANTECOSTI.   ¡¡Ya están aquí! *(Va al foro.)*

TODOS.   ¿Eh? *(Ran revuelo.)*

OSHIDORI.   ¡Ah! Señor barón... *(Se inclina.)*

PANTECOSTI.   Señorita... Pero, ¿y su amo, Oshidori? ¿No viene el señor Hernán?

OSHIDORI.   Sí, señor barón. Es que nosotros hemos venido en el tren y el señor viene en el coche...

PANTECOSTI.   ¡Ah! Comprendido, comprendido. *(A los demás.)* Es Oshidori, el famoso Oshidori, del que tanto os he hablado en las últimas veinticuatro horas. Venga usted; le voy a presentar. *(Señalando a Beatriz.)* ¡Mi esposa!...

OSHIDORI.   *(Inclinándose.)* Señora baronesa, honradísimo.

PANTECOSTI.   Mis primas, doña Julia Garrastazu de Pantecosti y de la Torre de Laín y Urrutia.

OSHIDORI.   Honradísimo.

PANTECOSTI.   Doña Fernanda Pantecosti de Garrastazu y del Alcor y Trece Almenas Laín Gamboredo...

OSHIDORI.   *(Inclinándose.)* Honradísimo.

PANTECOSTI.   Mi primo, don Roberto de Pantecosti la Torre y Gamboreado de Tres Viñas del Pomar.

OSHIDORI.   Sordísimo.

PANTECOSTI.   Un entusiasta del cine sonoro.

OSHIDORI.   *(Inclinándose.)* Caballero...

ROBERTO.   *(A Pantecosti.)* Y este señor, ¿quién es? ¿Eh? ¿Quién es? *(Pantecosti no le contesta, y sigue las presentaciones.)* ¡Bueno! Llevo una temporada que no me hace caso nadie. *(Se va de muy mal humor por el segundo derecha.)*

PANTECOSTI.   Mi sobrino don Mariano Garrastazu del Alcor y Pantecosti de Urrutia.

OSHIDORI.   *(Inclinándose.)* Caballero...

PANTECOSTI.   Y finalmente, mi hijo Arturito de Pantecosti Gamboreado de la Torre y mi sobrina Nina Laín

Garrastazu del Pomar Trece Almenas... *(Oshidori los busca hasta debajo de los muebles para saludarlos.)* No. Están en el piso de arriba...

OSHIDORI. ¡Ah, ya! Sí, sí...

PANTECOSTI. *(Por Francisca.)* ¿Y esta señorita, Oshidori?

OSHIDORI. *(Presentando a Francisca.)* La señorita Francisca Montánchez, secretaria por amor del señor.

JULIA. *(Aparte a Beatriz y Fernanda.)* (Ha dicho secretaria por amor.)

BEATRIZ. ¡Secretaria por amor!

FERNANDA. ¡Qué novelesco!

JULIA. Siéntese usted, señorita... Aquí, con nosotras.

FRANCISCA. Muchas gracias, señora... *(Se sienta en el grupo de las mujeres.)*

PANTECOSTI. Y usted, Oshidori, venga acá. *(Lo coge del brazo y se lo lleva a la derecha con Mariano.)* Mientras Hernán llega, nos fumaremos un cigarrito juntos.

OSHIDORI. *(Muy emocionado.)* ¡Señor barón! Un humilde criado no puede consentir...

PANTECOSTI. Le he dicho que con toda confianza.

OSHIDORI. ¡Ah! Si hay confianza... *(Coge tres cigarrillos.)*

PANTECOSTI. Hombre, hay confianza, pero no tanta.

OSHIDORI. ¡Por Dios, señor barón! He cogido uno para cada uno... *(Les da dos de los pitillos y queda con el tercero. Encienden.)*

PANTECOSTI. *(A Mariano aparte.)* (¡Qué plancha!) Perdone usted; es que yo pensé que cogía uno para ahora y dos para luego... Pues nada, en esta casa, Oshidori, se le considera como un amigo... *(Oshidori se pone de pie.)* Siéntese. Como un aliado de todos nosotros.

OSHIDORI. *(Levantándose de nuevo.)* Señor barón...

PANTECOSTI. Pero siéntese... Aparte de que usted es

un hombre acostumbrado a vestir de frac. *(Oshidori se levanta otra vez.)* Siéntese, hombre, que...

OSHIDORI. No. Si es que iba a tirar la cerilla... *(La deja en el cenicero. Se sienta definitivamente con Pantecosti y Mariano y fuman.)*

PANTECOSTI. Pues nosotros los esperábamos a ustedes todos juntos.

OSHIDORI. Esa fue la primitiva idea del señor, pero luego decidió que nos adelantásemos con el fin de ayudar a la instalación de...

PANTECOSTI. ¡Nada! Ustedes no tienen que preocuparse. Todo está ya preparado y a punto.

FRANCISCA. ¡Claro! Venimos tan tarde... Pero ¿quién iba a figurarse que el tren de las dos y media llegase a las cinco menos cuarto?

PANTECOSTI. ¡Huy! La mayor parte de los días llega bastante después...

BEATRIZ. Pues ayer llegó a la hora en punto.

OSHIDORI. Sí, señora baronesa; nos lo han dicho en la estación, donde se ha comentado mucho; pero por lo visto no era el de ayer, el de anteayer, que no llegó hasta ayer.

BEATRIZ. ¡Jesús! Realmente, en ese tren no se puede venir; como es un tren-tranvía...

FRANCISCA. ¡Ah! Es un tren-tranvía...

OSHIDORI. A nosotros nos ha parecido un tren-pisapapeles.

PANTECOSTI. En fin: lo esencial es que Hernán está en camino.

JULIA. Yo había pensado ya incluso en un accidente de automóvil...

OSHIDORI. ¡Oh! De eso no hay cuidado. Porque como el chófer del señor es argentino, está acostumbrado al ritmo del tango y conduce muy despacio.

PANTECOSTI. Menos mal.

BEATRIZ. Un chófer argentino y autor de tangos, una marquesa de doncella, una bailarina húngara de cocinera y esta señorita *(por Francisca),* secretaria por amor... ¡¡Qué hombre!!

FERNANDA.   ¡Es un tipo de leyenda!

FRANCISCA.   No lo sabe usted bien, señora...

JULIA.   Usted lo conocerá a fondo...; ¿es verdad todo lo que cuentan de él?

FRANCISCA.   Lo que cuentan de él es pálido.

BEATRIZ.   ¿Pálido?

OSHIDORI.   Lívido, señora baronesa.

JULIA.   ¿Y usted está contenta de ser secretaria suya?

FRANCISCA.   No cambiaría mi puesto por todos los diamantes del mundo... ¡Sufro tanto junto a Sergio!

OSHIDORI.   Hay que advertir que la señorita Montánchez traduce sufrimiento por regocijo...

BEATRIZ.   ¿Es posible?

PANTECOSTI.   *(A Francisca.)* Pues si viviera usted en la situación en que estamos viviendo nosotros hace un mes se moriría usted de risa, señorita.

OSHIDORI.   ¡Bah! Los señores se preocupan por lo que está resuelto de antemano...

PANTECOSTI.   Entonces usted no duda del éxito del señor Hernán en esta casa, ¿verdad?

OSHIDORI.   El señor hará como Julio César: vendrá, se quitará los guantes, hablará y triunfará. [78]

PANTECOSTI.   Julio César no se quitó los guantes, Oshidori.

OSHIDORI.   Porque sus conquistas no eran femeninas, señor barón. Y para triunfar, mi amo empezará por hacer el amor a estas señoras...

MARIANO.   *(Saltando.)* ¡Pero de mentirijillas! ¿eh? ¡De mentirijillas y sólo para interesar a Elena!

OSHIDORI.   Sí, señor; para interesar a esa señorita y para entrenarse...

MARIANO.   ¿Para entrenarse? ¿Ha dicho para entrenarse?

OSHIDORI.   Naturalmente, caballero. Es lógico.

MARIANO.   *(Amoscadísimo.)* ¿Lógico? ¿Lógico que necesite entrenarse como un boxeador o un futbolista?

---

[78] El sistema del donjuán jardielesco, que, en esta ocasión, sin embargo, va a fracasar. Recuérdese nota 48.

OSHIDORI.   Caballero, ¿y qué es el amor más que un deporte? El amor es un deporte en el que el corazón actúa de árbitro... [79]

JULIA- FERNANDA.   ¡Eso es!

BEATRIZ.   ¡Y qué bien dicho!

OSHIDORI.   *(Con su modestia habitual.)* Es una frase del señor...

MARIANO.   ¡¡Pues yo no estoy dispuesto a tolerarlo!! ¡Que se entrene [80] con Julia, que tiene un marido sordo; que se entrene con Nina, que tiene un novio tonto; que se entrene, si está bastante loco para ello, con Beatriz!...

PANTECOSTI.   Pues si hace falta se entrenará, y yo, tan fresco...

MARIANO.   ... pero con ésta *(por Fernanda)*, con ésta no se entrenará. [81] ¡Yo os lo aseguro! *(Pantecosti se lleva aparte a Mariano.)*

PANTECOSTI.   Acuérdate del Banco Hipotecario, Mariano; acuérdate de que ya te llaman de tú los porteros... Hernán es nuestra salvación económica y social. Si Hernán no enamora a Elena, poniendo así en nuestras manos la herencia del tío Ernesto, ya puedes aprender a tocar el violín y elegir una esquina donde dé el sol.

MARIANO.   *(Aparte.)* (¡Caray! Pues es verdad...)

PANTECOSTI.   De modo que tú verás lo que haces.

OSHIDORI.   *(Haciendo como si escuchase un ruido que viniese de fuera.)* ¿Eh? ¡Callen ustedes!

PANTECOSTI.   ¿Qué pasa?

OSHIDORI.   ¡¡Sí!! Es el claxon... ¡El señor! ¡¡Ahí viene el señor!! [82]

BEATRIZ.   ¿Ya llega?

---

[79] Una nueva greguería, como tantas frases de Sergio puestas en boca de Oshidori.

[80] "estrena", en *O. C.,* por error tipográfico.

[81] "entrena", en *A;* "entrenará" parece más correcto.

[82] El conocimiento de todo lo referente a su señor es absoluto por parte de Oshidori, quien actúa en esta ocasión como el perro fiel que advierte la llegada de su amo antes de que ningún sonido u otro detalle lo haya delatado.

OSHIDORI. ¡¡Ya!!

PANTECOSTI. Pues vamos, vamos... *(Todos se movilizan; las señoras dan el último toque a su peinado, los hombres se aprietan el nudo de la corbata.)*

JULIA. ¡Corre, Fernanda! ¡Sube a avisar a Nina y a Elena!

BEATRIZ. ¡Y a Arturito! Y dile que si no baja a recibir al señor Hernán, se verá las caras conmigo...

FERNANDA. Sí, sí... *(Se va por el primero derecha.)*

PANTECOSTI. ¿Viene usted, Oshidori?

OSHIDORI. Al instante, señor barón.

PANTECOSTI. Vamos, vamos... *(Se lleva del brazo a Mariano y con Julia y Beatriz se van por el foro derecha. Quedan solos en Escena Oshidori y Francisca.)*

OSHIDORI. Es necesario que aprovechemos el tiempo, señorita Montánchez... Si usted no le prepara el camino, el señor fracasará, y no sólo perderá los 40.000 duros, sino que será capaz de suicidarse.

FRANCISCA. ¡San Pedro Nolasco!

OSHIDORI. Usted sabe que desde que el barón llegó anteayer a Madrid el señor ya no es el señor...

FRANCISCA. ¡Qué va a ser!

OSHIDORI. Lleva cuarenta y ocho horas sin hacer una sola conquista, y en lugar de aquellas frases brillantes que le eran propias, ahora dice unas majaderías que nos tienen consternados... Todo esto, señorita Montánchez, es obra del amor. Total... que el señor va al fracaso. Resumen: que no tenemos más remedio que ayudarle. Yo no le dejaré de la mano. Y por lo que afecta a usted, señorita Montánchez, usted sabe que esa mujer huyó de él una vez, y en cuanto comprenda que el amigo que esperan en esa casa es el señor, volverá a huir nuevamente.

FRANCISCA. ¿Y cuál es mi misión entonces?

OSHIDORI. Hablar a esta señora, evitar que se vaya, diciéndola que el señor está verdaderamente enamorado de ella. Y, en cambio de eso, obtener su propia felicidad.

FRANCISCA. ¿Mi propia felicidad?

OSHIDORI. ¡Claro! Porque si usted, amando al

señor, le prepara el terreno para que él consiga a otra, ¡imagínese el margen de sufrimiento que tiene usted! ¡Puede usted sufrir de un modo bárbaro!

FRANCISCA. ¡Pues es verdad! ¡Lo que puedo sufrir! ¡Puedo sufrir horrores!...

OSHIDORI. ¡Puede usted hacerse polvo sufriendo!

FRANCISCA. Claro, claro...

OSHIDORI. Puede usted incluso morirse del disgusto...

FRANCISCA. ¡Qué alegría! *(Por el primero derecha aparece Fernanda, luego Nina y después Arturito.)*

FERNANDA. ¡Vamos, niños! Daos prisa. *(Cruza la escena corriendo y se va por el foro derecha.)*

NINA. *(Entrando y hablando hacia dentro.)* Bueno, tú puedes hacer lo que te dé la gana, pero ya has oído lo que ha dicho tu madre... *(A Oshidori y Francisca.)* Buenas tardes...

OSHIDORI. Señorita... *(Se inclina, Francisca saluda con el gesto, y Nina se va por el foro derecha.)* Ésta debe ser la sobrina del barón...

ARTURITO. *(Entrando a su vez por el primero derecha de un humor de perros.)* ¡Y que uno tenga que..., maldita sea, hombre! ¡Que uno es un imbécil y nada más que un imbécil, hala! Si no me valiera más que..., ¡hala, maldita sea! Estoy viendo que voy a..., ¡maldita sea, hala! *(Se va desesperado por el foro derecha.)*

OSHIDORI. Y este perturbado debe ser el hijo... *(En el primero derecha aparece Elena, que al ver a Oshidori se detiene en seco.)*

ELENA. ¿Eh? ¡Oshidori!

OSHIDORI. *(Inclinándose.)* Señora...

ELENA. ¿Qué significa esto? ¿Qué hace usted aquí? *(Viendo los maletines que han quedado en el suelo y sospechándoselo todo.)* ¿Es que...? ¿Es que quizá es su amo al que...?

OSHIDORI. Sí, señora. El amigo que aquí esperan es el señor.

ELENA. ¡No! ¡No es posible!

OSHIDORI. Sí, señora, sí.

ELENA. ¡Pues no me verá! ¡Me iré! ¡Me he jurado a mí misma no verle más en la vida! *(Inicia el mutis primero derecha.)*

OSHIDORI. *(Interponiéndose entre ella y la puerta.)* Sin embargo, antes de irse, señora, hará bien oyendo algo que tiene que decirle esta señorita.

ELENA. ¿Esta señorita?

OSHIDORI. *(Presentándola.)* Francisca Montánchez, secretaria del señor y una de sus víctimas más recientes. La víctima pirulí.

ELENA. ¿Qué quiere usted decir?

OSHIDORI. Quiero decir exactamente lo que va a decir ella, señora. Así es que... *(Se inclina sonriendo y se va por el foro derecha.)*

FRANCISCA. *(Aparte.)* (¡Dame fuerzas, San Luis de los Franceses!)

ELENA. Hable usted, señorita, y hable pronto; después de saber que Sergio está en esta casa, no puedo permanecer aquí ni un instante más...

FRANCISCA. ¿Tanto le teme usted?

ELENA. ¿Temerle? No. Aborrecerle, sí; eso sí, con toda mi alma.

FRANCISCA. ¡Dios mío! Pero ¿cómo se le puede aborrecer a él? ¿Cómo se puede aborrecer a un hombre que parece hecho sólo para ser amado?

ELENA. Por eso precisamente; porque el amor es un camino a cuya terminación está el odio. Usted, señorita, le quiere hoy porque emprende el camino ahora, pero le aborrecerá también mañana, cuando su camino esté ya andado...

FRANCISCA. *(Con un suspiro imponente.)* ¡Ay! Yo soy de las que se sientan en la cuneta.

ELENA. ¿Eh?

FRANCISCA. Le quise ayer, le quiero hoy, le querré mañana, le querré siempre... ¡Es mi destino!

ELENA. Existen personas que llaman destino a sus equivocaciones.

FRANCISCA. Sí. Y hay otras personas que llaman aborrecimiento a su soberbia.

ELENA.   ¿Qué supone usted?

FRANCISCA.   Estoy bien enterada de su "caso", señora. He visto con mis propios ojos aquel tomo de la H, donde aún puede leerse: "Elena.—Conocida en Sakuska el 10 de junio..."

ELENA.   Calle usted, calle usted...

FRANCISCA.   Y más abajo: "Rubia. Joven. Romántica tirando a cursi..."

ELENA.   ¡Calle usted, por favor!

FRANCISCA.   ¡Oh! No es mi intención hacerla sufrir, porque a lo que he venido es a sufrir yo; pero está mal, señora, que una mujer aborrezca a un hombre sólo porque él la haya estimado inferior a lo que su vanidad le ha hecho creerse...

ELENA.   Ni hui de Sergio por eso ni le aborrezco por eso tampoco. Le aborrezco porque, después de quererle con todo mi corazón, vi que yo, en cambio, había sido para él una de tantas...

FRANCISCA.   ¡Qué más habríamos querido esas "tantas" sino que usted hubiera sido para él una de nosotras!...

ELENA.   ¿Eh?

FRANCISCA.   Si usted hubiera sido para él "una de tantas", no estaría ahora Sergio en Cercedilla, señora...

ELENA.   (Sarcástica.) ¿Irá usted a hacerme creer que Sergio ha venido a esta casa por mí?

FRANCISCA.   Puede que no se lo haga creer; pero esa es la verdad... Sergio la quiere a usted, señora. Desde anteayer que supo que estaba usted aquí y que se hallaba comprometida con el marqués, no duerme ni sosiega pensando en venir y en romper ese compromiso...

ELENA.   ¿Mi compromiso?

FRANCISCA.   Besa un retrato de usted, se pasea por la casa dando suspiros... Ha cambiado por completo. Es otro hombre... En fin, señora, con decirle a usted que cuando hace funcionar el fonógrafo no pone otro disco que el "¡Torna a Sorrento!"

ELENA.   ¡Nada de eso puede ser cierto!

FRANCISCA. Es cierto todo... ¡Todo!

ELENA. Y si lo fuera..., ¿qué razón hay para que usted, que dice quererle, me hable a mí de esa forma?

FRANCISCA. Porque le quiero aspiro a que él sea feliz... Pero no es eso solo... Hay otras razones que usted no comprendería... Ahora mismo tengo el corazón tan en un puño que me entran ganas de saltar y de dar vivas... *(Alegrándose por momentos.)* Porque usted me cree..., ¿verdad que me cree? ¡Qué gusto! ¡Qué gusto! Y usted me da palabra de quedarse...; ¿verdad que me da palabra de quedarse?

ELENA. Sólo para convencer a Sergio de que cuanto intente es inútil...

FRANCISCA. ¡Qué dicha, Dios mío! ¡Gracias, San Estanislao de Kostka! [83] *(Llorando.)* ¡Ah! ¡Cómo sufro! ¡Qué alegría! ¡Me están entrando unas ganas de reír! ¡¡Unas ganas de reír!! Necesito un calmante, sales inglesas, algo que...

ELENA. Pero ¿qué le sucede? Voy por las sales.

FRANCISCA. ¡Que sufro de un modo! ¡Qué risa! *(Llora más.)* ¡¡Qué risa más grande!! ¡Ay, ya no se puede sufrir más en el mundo! ¡Ja, ja, ja! *(Hace mutis detrás de Elena riendo con todas sus fuerzas, por el primero derecha. Por el foro entra Mariano echando chispas, y seguido por Oshidori.)*

MARIANO. ¡Que no! ¡Que prefiero no verlo!

OSHIDORI. Le suplico un poco de calma al señor...

MARIANO. ¡Ni calma de nada! ¡La actitud de ese hombre en cuanto usted ha aparecido en el jardín ha sido intolerable!

OSHIDORI. Caballero...

MARIANO. Y eso al fin y al cabo me tendría sin cuidado... ¡¡Pero es que se ha atrevido con mi mujer!! Porque le ha dado un beso... ¿Va usted a negarme que le ha dado un beso?

---

[83] Todas las exclamaciones de Francisca, tanto de júbilo como de súplica, han ido dirigidas a Dios o a algún santo, lo que la convierte en una singular beata.

OSHIDORI.   Pero en la mano, caballero; en la mano...

MARIANO.   ¿En la mano? ¿Desde cuándo las mujeres tienen la mano al final del brazo?

OSHIDORI.   Desde Adán y Eva, caballero.

MARIANO.   ¡Y que uno tenga que aguantar esto! ¡Que uno tenga que aguantar esto por dieciocho cochinos millones de pesetas!...

OSHIDORI.   ¡Caramba! No tan cochinos, caballero. *(Por el foro entra Arturito; su desesperación es ya de las que no tienen precedentes en la historia. No ve de rabia. Está que echa humo. Avanza como un tanque hacia Oshidori y se encara con él.)*

ARTURITO.   ¡Maldita sea; hala, se acabó! ¡Ahora sí que se acabó! ¡¡Eso es!! ¡Porque ya no puedo! ¡Maldita sea! ¡Y se lo dice usted a su amo! ¡Que si no fuera por mi madre, lo cogía y lo...! ¡Maldita sea, hala! Y que, a pesar de mi madre, lo voy a coger y lo... ¡hala! ¡¡Maldita sea!! *(Se va por el primero derecha mordiéndose los puños de ira.)*

OSHIDORI.   ¿Por qué lo dejan suelto? *(A Mariano asombrado.)* ¿Esto qué quiere decir, caballero?

MARIANO.   Eso quiere decir que está furioso, para lo cual le sobran razones, y que no puede hablar de bruto que es..., para lo cual le sobran también razones, porque en nuestra familia ha habido varios casos. *(En el foro se oye rumor de gente que se acerca.)* ¿Vienen?

OSHIDORI.   Sí, señor.

MARIANO.   Pues ahí se queda usted. *(Se va a paso largo por el primero derecha. Por el foro entra entonces Sergio con Beatriz, Fernanda, Julia y Nina, que vienen comiéndoselo con los ojos.)*

BEATRIZ.   *(A Sergio, melosísima.)* ...Y personalmente es usted mucho más interesante que por referencias...

NINA.   Infinitamente más...

SERGIO.   Gracias, muchas gracias... *(Se separa de ellas y habla aparte ansiosamente con Oshidori.)* ¿Y ella? ¿Dónde está ella?

OSHIDORI.   Ahora subo a buscarla. Pero, por lo que

más quiera, finja ·el señor indiferencia. Recuerde lo que le he dicho en el jardín; galantee a las demás, disimule sus sentimientos...

SERGIO. Sí, sí... tienes razón... *(Oshidori se va por el primero derecha.)*

JULIA. *(Cogiendo a Sergio por un brazo y llevándose-lo al diván de la izquierda.)* Dígame, amigo Hernán... ¿Y es verdad que no se ha enamorado usted nunca, nunca?

SERGIO. Nunca, señora. Pero si usted sigue mirán-dome así... *(Se sienta en el diván y quedan hablando aparte.)*

FERNANDA. *(A Nina.)* ¡Qué encanto de hombre!

NINA. ¡Es maravilloso!

BEATRIZ. ¿Qué diréis que me ha dicho antes? Que tengo ojos de mujer fatal...

FERNANDA. Y a mí.

NINA. ¡Qué casualidad! A mí también me lo ha dicho...

BEATRIZ. ¿A ti también? Bueno, pero a ti te lo habrá dicho en broma. Como eres una chiquilla... *(Le da la espalda y se va a la izquierda, sentándose al otro lado de Sergio.)*

NINA. ¡Qué estúpida! *(Se va también a la izquierda y se apoya en el respaldo del diván, de manera que quedan las tres rodeando a Sergio. Por el foro han entrado Pantecosti e Indalecio Cruz. Indalecio Cruz es un hombre moreno de unos treinta años, que habla con marcadísimo acento argentino y anda con ese bamboleo de personas en ayunas, propio de los argentinos castizos también. Viste uniforme de chófer.* [84]*)*

PANTECOSTI. *(A Indalecio, señalando al grupo de las señoras y Sergio.)* La verdad es que seduce a las mujeres, no cabe duda...

INDALECIO. ¡Ni que haser, viejo; ni que haser! A mí me tiene epatao, [85] me tiene. Sinco meses ha hecho

[84] Véase nota 23.
[85] Del francés *épater*, "pasmar, asombrar", con pérdida de la /d/ intervocálica tan frecuente en el habla coloquial. Indalecio, además, sesea, como le corresponde por su origen rioplatense.

resién que le sirvo de chófer pa[86] estudiar sus prosedimientos de conquista...

PANTECOSTI. Sí, ya me lo ha dicho Hernán; que usted había venido de su país...

INDALECIO. Pa eso no más; pa eso. Su fama dilatada me atrajo y, anhelante de saber, me mandé mudar p'acá.[87]

PANTECOSTI. ¿Y qué? ¿Todavía no ha averiguado?

INDALECIO. Ni medio. Y mi subyugasión crese por días, crese. Sólo un gallego[88] puede yegar a este briyante[89] resultao. ¡Qué cosa bárbara! Vos[90] agarrás a las minas cuando querés y las espiantas a su antojo...[91] A nosotros nos sucede al vesre.[92]

PANTECOSTI. ¿Al qué?

INDALECIO. Al vesre.[93]

PANTECOSTI. ¡Ah, sí, sí! (Aparte.) (Nada; no le entiendo una palabra.)

INDALECIO. A nosotros son eyas las que nos dejan y

---

[86] Apócope de la preposición *para*, también frecuente en el habla coloquial (lunfardo) atribuida al argentino.

[87] La expresión ha de delatar continuamente a Indalecio, sirviendo, asimismo, como un nuevo motivo humorístico. Aunque las contracciones que suelen proponer las gramáticas se reducen a dos: *al* y *del*, lo cierto es que el lenguaje popular, especialmente en los dialectos meridionales del español, utiliza un número mucho mayor, entre ellas esta *p'acá* de la que se vale el autor de tangos.

[88] Como es sabido, los emigrantes gallegos en Argentina han sido tan numerosos que por extensión cualquier español recibe allí ese gentilicio.

[89] Indalecio, como era de esperar, también practica el yeísmo, fenómeno lingüístico extendido en la actualidad por todos los ámbitos del castellano y admitido por la Real Academia.

[90] Otro de los elementos distintivos del habla del chófer: el *voseo*, fórmula de tratamiento en que se usa el pronombre *vos* en lugar de *tú*.

[91] En su dialecto particular, Indalecio acaba de resumir una de las funciones de Oshidori: expulsar de su casa a las mujeres (minas) conquistadas por Sergio.

[92] Sin duda, "al revés". Indalecio, sabedor de que las características de su habla lo hacen difícilmente inteligible, oscurece más la expresión para darse más importancia y para quedar ante Oshidori como un personaje culto.

[93] "Al verte", en *A*, lo que no deja de ser un error.

se hasen humo con un malevo. [94] Vos lo sabrás por los tangos, ¿no?

PANTECOSTI. Sí. Ya estoy enterado. ¿Y qué, ha hecho usted algún tanguito nuevo últimamente?

INDALECIO. ¿Y cómo no, mi viejo?

PANTECOSTI. Oiga usted; eso de viejo no se lo tolero. Ya van dos veces que me lo ha llamado usted y ¡no!...

INDALECIO. Pero si es una frase cariñosa de allá. Pues como le desía, resién he improvisado uno, resién. ¡Qué cosa linda! Se titula "Fiscalito del Supremo".

PANTECOSTI. ¡Hombre! ¡Qué bonito título!

BEATRIZ. ¿Qué es eso, Reginaldo?

PANTECOSTI. Pues aquí, el andóval... [95]

INDALECIO. (Indignado.) ¡Avise, andóval!

PANTECOSTI. Es una frase cariñosa de acá. Pues aquí el Indalecio Cruz este, que me está hablando de su nuevo tango que se titula "Fiscalito del Supremo".

JULIA. ¿Y cómo es?

FERNANDA. ¿Cómo es?

INDALECIO. Es un poco inmoral y delante de damas no me parece oportuno, no me parece...

NINA. ¿Es inmoral?

BEATRIZ. ¡Claro! Si es inmoral...

PANTECOSTI. Pues si es inmoral, no diga usted más que la letra. [96]

---

[94] Se van con un matón, con un chulo.

[95] Individuo, fulano. Término de argot que algún diccionario recoge en su forma "andoba", y como de germanías. El *Diccionario General Ilustrado* advierte que algunos folkloristas lo escriben con mayúscula por considerarlo un personaje tradicional. De origen desconocido para muchos, es, según el *Vocabulario andaluz,* de A. A. Venceslada, voz del caló, que ejemplifica con esta cita de *Nilo de gavilanes,* del costumbrista malagueño S. González Anaya: "Porque esos dos señores tan rabitiesos, ese don Sancho que parece el comendador del *Tenorio,* y esa mascarrosarios doña Sabina, no son los padres del andoba." (Cito por la tercera edición de la novela, Madrid, Biblioteca Nueva, 1947, p. 257.) El término se usa aquí para contrarrestar la actitud de Indalecio y su lenguaje.

[96] Una nueva paradoja, ya que la inmoralidad, ha de suponerse, no residía en lo musical, sino en lo literario.

TODOS.   ¡Eso, eso!

INDALECIO.   Dice así:

> "Fiscalito del Supremo
> que abocanás el boliche
> y campaneás el fletiche
> con bufosos de bacán;
> no me escrupiés el belemo,
> no me chalés el milongo
> ni me enramés el bailongo
> de los rulos del gotán". [97]

Les gusta, ¿no?

TODOS.   ¡Sí! ¡Es precioso! ¡Precioso!

INDALECIO.   Pos [98] luego prosigue así:

> "Fiscalito, fiscalito:
> tu caprusia es botanera;
> tenés el aire catrera
> del arca del begué...
> No atosigás, fiscalito,
> que eso es laurel de bacara,
> el que paraplí la cara
> sobre un pingo pangaré". [99]

---

[97] Dar una versión aproximada no es labor fácil. Me ha resultado imposible localizar el significado de algunos términos, pese a haber utilizado el *Diccionario lunfardo y de otros términos antiguos y modernos usuales en Buenos Aires,* de J. Gobello (Buenos Aires, coedición de A. Peña Lillo, editor, S. A., Ed. Precursora, Ediciones Nereo, 1977). Tampoco han podido subsanar mis dudas algunos amigos argentinos, por tratarse de un lenguaje muy especializado y restringido. Por otra parte, creo que Jardiel ha trucado algunas palabras con el fin de hacer más oscuro el significado de las mismas. Así, es más que posible que haya invertido las sílabas de *tango,* convirtiéndolo en *gotán.* Desconocer el significado de vocablos como *escrupiés* y *belemo,* me impide dar una traducción del texto, que, en sentido lato, viene a ser el ruego a un matón que vigila o gobierna un tugurio para que no estropee el ambiente del local donde se va a jugar y a bailar tangos.

[98] "pues", derivado del latín *post.*

[99] Las dificultades de intelección de esta estrofa son superiores a las que presentaba la anterior. Vuelve a ser un ruego al matón para que permita la actividad de los demás.

Estupendo, ¿no?

PANTECOSTI.   No. Digo, sí, sí, mucho.

INDALECIO.   Gracias, muchas gracias. ¡Qué me emosionan estos sinceros aplausos!... *(Todos aplauden.)*

PANTECOSTI.   Ahora, que tenía razón él: es muy inmoral.

BEATRIZ.   *(Aparte.)* (Pero ¿tú has entendido algo, Reginaldo?)

PANTECOSTI.   ¿No has oído eso de pingo y de caprucia?[100] ¡Uf! *(Por el primero derecha entra Oshidori.)*

OSHIDORI.   La señorita Elena baja ya, señor barón.

SERGIO.   *(Poniéndose palidísimo y levantándose.)* ¿Eh?

PANTECOSTI.   Ha llegado su momento, amigo Hernán... Les presentaré a ustedes y... *(Se levantan todos.)*

OSHIDORI.   Creo que será mejor que les dejemos solos.

PANTECOSTI.   Pues, entonces, ni una palabra más... Vamos Beatriz... Vamos, niñas... *(Inician el desfile. A Sergio.)* ¡No le digo nada, amigo Hernán! Es el instante decisivo...

SERGIO.   Sí, barón, sí.

BEATRIZ.   De usted depende la tranquilidad de todos, querido amigo... Si fuera yo, no tendría nada que hacer...

SERGIO.   Sí, baronesa, sí.

FERNANDA.   *(Aparte.)* (¡Quién fuera ella, Nina!)

NINA.   ¡Ay, sí! ¡Quién fuera ella!

JULIA.   La suerte que tienen algunas mujeres...

PANTECOSTI.   Oshidori. ¡Tampoco a usted le digo nada! *(A Indalecio.)* A usted ya le diré yo luego unas cosillas.

INDALECIO.   ¡Qué ocasión pa estudiar voy a perder-

---

[100] El término *pingo* lo ha tomado en el sentido "persona despreble", "mala mujer", y a buen seguro *caprucia* le ha sonado a "furcia", o incluso a "cabrío", en un proceso etimológico que Dámaso Alonso denominó en alguna oportunidad festivamente como "etimología del mocosuena".

me! ¡Ché, qué trigo [101] tenerme que dir [102] agora! [103]
(Han ido haciendo mutis todos por el foro.)
OSHIDORI. *(A Sergio, que se ha quedado como una
estatua de sal.)* ¡Ánimo, señor! La señorita Montánchez
la ha preparado ya, y yo acabo de decirla que todas las
señoras de la casa están locas por el señor, lo cual ha
hecho su efecto...
SERGIO. Por primera vez, tiemblo, Oshidori. Por
primera vez, dudo...
OSHIDORI. Recuerde el señor sus propias teorías...
"Dudar es fracasar", "las mujeres y los tranvías hay que
tomarlos en marcha"... [104]
SERGIO. Sí. Yo he dicho eso y muchas cosas más,
pero entonces no estaba enamorado, Oshidori, y era
fuerte y audaz; ahora es distinto... Ahora no podría
decir nada; me siento inexperto y débil...
OSHIDORI. ¡Ya baja!
SERGIO. *(Mirando hacia el primero derecha.)* ¡Qué
linda está! Está más linda que aquel día... *(Por el
primero derecha entra Francisca seguida de Elena; ésta
queda inmóvil al pie de la escalera, mientras Francisca se
va llorando por el segundo derecha.)*
OSHIDORI. *(Viéndola irse.)* ¡Cómo disfruta! *(Se va
detrás de Francisca. Quedan Elena y Sergio frente a
frente. La emoción no les deja hablar en unos instantes.
Es ella la primera en reaccionar y avanza sonriente.)*
ELENA. *(Siempre sonriendo.)* Ya está logrado el
encuentro: ya se han retirado tu ayudante y tu "mana-
ger"... Comienza el "match"... [105] ¿No era eso lo que
deseabas? ¿Por dónde vas a empezar? ¿Vas a decirme
una ironía o... vas a recitarme "El lago" de Lamartine?
SERGIO. Ninguna de las dos cosas, Elena. Anteayer

---

[101] ¡Qué fastidio!
[102] "Ir".
[103] Arcaísmo, por "ahora".
[104] Nueva greguería.
[105] El uso de estos términos, tan frecuentes en el lenguaje deportivo,
tiene que ver con la definición del amor como deporte en que el corazón
actúa de árbitro que manifestó antes Oshidori. Véase llamada 79.

Cubierta de la segunda edición de *Angelina o el honor de un brigadier*.

Raoul Roulien, Rosita Díaz y Jardiel Poncela en Hollywood.

supe que estabas aquí y que vas a casarte, y he venido a que hablemos seriamente...

ELENA.   ¡Hablar seriamente! Y eso, ¿qué significa en ti, agotamiento o cambio de táctica?

SERGIO.   Eso significa sinceridad y desilusión.

ELENA.   Pero, ¿sabes tú algo de lo uno y de lo otro? ¿Has sabido alguna vez lo que es ilusión y lo que es sinceridad?

SERGIO.   Antes de conocerte, nunca; después de conocerte, sí.

ELENA.   Quizá te he contagiado las mías...

SERGIO.   ¿Son tan grandes?

ELENA.   Inmensas.

SERGIO.   ¿Y cuál es mayor?

ELENA.   No lo sé. A ratos creo que es mayor mi sinceridad. Otras veces pienso si no será aún mayor mi desilusión.

SERGIO.   ¿Y si te preguntase, Elena, la causa de tu boda..., apelando a la sinceridad?

ELENA.   Tendría que contestarte que la desilusión. Pero si me preguntaras la causa de mi desilusión, entonces tendría que responder que tu sinceridad...

SERGIO.   Hace un instante dudabas de ella...

ELENA.   De tu sinceridad para hablar seriamente a una mujer dudaré siempre. De tu sinceridad para burlarte de las mujeres, de esa no me cabe duda. Las románticas tirando a cursis... somos así.

SERGIO.   No hablemos de eso... Nunca me he arrepentido tanto de unas palabras escritas en un momento de...

ELENA.   Sí. Es mejor no hablar de eso; se remueven demasiadas cosas pasadas...

SERGIO.   ¿Y olvidadas?

ELENA.   Y muertas.

SERGIO.   Comprendo que no puedas creer en mi sinceridad al hablarte, [106] pero cree en mi desilusión al saber que te casas... Cree al menos en que hasta no

[106] "hablarme", en *O. C.*

oírtelo a ti misma había dudado de la verdad de tu boda...

ELENA.   ¿Y por qué esas dudas? ¿Por qué esa fatuidad? ¿Es que el haberte querido a ti un día tenía que impedirme el querer luego a otro?

SERGIO.   No es posible que te cases por amor...

ELENA.   No. No me caso por amor. ¿Y qué importa? Se cae en ciertos matrimonios como se cae en el suicidio: cuando el corazón ha fracasado ya no tiene uno adonde asirse. [107] Aquel día en que comprobé todas las cosas desgarradoras que pensabas de mí, tu criado dijo que yo no era más que una mujer dispuesta a la desesperación. Acertó, y eso ha sido desde entonces. No intentes ahora pedirme cuentas de tus propias culpas.

SERGIO.   Pero todo eso significa que me quieres...

ELENA.   No. Eso significa que te he querido... y que me he desengañado de ti...

SERGIO.   No hay razón para ese desengaño. Te juro...

ELENA.   ¡Tus juramentos! Nadie que los haya oído una vez volverá a confiar en ellos...

SERGIO.   ¡Elena!

ELENA.   Déjame... No hay nada que decir...

SERGIO.   Elena... No sé hablar ni expresarme... He hecho siempre el amor sin sentirlo, y hoy que lo siento, veo que no sé hacerlo... Pero te quiero, Elena, y...

ELENA.   Déjame...

SERGIO.   ¿Qué podré decirte? ¿Qué necesita decir un hombre para convencer a una mujer?

ELENA.   A cualquier hombre lo que tú has dicho le bastaría.

SERGIO.   ¿Y a mí?

ELENA.   A ti lo que has dicho te sobra... *(Inicia el mutis.)*

SERGIO.   *(Deteniéndola nuevamente y echando el alma por la boca.)* Esperaba todo esto, esperaba verte

---

[107] Al pasar Elena a dominar la situación amorosa, obtiene la capacidad para inventar greguerías, como puede considerarse esta frase.

dolorida e incrédula, pero lo que no pude esperar nunca es que hubieras olvidado así lo feliz que tú misma confesaste haber sido conmigo...

ELENA. ¡Calle! Déjame... *(Quiere irse y él la sujeta.)*

SERGIO. ¡Elena!

ELENA. *(Revolviéndose airada; deshaciendo en rabia su desesperación de no poder creerle.)* ¿Qué pretendes? ¿Qué quieres? ¿Despertar de nuevo mi fe para volver a humillarla? ¿Añadir unas líneas más en tu catálogo de hombre que se ríe de las mujeres? ¿Que yo crea otra vez? ¿Que yo sueñe, que yo confíe otra vez?... ¿Que vuelva a sufrir la misma desilusión y el mismo desengaño? ¡No, no! ¡Ya es bastante! Ya es bastante, Sergio.

SERGIO. ¡Elena!

ELENA. Se sufre un día y para siempre. Yo he sufrido meses enteros y no volveré a sufrir más...

SERGIO. ¿Y nunca ha de haber nada entre los dos?

ELENA. Nunca. Vuelve a Madrid y entonces habrá entre los dos lo único que entre los dos puede haber ya: la distancia. *(Sosteniéndose con un último esfuerzo por no llorar, se va por el primero derecha. Sergio, al quedar solo, tiene un instante de duda; luego se va detrás de Elena, pero al llegar a la puerta, Oshidori, que ha salido por el segundo derecha, le detiene.)*

OSHIDORI. ¡Quieto! ¿Qué va a hacer el señor? Cuidado, que todo puede echarse a perder...

SERGIO. Ya está todo perdido, Oshidori.

OSHIDORI. Al contrario, señor; está todo ganado. Va llorando, y "en la mujer las lágrimas son el vermú del amor". [108] ¿No recuerda el señor esa frase?

SERGIO. Entonces, ¿crees tú...?

OSHIDORI. Que está en el bote. Ahora dedíquese el señor a las demás, y esta noche, en el jardín, aprovechando la luna...

SERGIO. *(Abrazándole.)* Oshidori... Dios te lo pague. ¡Muchas gracias! *(Se va, como un muerto resucitado, por el foro.)*

---

[108] Nueva greguería.

OSHIDORI. ¡Qué alegría da cumplir con el deber!
(Por el foro entra Adelaida precedida por un chófer.) [109]
CHÓFER. Aquí es, señora condesa...
ADELAIDA. ¿Es aquí? Sí. Aquí es...
OSHIDORI. *(Viéndola. Aparte.)* (¿La condesa?...
¡Muertos somos!) *(El chófer vuelve a marcharse por el foro.)*
ADELAIDA. *(Descubriendo a Oshidori, avanzando majestuosamente y sentándose en un sillón.)* Hola, Oshidori.
OSHIDORI. Buenas tardes, señora condesda... ¡Qué sorpresa tan inesperada!
ADELAIDA. Todas las sorpresas son inesperadas, porque si no fueran inesperadas, no serían sorpresas.
OSHIDORI. Es verdad, señora condesa.
ADELAIDA. Y no hagas el piel roja fingiendo alegría al verme, porque me consta que mi presencia aquí tiene que ser para vosotros un disgusto...
OSHIDORI. De ningún modo, señora condesa.
ADELAIDA. Sergio andará por ahí dentro, ¿verdad? No me digas que no, que hoy te la cargas.
OSHIDORI. Sí, señora condesa. Ahí dentro está.
ADELAIDA. Enamorando a la niña de los cuarenta mil duros, ¡claro!...
OSHIDORI. ¿A la niña de los cuarenta mil duros, señora condesa?
ADELAIDA. No te molestes en negar, que lo sé todo. La secretaria que dimitió anteayer le ha informado extensamente a mi marido del negocio que le ha propuesto a tu amo ese barón de Pantecosti, y mi marido me lo ha dicho a mí luego... Y la verdad es que después de mucho pensar, todavía no sé quién tiene menos vergüenza, si la ex secretaria, el barón, Sergio, tú, yo o mi marido...
OSHIDORI. ¿El conde, señora condesa?
ADELAIDA. El conde, Oshidori, el conde... Lee, lee esta carta. *(Le da un sobre abierto),* que me ha dejado

---

[109] Recuérdese nota 23. Existen otros casos idénticos a continuación.

para Sergio antes de partir anoche con rumbo a California.

OSHIDORI. ¡A California!

ADELAIDA. Sí. Dice que se va a hacer películas... [110]

OSHIDORI. *(Sacando la carta y leyendo.)* "Señor don Sergio Hernán. Mi querido amigo y sustituto..." ¡Caramba!

ADELAIDA. ¿Qué tal el principio?

OSHIDORI. *(Leyendo.)* "Treinta años hace, señor Hernán, que aguardo la ocasión de ver a otro ciudadano solvente enamorado de mi esposa y hoy se cumplen, al fin, mis deseos. ¿Usted ama a Adelaida? Pues para usted para siempre. Yo me voy a California, que es un clima ideal. Adiós, amigo Hernán. Mándeme lo que quiera, menos a Adelaida, y reciba un abrazo de su agradecidísimo..."

ADELAIDA. Vamos... Hace falta ser sinvergüenza, ¿sí o no?

OSHIDORI. A mí me parece un genio, señora condesa.

ADELAIDA. ¿Eh? *(Por el foro entran en este momento Pantecosti, Julia, Beatriz, Fernanda, Nina, Mariano, Arturito y Sergio. Todos vienen rodeando a este último y pidiéndole informes de su entrevista con Elena.)*

PANTECOSTI. Cuente usted, cuente usted...

JULIA. Estamos impacientísimos...

FERNANDA. ¿Qué ha dicho Elena?

SERGIO. Pues... *(Viendo a Adelaida.)* ¿Eh? ¡Adelaida! *(Avanzando hacia ella.)* ¿Qué es esto? ¿Qué haces aquí? ¿A qué has venido a esta casa?

PANTECOSTI. ¡La del retrato de la bisabuela! *(Pantecosti y su familia quedan hablando aparte.)*

ADELAIDA. ¿Qué he venido a hacer? [111] Pues a verte... Traigo una carta de recomendación... Anda, Oshidori, dale la epístola.

---

[110] Un nuevo elemento autobiográfico que se produce, precisamente, cuando Jardiel está terminando la comedia, si no es una auténtica premonición, por lo que me inclino.

[111] "¿Que a qué he venido?", en *A*.

OSHIDORI. *(Aparte, dando la carta a Sergio.)* (La catástrofe, señor... Lo sabe todo...)

ADELAIDA. *(A Pantecosti y los demás.)* ¿De manera que ustedes son los famosos herederos?...

PANTECOSTI. ¿Cómo?

LOS DEMÁS. ¿Eh?

ADELAIDA. ¿De manera que ustedes son los que han escotado los cuarenta mil duros para que Sergio enamore a la prometida del marqués y poder pescar la herencia?

MARIANO. *(Aparte.)* (¡Atiza!)

JULIA. ¡Está enterada!

BEATRIZ. ¡Está enterada, Dios mío!

SERGIO. *(Que ha acabado de tragarse la carta ansiosamente.)* ¡Pero esto es una burla intolerable!

ADELAIDA. ¿Qué?

SERGIO. ¡Y has venido! ¡Hace falta estar loca para suponer que yo...!

ADELAIDA. *(Con una calma que da frío.)* No, hijo, no; si yo no he supuesto nada... *(En este momento por el primero y el segundo derecha, respectivamente, entran Elena y Francisca.)* ¡Ahora que vengo a hablar! ¡Vengo a tirar de la manta y a descubrirle a esa señorita que le estás haciendo el amor por cuarenta mil duros!

ELENA. *(Avanzando.)* ¿Qué dice esta señora?

OSHIDORI. Nada, señorita. No dice nada. Es que está de broma.

PANTECOSTI. ¡Eso es! ¡Es que está de broma! ¡Ja, ja, ja!... *(A los demás aparte.)* (¡Reíos para disimular!...)

TODOS. ¡Ja, ja, ja! ¡Ja, ja, ja! ¡Ja, ja, ja! ¡Qué bromista!

SERGIO. *(Aparte.)* (¡Llevaosla de aquí!)

PANTECOSTI. ¡Vamos, vamos! ¡Ja, ja, ja! ¡Qué risa!

TODOS. ¡Qué risa! ¡Ja, ja, ja! ¡Qué gracia! ¡Qué bromas! *(Poco a poco arrastran a Adelaida hasta conseguir llevársela por el foro en medio de un barullo imponente. Quedan en escena Oshidori, Elena, Francisca y Sergio.)*

SERGIO. Elena, escucha...

ELENA.   ¡Quita! ¡Déjame! ¡Eres un canalla! ¡Un canalla! *(Se va llorando por el primero derecha.)*
SERGIO.   ¡Elena! *(La sigue.)*
FRANCISCA.   *(Abrumada.)* ¡San Serení del Monte! [112]

TELÓN

---

[112] En el particular santoral de Francisca tienen cabida incluso santos imaginarios como éste, que aparece en alguna cancioncilla popular. La expresión puede interpretarse como: ¡No hay nada que hacer!

ACTO TERCERO

La misma decoración del acto segundo. Han pasado dos meses y durante este tiempo la mayor parte de los que habían ido a la Sierra a veranear se han vuelto a Madrid; a la puerta de muchos hoteles ha sido colocado el cartel de "Se alquila": los árboles han perdido sus hojas y la Compañía de Ferrocarriles del Norte ha suprimido su servicio de trenes-tranvías. Comienza la acción en las últimas horas de la tarde, casi de noche. La puerta del foro aparece cerrada y las luces encendidas.

Al levantarse el telón, en escena Sergio y Oshidori. Sergio, *sentado en un sillón ante el ventanal, ve caer la tarde en una actitud despampanantemente triste y melancólica. Lleva un batín de casa y zapatillas; todo él respira desilusión, desencanto y agotamiento, y, lo que es más de notar, gasta barba, una señora barba de dos meses, como aquellas que estaban tan de moda allá por el 1900 ó 1903. A su lado, y con un libro abierto en la mano, se halla* Oshidori, *leyendo en alta voz. Aclaración: el libro que* Oshidori *le está leyendo a* Sergio *es*

las "Rimas", de Bécquer.

SERGIO. *(Muy emocionado.)* Sigue, Oshidori.
OSHIDORI. *(Leyendo.)*

"Volverán las oscuras golondrinas
de tu balcón los nidos a colgar,
y otra vez con el ala en tus cristales
jugando llamarán.

Pero aquellas que el vuelo refrenaban
tu hermosura y mi dicha al contemplar,
aquellas que aprendieron nuestros nombres,
esas no volverán".[113]

SERGIO. *(Repitiendo a media voz.)* "Aquellas que aprendieron nuestros nombres, —esas no volverán." Dame un pañuelo, haz el favor... *(Oshidori le da uno y Sergio se enjuga las lágrimas. Suspirando.)* ¡Dios mío!

OSHIDORI. Vamos, señor... ¡Anímese! Si el señor sigue así, se va a liquidar [114] por los lacrimales...

SERGIO. Ya estoy tranquilo... *(Le devuelve el pañuelo.)* Toma. Léeme ahora aquella otra que dice: "Llegó la noche..."

OSHIDORI. ¿Llegó la noche?

SERGIO. Sí, hombre. "Llegó la noche y no encontré un asilo..."

OSHIDORI. ¡Ah, sí, sí! Ésa es la que yo llamo "la rima de la mendicidad"... *(Pasa más hojas. Leyendo.)*

"Llegó la noche y no encontré un asilo.
¡Y tuve sed! Mis lágrimas bebí.
¡Y tuve hambre! Y los hinchados ojos
cerré para morir".[115]

---

[113] La más famosa de las rimas de Bécquer, la LIII según se ha venido numerando ordinariamente; la 38 según el *Libro de los gorriones* que editó P. Palomo (Madrid, Cupsa, 1977). En el segundo verso debería leerse *sus* nidos.

[114] Dilogía, liquidar en el sentido de "convertirse en líquido".

[115] Primera estrofa de la rima LXV, con ligeras variantes de puntuación.

SERGIO. *(Hecho cisco.)* ¡Es mi caso, Oshidori! ¡¡Mi mismo caso!! Anda, sigue.

OSHIDORI. Creo, señor, que sería mejor dejarlo, porque...

SERGIO. Sigue, Oshidori. ¡Sigue!

OSHIDORI. *(Leyendo.)*

"¡Llora! No te avergüences
de confesar que me quisiste un poco.
¡Llora! Nadie nos mira...
Ya ves; yo soy un hombre y también lloro".[116]

SERGIO. *(Llorando a lágrima viva.)* ¡¡Déjame el pañuelo otra vez, anda!!

OSHIDORI. *(Dándole el pañuelo.)* ¡Pero, señor!...

SERGIO. "¡¡Ya ves; soy un hombre y también lloro!!"

OSHIDORI. *(Aparte.)* (¡Y acabará por hacerme llorar a mí!)

SERGIO. ¿Qué poeta fue el que dijo que los versos son el lenguaje de aquellos a quienes el dolor no deja hablar?

OSHIDORI. Algún cusi. *(Retuerce en un rincón el pañuelo de Sergio.)*

SERGIO. Me gustaría que fueras más sensible. Yo, desde que sufro, me siento más sensible, Oshidori. Busca ahí, en el libro, y encontrarás una cuartilla llena de versos míos...

OSHIDORI. *(Asombrado.)* ¡Versos del señor!

SERGIO. Los escribí anoche. Desde que Elena se fue, mi alma ha caído en una noche oscura.[117]

OSHIDORI. Vamos, señor. Le leeré al señor sus versos para alejar esas ideas negras, y ya verá cómo nos reímos. *(Leyendo un papel que ha sacado de entre las*

---

[116] Segunda estrofa de la rima XLIV (10). Puntos suspensivos después de "hombre", en el texto de Bécquer.
[117] Alusión a la obra y a la situación anímica de San Juan de la Cruz.

páginas del libro.) "Soneto. Mi corazón angustiado sufre todas las torturas de un amor que nunca ha de alcanzar."

SERGIO. Ese es el título.

OSHIDORI. Un poco largo, ¿no?

SERGIO. Sí, pero como los versos son cortos...

OSHIDORI. ¡Ya! Pues vamos a ver... *(Leyendo.)*

"Yo era un hombre sin alma que agotaba su vida
de una manera frívola, loca y superficial
yendo de un amor falso a una pasión fingida,
y empalmando una juerga con una bacanal..." [118]
(Aparte.) *(¡Sopla!)* *(Volviendo a leer.)*

"Cada mujer que vi se me rindió en seguida
al oír que en sus ojos había algo fatal,
y el que ella fuese rubia, más o menos teñida,
o el que fuese morena, a mí me daba igual."

(Oshidori lanza una mirada larga y lenta sobre Sergio y sigue leyendo.)

"Pero un día el amor se cruzó en mi camino,
y caí como cae en la trama el gorila,
bajo el poder omnímodo de una mujer sin par...
Y aquí estoy, desde entonces, hecho polvo y mohíno,
viendo pasar los días uno a uno y en fila,
deseando la muerte, triste y sin afeitar."

"Sergio Hernán. Cercedilla, 24 de noviembre."

SERGIO. ¿Qué te parecen?

OSHIDORI. Muy malos, señor.

SERGIO. A mí también. (Acongojándose de nuevo.)

---

[118] Composición de timbre modernista. El uso del verso alejandrino hace sospechar la ironía, pues Sergio advirtió antes que eran versos cortos.

¡A mí también me parecen muy malos, Oshidori! ¡Son malísimos! Pero ¡de alguna manera tengo que desahogarme!...

OSHIDORI.   ¿Y por qué no escribe el señor un drama en cinco actos?

SERGIO.   ¡Ay, Oshidori! ¿Por qué se iría Elena?

OSHIDORI.   ¿Cree el señor que ninguna mujer puede aguantar la presencia del hombre que quiere sabiendo que él la está enamorando por cuarenta mil duros?

SERGIO.   Pero a ti te consta que yo la enamoraba sinceramente...

OSHIDORI.   A mí sí; pero a ver quién es el guapo que la convence también a ella...

SERGIO.   ¡Y desaparecer de improviso, sin palabras, sin una explicación! ¿Cómo pude resistirlo? ¿Por qué no me morí en aquel instante, Oshidori?

OSHIDORI.   Porque morirse da siempre pereza, señor.

SERGIO.   ¡Y no haber vuelto a saber nada de ella!

OSHIDORI.   A lo mejor, el señor sabe de ella el día menos pensado...

SERGIO.   ¡Ilusiones, Oshidori! *(Volviendo a la desesperación.)*

OSHIDORI.   ¡Vamos! Hay que tener ánimo. Si hace tres meses me hubieran dicho que iba a ver al señor en ese estado... ¡Y a causa de una mujer! ¡Habiéndolas tenido a centenares!

SERGIO.   ¡Pero ninguna era como ella, Oshidori!

OSHIDORI.   El señor me advirtió una vez que "las mujeres sólo se diferencian unas de otras en lo que pagan de cédula". [119]

SERGIO.   ¡Qué sabía yo entonces! Estaba ciego. Elena es la mujer más espiritual que he conocido.

OSHIDORI.   También sobre esa clase de mujeres tenía su opinión el señor...

SERGIO.   ¿Es posible?

----

[119] Otra greguería.

OSHIDORI. El señor aseguraba que "hasta las mujeres más espirituales llevan dentro dos riñones, un estómago y un hígado". [120]

SERGIO. ¡Yo no he podido decir nunca semejante cosa!

OSHIDORI. Sí, señor, sí.

SERGIO. ¡¡Eso es una infamia!!

OSHIDORI. ¿Una infamia tener hígado y estómago? ¿Una infamia tener riñones, señor?

SERGIO. ¡Calla! ¡¡Calla!! Estómago, riñones, hígado..., ¡qué porquerías!... Elena no puede tener nada de eso: ¡me juego la cabeza!

OSHIDORI. ¿Eh?

SERGIO. Y si los tiene, serán preciosos. Pero, además, ¡no quiero hablar de ese asunto! Déjeme... Vete... Estoy mejor solo... (*Adopta de nuevo su actitud melancólica y se pone a recitar a media voz.*)

"Tu aliento es el aliento de las flores,
tu voz es de los cisnes la armonía..."

OSHIDORI. (*Compungido, aparte.*) (¡Pobre señor! Está hecho un cacharro...)

SERGIO. ¿Has oído? Alguien viene.

OSHIDORI. Serán los sinvergüenzas esos.

SERGIÓ. ¿Qué sinvergüenzas?

OSHIDORI. Los herederos del marqués.

SERGIO. Es pronto para ellos, porque después de los funerales tenían pensado irse a pasar el día a Navacerrada.

OSHIDORI. Entonces serán dos: Indalecio Cruz y la señorita Montánchez, [121] que están invitados a comer.

SERGIO. Indalecio y Francisca... Otros que también me han abandonado...

---

[120] Id.

[121] "Entonces serán don Indalecio Cruz y la señorita Montánchez", en *A*.

OSHIDORI. Es que don Indalecio se ha convencido de que el sistema de enamorar a las mujeres es tratarlas mal y ha vuelto loca a Francisca haciéndola sufrir. Ahí están. *(Por el foro entra Francisca. Viene vestida de noche y con abrigo.)*

FRANCISCA. *(Alegremente.)* ¡Hola, Oshidori! ¡Buenas tardes, Sergio!

SERGIO. *(Saludando por compromiso; sin pizca de ganas de saludar.)* Hola, Francisca. *(Se va por el primero derecha.)*

OSHIDORI. *(Compungidísimo por la actitud de Sergio.)* ¡Pobre señor! *(Va al sillón de la izquierda y se deja caer en él.)* ¡Pobre señor!

FRANCISCA. Está igual que cuando nosotros nos fuimos, ¿verdad?

OSHIDORI. Está peor, señorita Montánchez. Está mucho peor... *(Por el foro entra entonces Indalecio Cruz y cierra la puerta tras sí. Viste "smoking", abrigo y guantes de automovilista. Viene quitándose los guantes y canturreando un tango.)*

INDALECIO. *(Tatareando mientras avanza.)*

"Adelsisa, pebeta [122] gentil,
la de los ojos pintaos con añil..."

OSHIDORI. ¡Anda, éste!

FRANCISCA. *(Dejando a Oshidori y yendo hacia Indalecio con los ojos rebosantes de amor.)* ¡Indalecio!...

INDALECIO. Salí de la lú, salí. [123] *(La rechaza.)*

FRANCISCA. Pero Indalecio...

INDALECIO. Déjate de macanas y despójame del tapado. [124] *(Francisca le quita dócilmente el abrigo. Indalecio, viendo la tristeza de Oshidori.)* ¿Qué le sucede al viejo?

---

[122] Niña.
[123] Sal de la luz, sal.
[124] Déjate de tonterías y quítame el abrigo.

FRANCISCA.   Sufre por Sergio, que está cada vez peor...

INDALECIO.   ¿Con que está pior [125] el patrón, viejo?

OSHIDORI.   Peor, señor Cruz. Sigue sin querer comer, y sin querer beber, y sin querer dormir...

FRANCISCA.   Y sin querer afeitarse.

OSHIDORI.   No tiene gana de nada, y se pasa las horas muertas en este ventanal llorando, contando los corderos que pasan y diciéndoles adiós con un pañuelo a todos los maquinistas de todos los trenes.

INDALECIO.   Monomanía ferroviaria; mala cosa, che.

OSHIDORI.   Muchos días me manda que le lea versos...

FRANCISCA.   *(Asombrada.)* ¿Que le leas versos?

INDALECIO.   Catastrófico, che. Así empezó mi pobre tata.

OSHIDORI.   ¿Su niñera?

INDALECIO.   ¡Mi padre! Y acabó en un manicomio de Tucumán, [126] diciendo que era Cristóbal Colón, y pidiendo a gritos cuatro carabelas pa venir a descubrir Uropa... [127]

FRANCISCA.   Todo esto le ocurre a Sergio porque está enamorado; si consiguieras que Elena viniese, Oshidori...

OSHIDORI.   Lo conseguiré, señorita Montánchez. La he escrito diciéndole tal cosa para picarle la curiosidad, que ha contestado que hoy a las siete vendría a ver al señor.

FRANCISCA.   ¿Entonces?

OSHIDORI.   Mi miedo es que, una vez satisfecha su curiosidad, se vuelva a ir sin hacer al señor ningún caso...

INDALECIO.   Todo puede esperarse de la decadencia

---

[125] Peor, por disimilación vocálica. Así se convierte el bisílabo en un monosílabo.

[126] Localidad argentina en la zona norte del país.

[127] Europa.

de Sergio. ¡Y pensar que ese hombre es el que me ha enseñado a mí a conquistar!... ¡Qué cosa bárbara!...

OSHIDORI. ¿Es cierto que se casan ustedes, señor Cruz?

INDALECIO. Resién en junio. Cuando florescan los rosales y la naturaleza vista sus galas mejores, pa entonces lusirá Francisca su traje de desposada... ¿Estará bien, no?

OSHIDORI. Flojo motivo para un tango...

INDALECIO. Ya tengo el título. Se va a titular: "¡Estás bien, Francisca!"

OSHIDORI. ¡Qué bonito!

FRANCISCA. *(Echándose a sus brazos.)* ¡Cómo te quiero, Indalecio mío! ¡Cómo te quiero!

INDALECIO. *(Rechazándola nuevamente.)* ¡Salí de la lú, salí! ¡Que te tengo dicho que no seas pigajosa![128]

FRANCISCA. *(Cariñosamente.)* ¡Indalecio!...

INDALECIO. ¡Vos vas a ganá la biaba![129] ¡Vos la vas a ganá!...

FRANCISCA. *(Cariñosísima.)* Perdóname. No volveré a molestarte...

INDALECIO. ¡Anda, bañáte! *(Aparte, a Oshidori.)* (Me es violento mandarla bañá, pero no hay más remedio, che. Ya ves cómo la tengo dominada, en cambio...)

OSHIDORI. La tiene usted en el bolsillo del pañuelo.

INDALECIO. Pos que diga no más si es felís...

FRANCISCA. Nunca lo he sido tanto, Oshidori.

INDALECIO. Y eso que hasta ahora sólo la he pegado con la mano...

OSHIDORI. ¿Es posible?

INDALECIO. Que lo diga eya...[130]

---

[128] Pegajosa. Indalecio tiende a cerrar la vocal /e/, convirtiéndola en /i/, aunque no exista razón para ello. No debe pensarse aquí, creo, la posibilidad de una confusión con *picajosa*.

[129] Vas a ganarte un golpe, un tortazo.

[130] "ella", en *O. C.*, que parece fuera de lugar si consideramos que Indalecio es yeísta.

FRANCISCA. *(Tristemente.)* Sí. Es un sonso... [131]

INDALECIO. Imagínate vos lo que pasará cuando nos casemos. Le voy a meter seis patiaduras [132] por día...

FRANCISCA. *(Con entusiasmo.)* ¡Qué felices vamos a ser! ¡Qué felices!

INDALECIO. ¡Atracá al muelle, china! [133] *(La abraza. Por el primero derecha entra un criado con dirección al segundo izquierda.)*

OSHIDORI. *(Al criado.)* ¿Está todo dispuesto para la comida, Félix?

CRIADO. Todo, sí, señor.

OSHIDORI. ¿Han llegado los músicos?

CRIADO. Sí, señor.

OSHIDORI. ¿Un sexteto?

CRIADO. De cuatro, sí señor.

OSHIDORI. ¿Los vinos, el decorado del salón?...

CRIADO. Todo está listo...

OSHIDORI. ¿No habéis olvidado colgar el retrato del señor marqués, que en paz descanse?

CRIADO. Aparece en el testero principal, rodeado de crespones, con el escudo del marquesado a un lado y el de la baronía al otro, y debajo la inscripción que el señor barón me ordenó: "¡Bravo, tío Ernesto! ¡Así mueren los hombres!"

OSHIDORI. Muy bien, puedes retirarte. *(El criado se va por el foro.)*

FRANCISCA. Al fin, se salieron con la suya los herederos.

OSHIDORI. Todos los sinvergüenzas tienen suerte, y éstos, no sólo han conseguido que el marqués muriera testando a favor de ellos, sino que empieza a darme en la nariz que van a negarse a entregar a mi amo los cuarenta mil duros ofrecidos.

FRANCISCA. ¿Es posible?

---

[131] Tonto, aquí seguramente en sentido figurado, cariñoso.
[132] Pateaduras. El mismo proceso que se vio en nota 125.
[133] Mujer, en sentido lato; amante, también.

INDALECIO.   ¿Cómo se entiende, viejo?

OSHIDORI.   Porque dicen que mi amo no los ha ganado. Como ustedes saben, a poco de marcharse la señorita Elena, el marqués comenzó a decaer visiblemente. Y los herederos le organizaron tal cantidad de fiestas, jiras, meriendas, paseos, excursiones, que al mes y medio de este ajetreo —o sea, hace ocho días— el marqués se metió en la cama y murió exclamando: "Voy a entregarle mi alma a Dios, porque ya no puedo con ella."

FRANCISCA.   ¡Pobrecillo!

OSHIDORI.   Total, que si no hubiera sido por mi amo, ni la señorita Elena hubiese huido, ni el marqués habría muerto nombrándoles herederos. Pero como son una partida de pistoleros, estoy viendo que se van a agarrar a que el señor ha fracasado en su conquista para no pagarnos los cuarenta mil duros... Ahora, que si ellos le hacen a mi amo esa jugada, yo he resuelto hacerles a ellos una película sonora, llamándoles sinvergüenzas en cinco versiones, que se va a oír en Hollywood.

INDALECIO.   Diga, viejo, y entonces, ¿esta comida y esta fiesta a la que nos han invitado...?

OSHIDORI.   Pues da miedo decirlo, pero es para celebrar el fallecimiento del marqués...

FRANCISCA.   ¿Es posible?

INDALECIO.   ¡El vello [134] se me pone de punta, che! *(Dentro, en el foro, suenan dos claxons de automóvil y por el ventanal cruza el resplandor de unos faros.)*

OSHIDORI.   ¡Ya están ahí!

FRANCISCA.   Ellos deben ser.

TODOS.   ¡Ja, ja, ja! *(Se oye dentro ruido de voces y risas.)*

INDALECIO.   ¡Qué bochinche [135] arman!

PANTECOSTI.   *(Dentro.)* ¡Chist! [136] ¡Callarse, que ahora en casa nos reiremos!

---

[134] Extraña aquí, como en la palabra *muelle* junto a la llamada 133, el uso de /ll/ en lugar de /y/.

[135] Tumulto, barullo.

[136] "¡Chits!", en *A*.

MARIANA. *(Dentro.)* Bueno, pero antes un viva. ¡¡Viva el tío muerto!!

TODOS. (Dentro.) ¡Vivaaa! *(Gran algazara. Entran todos. Pantecosti, Mariano, Beatriz, Fernanda, Julia, Nina, Roberto y Arturito, de rigurosísimo luto. Al ver a Francisca se ponen muy serios y compungidos.)*

PANTECOSTI. ¡Caramba, hay visita! ¿Qué tal, fiscalito? *(A Indalecio.)*

MARIANO. Hola, Francisca.

ROBERTO. ¿Qué? ¿Cuándo es esa boda? *(Indalecio le hace gestos de que pronto.)* ¡No! Si puede usted hablarme... Ya oigo...

FRANCISCA. ¿Que oye ya?

JULIA. Se curó el mismo día que murió el tío Ernesto.

BEATRIZ. ¡El desventurado Ernesto!

TODOS. ¡El pobre tío!

PANTECOSTI. ¡Aquel santo varón, que gloria haya!

OSHIDORI. *(Aparte a Indalecio, por Pantecosti.)* (El jefe de la banda.) *(Beatriz le habla a Francisca.)*

BEATRIZ. De lo más sorprendente, amiga mía. Figúrese usted que al sobrevenir la espantosa tragedia, yo, como de costumbre, le escribía a Roberto la noticia en el "block". [137]

ROBERTO. Eso es. Y nunca podré explicar lo que me ocurrió, pero lo que sí sé es que al leer: "El tío ha fallecido; todos herederos", sentí una cosa muy rara en los oídos y me desmayé... Y al volver del desmayo, a los pocos momentos, ya percibí con toda claridad en el jardín la voz de éste *(Por Pantecosti)* que se encaminaba a dar cuenta del hecho al Juzgado cantando el "Rigoletto". *(Por el primero derecha aparece Sergio.)*

OSHIDORI. El señor... *(Todos se quedan muy serios al verle.)*

SERGIO. Sigan, sigan ustedes; por mí no se violenten...

---

[137] "bloc", en *O. C.* Anglicismo que aún no recoge el *D. R. A. E.* El *Diccionario Manual e Ilustrado* aconseja usar *bloque* o cuaderno.

OSHIDORI. *(Avanzando.)* ¿Deseaba algo el señor?

SERGIO. Sí. ¿Me ha dejado aquí...?

OSHIDORI. ¿El yo-yo?

SERGIO. Las "Rimas", de Bécquer.

PANTECOSTI. *(Aparte, a los demás.)* (Pero, ¿lee las "Rimas", de Bécquer?)

MARIANO. *(Aparte también.)* (¡Pobre hombre!)

OSHIDORI. Sí, señor. Aquí está. *(Coge el libro y se lo da.)*

SERGIO. Gracias, Oshidori.

PANTECOSTI. Qué, amigo Hernán, ¿no se decide usted a acompañarnos a la mesa?...

SERGIO. ¿Para qué?

PANTECOSTI. Hombre, para comer...

SERGIO. Se lo agradezco mucho; pero yo no tengo humor; acabaría por entristecerles a todos... Me voy para arriba. *(Se va por el primero derecha.)*

MARIANO. ¡Qué desastre de hombre! *(Por el foro entra el criado.)*

CRIADO. *(Anunciando.)* La señorita Elena Fortún... *(Se va. Por el foro entra Elena. Viste un traje de tarde y abrigo. Se detiene tímidamente en el foro.)*

JULIA. ¡Elena!

NINA. ¡Elenita! *(Las señoras van hacia ella. Todos* [138] *se movilizan.)*

INDALECIO. *(Que ha quedado aparte con Francisca.)* Pues tenía razón Oshidori cuando dijo que ella vendría hoy mismo, no más...

FRANCISCA. Voy a decirle que ha llegado ya... *(Se va por el primero derecha.)*

ELENA. He sabido ayer la muerte del pobre Ernesto. *(Todos ponen otra vez cara de circunstancias.)* Y me he apresurado a venir para consolarles.

PANTECOSTI. Es inútil.

ELENA. ¿Qué?

PANTECOSTI. Que no hay consuelo para nosotros.

MARIANO. Estamos destrozados.

---

[138] "todas", en *O. C.*

ELENA. ¿Y cómo ha muerto el pobre marqués? ¿Qué ha sido?

PANTECOSTI. Ha sido una suerte..., de ataque al corazón que se lo ha llevado en dos horas...

ELENA. ¡Pobrecito! *(Quedan hablando. Por el primero derecha entran Oshidori y Francisca.)*

BEATRIZ. *(A Elena.)* Pues aquí hay una persona, querida amiga, a quien la visita de usted va a alegrar más que a nadie.

ELENA. ¿Una persona?

PANTECOSTI. Vamos... no se haga la tonta, que estamos todos en el secreto...

BEATRIZ. ¿De verdad que no tiene usted nada que decirle a Sergio Hernán?...

OSHIDORI. *(Avanzando.)* A mí me parece que sí, señora.

ELENA. ¡Oshidori!

OSHIDORI. Y como yo también tengo algo que decirles a los señores, si los señores fueran tan amables que pasaran conmigo un momento al saloncito...

MARIANO. *(Aparte a Pantecosti.)* (Lo veo venir... Éste va a hablarnos de los cuarenta mil duros...)

PANTECOSTI. *(También aparte.)* (¡Pues está arreglado!) *(Todos se van por el segundo derecha, menos Pantecosti, que pretende irse por el primero derecha; Oshidori le llama.)* [139]

OSHIDORI. ¡Chist! ¡Caballero! Dirección prohibida... Siga la flecha... *(Le señala el segundo derecha, y Pantecosti hace mutis por allí de muy mala gana. A Indalecio. Aparte.)* (Venga usted también, señor Cruz, porque me parece que ha llegado el momento de la película sonora...)

INDALECIO. Y yo, ¿en calidad de qué voy a ir, amigaso?

OSHIDORI. En calidad de autor de tangos. Ya tengo el título: "Si no te pagan, golpiá". [140]

---

[139] "Pantecosti, que pretende irse por el primero derecha, pero Oshidori le llama", en *A.*.

[140] Véase nota 132.

INDALECIO. ¡Lindo, viejo! *(Se van ambos por el segundo derecha. En el primero derecha aparece Sergio. Quedan solos Elena y Sergio. Hay un largo silencio. Él está asombrado, cohibido y emocionado. Ella sonríe sin dejar de mirarle.)*

SERGIO. ¿Por qué no hablas, Elena? ¿Por qué me miras así? ¿De qué te ríes?

ELENA. Estás tan cambiado... Me hace gracia verte con barba. Ya sabía que te la habías dejado. Y, sin embargo, no puedo remediarlo... Me hace gracia...

SERGIO. Si hubiera sospechado que ibas a venir tú...

ELENA. ¿Te la habrías quitado? ¡Anda, hombre! Pero si te sienta muy bien...

SERGIO. No... Tienes que encontrarme grotesco y ridículo, por fuerza...

ELENA. ¿Grotesco y ridículo? No. Te encuentro cambiado, sí... Te encuentro muy cambiado... Me pareces otro...

SERGIO. *(Gravemente.)* Es que realmente soy otro, Elena. Soy otro por dentro. Y cuando se es otro por dentro, bien se puede ser otro por fuera...

ELENA. Sin duda...

SERGIO. Por fuera me ha cambiado la barba, y por dentro...

ELENA. Y por dentro, ¿qué te ha cambiado, Sergio?

SERGIO. El amor...

ELENA. *(Riendo.)* ¡El amor! ¡Qué terrible que los filósofos hayan invertido siglos enteros en analizar los sentimientos que mueven el mundo para llegar a la conclusión de que da igual un amor que una barba!

SERGIO. ¿Te ríes?...

ELENA. No pretenderás que hablemos en serio de una barba, Sergito... Lo que sí te digo en serio es que te da un aire nuevo... Y un aire viejo...

SERGIO. ¡Viejo!

ELENA. *(Sonriendo.)* Viejo en el sentido histórico.

SERGIO. Entonces, antiguo.

ELENA. Antiguo, eso es... Por lo demás, ya sé que ha sido la tristeza y la desgana de todo y hacia todo lo que te ha hecho dejarte crecer la barba. Ya sé que no te la has dejado por presumir.

SERGIO.   ¡Figúrate! ¿A qué mujer le puede gustar una barba a estas alturas?...

ELENA.   ¡Oh! ¿Quién sabe? Nada hay imposible. Las mujeres somos muy raras. Y como tú nos conoces tan a fondo...

SERGIO.   Empiezo a dudar de conoceros, Elena. Empiezo a dudar de haberos conocido nunca...

ELENA.   ¿De veras?

SERGIO.   Por lo menos a ti...

ELENA.   ¿Y a qué viene eso?

SERGIO.   A que, creyendo conocerte, jamás me hubiera pasado por la imaginación que te decidieras a dar este paso... Sé sincera. Dime la verdad. Explícame qué impulso te ha empujado a venir...

ELENA.   No es un misterio. Oshidori averiguó mi residencia y me escribió una serie de cartas, sin que yo le contestase a ninguna. Pero en la última me excitó la curiosidad diciéndome que te habías dejado la barba y decidí enviarle por fin una respuesta. La respuesta... soy yo.

SERGIO.   Entonces, ¿ha sido eso lo que te ha hecho venir?

ELENA.   ¿Qué más da que haya sido eso que otra cosa? Oshidori es experto y sabe que al hombre le mueve la ambición y a la mujer la curiosidad...

SERGIO.   Mucho tengo que agradecerle a Oshidori; pero lo de hoy... no lo olvidaré nunca.

ELENA.   Y harás bien, porque te ha resultado uno de esos buenos discípulos que superan al maestro. Hasta sus frases son ya [141] más eficaces que las tuyas: ya lo ves...

SERGIO.   ¡Pues con qué gusto le pediría a él una frase para persuadirte a ti!...

ELENA.   Para persuadirme, ¿de qué?

SERGIO.   De que te quiero...

---

[141] "han llegado a ser", en A.

ELENA.   De eso empiezo yo a persuadirme, Sergio...

SERGIO.   *(Maravillado.)* ¡Elena!

ELENA.   Porque estoy enterada de tus melancolías, de tus llantos, de tus lecturas de Bécquer... De... *(Con intención)* tus "romanticismos tirando a cursis... *(Sergio baja la cabeza avergonzado.)* Ya no piensas como antes, [142] ¿verdad? Pero no te avergüences... Los hombres os avergonzáis siempre de lo que debía enorgulleceros y os enorgullecéis de lo que debía avergonzaros. ¡Qué frase para Oshidori! ¿Eh?

SERGIO.   No te burles. [143]

ELENA.   No me burlo. ¿Cómo voy a burlarme de que hayas llorado y te hayas sentido solo y triste? Nadie se burla de eso... y los que se burlan ¡lo han hecho ellos también! No hay más que una manera de enamorarse, Sergio, ¡y calcula la de hombres y mujeres que se enamoran a diario en el mundo!...

SERGIO.   Entonces, ¿crees en mí? ¿Te sientes capaz de creerme... y de quererme?...

ELENA.   Para quererte, no me falta nada.

SERGIO.   ¡Elena!

ELENA.   Y para creerte, sólo me falta convencerme de que no viniste aquí a enamorarme por dinero... *(Por el segundo derecha entra entonces Oshidori, que trae un humor de mil diablos. Le siguen Francisca e Indalecio.)*

OSHIDORI.   ¡¡Lo que yo me temía!!

LOS DOS.   ¿Eh?

OSHIDORI.   ¡Que esos sinvergüenzas se niegan en redondo a entregar los cuarenta mil duros! *(Aparte, al ver a Elena.)* (¡Atiza! ¡Me he colado!)

SERGIO.   ¡Un abrazo, Oshidori! *(Le abraza.)* ¡Decididamente eres un genio!

OSHIDORI.   Sí, señor.

SERGIO.   Ya lo oyes, Elena... Ellos se niegan a entregar ese dinero, y después de saberlo te quiero más que nunca...

---

[142] "entonces", en *A*.
[143] "Elena, no te burles", en *A*.

ELENA.   Entonces es muy probable que empiece ya a creer en ti...

SERGIO.   ¡Elena! *(Se abrazan.)*

ELENA.   *(A Sergio.)* Pero tienes que prometerme que el Hernán que las apuntaba en un catálogo ha muerto...

SERGIO.   ¡Prometido!

ELENA.   Y que romperás la gramola y que no verás fatalidad en otros ojos que en los míos.

SERGIO.   (Riendo.) ¡Prometido también!

FRANCISCA.   El conquistador conquistado.

INDALECIO.   ¡Qué motivo para un tango!

OSHIDORI.   ¡Ya tengo el título!: "Usted tiene ojos de mujer fatal."

TELÓN

ANGELINA O EL HONOR
DE UN BRIGADIER

TELÓN DE BOCA

"Biblioteca Nueva", firme en su heroico propósito de coleccionar mis comedias en tomos, lanza hoy *Angelina, o el honor de un brigadier (Un drama en 1880)* en un segundo volumen teatral que sigue a *Tres comedias con un solo ensayo,* publicado últimamente y que comprende *Una noche de primavera sin sueño, El cadáver del señor García* y *Margarita, Armando y su padre.*

Ya en aquel primer tomo dije cuanto tenía que decir —y quizá más— acerca del siniestro concepto que me merece nuestro teatro contemporáneo. No es cosa, pues, de repetirlo: los interesados en conocerlo pueden trasladarse a ese primer volumen y yo me ahorro una insistencia enervante.

No repetiré lo dicho acerca del teatro en general, pero sí continuaré la norma que me impuse de contar en un breve prólogo cómodo, cuándo y en qué circunstancias fue escrita y estrenada la obra inserta en este tomo, de igual forma que lo hice en el anterior, con las comedias comprendidas en él.

Entonces dejé advertidos los impulsos que me movían a proceder así: uno, el prurito de intentar ofrecerle al lector algo interesante, y lo autobiográfico rara vez deja de serlo, y otro, la esperanza de que la reseña de mis aventuras teatrales pueda servirles de experiencia y enseñanza a los jóvenes inéditos que sueñan con escalar los escenarios.

Por lo demás, la "historia" de la creación y estreno de *Angelina* es menos accidentada que las de las demás comedias; pero, como en estos prólogos me limito a contar la verdad de lo sucedido, no soy el culpable de esa ausencia de acontecimientos, sino la vida, a la cual, en ciertas épocas, se le embota la imaginación.

E. J. P. [1]

---

[1] Texto de *A* no reproducido en *D* ni en *O. C.*

LA DEPRESIÓN DEL VIAJERO

De regreso de América del Norte, en mayo de 1933, desembarqué una noche en El Havre con el cerebro vacío de ideas y los maletines llenos de rollos de película por revelar. Así de lamentable suele ser, a la llegada, el balance de todo viajero sensible, digan lo que quieran la Agencia Cook y los novelistas cursis de la escuela de Paul Morand.[2] *(No obstante lo cual, viajar es imprescindible y la sed de viaje, un síntoma neto de inteligencia.)*

Tiempo antes,[3] de España había salido un hombre normal, lúcido y despierto; pero una estancia de siete meses en Estados Unidos y un crucero de treinta y tres días por los trópicos, a lo largo de la Vieja California, de México, Guatemala, El Salvador, Nicaragua, Costa Rica y Panamá, devolvían a Europa una masa de carne inerte que vivía en medio de una impenetrable neblina espiritual.

Disociación de las facultades del alma. Relajación de la voluntad. Modorra de la mente.

---

[2] Escritor francés (1889-1976), cuyas novelas, entre la crónica periodística y el guión cinematográfico, presentan un marcado cosmopolitismo.

[3] En septiembre de 1932, como se vio en la "Introducción".

Imposible trabajar: imposible pensar, imposible escribir.

* * *

(A la larga, los viajes, como las mujeres, depuran, refinan, excitan la imaginación. Pero al pronto, en el instante de "concluir", dejan groggy: *sin ideas en el cerebro, con la boca seca, el bolsillo exhausto y el cuerpo exprimido. Y un corazón de plomo.*

Al volver de un viaje, como al separarse definitivamente de una mujer, se está incapacitado para todo esfuerzo y sólo se pide cerrar los ojos y descansar.)

Me paseé por El Havre igual que un sonámbulo autoinspeccionándome y preguntándome con angustia, como siempre que me he hallado en una situación de espíritu semejante, qué iba a ser de mí en el futuro si no conseguía librarme de aquella delicuescencia mental.

Pero no bien corrió el expreso por los campos de Francia; no bien volví a descubrir Rouen bajo la lluvia; no bien pisé el asfalto charolado del *boulevard* Haussmann, noté cómo las facultades del alma comenzaban a reasociárseme anudando sus misteriosos enlaces; comprobé el desperezo de mi voluntad, pronta a salir de su apatía; asistí a una verdadera resurrección del universo interno. La maquinaria, enmohecida hasta entonces por los climas espirituales de América, pero lubrificada ahora por la influencia europea, volvía a funcionar con el optimismo de un runruneo armonioso.

Y, al respirar otra vez la atmósfera madrileña, me hallaba nuevamente en condiciones de pensar, de trabajar: de escribir.

* * *

En *"Tres comedias con un solo ensayo"*, * al hacer la *historia* particular y anecdótica de mi labor teatral,

---

* Teatro. Tomo I. Editorial Biblioteca Nueva. Almagro, 38. Madrid,

suspendí las referencias consiguientes en el estreno
—verificado en abril de 1931— de la tercera comedia
que allí se incluye: *"Margarita, Armando y su padre."*

A fin de ese mismo año compuse *"Usted tiene ojos de
mujer fatal"*, cuya biografía reservo para su publicación
en un próximo volumen, la cual, por circunstancias
especiales, que también referiré a su tiempo, no se
estrenó hasta septiembre de 1932 en provincias, donde
siguió representándose durante aquel invierno y en la
primavera siguiente, para hacerse por primera vez en
Madrid, un año después, es decir, en septiembre del 33,
a los cuatro meses de mi regreso de América.

* * *

Sí. Al llegar a Madrid me encontraba ya de nuevo en
condiciones de escribir. Pero pasó mucho tiempo antes
de volver a hacerlo.

Como secuela del viaje a Estados unidos, el *cine* —ese
reptil perforado— continuó apretándome entre sus ani-
llos, impidiéndome, según es su principal característica,
todo otro movimiento. Sólo a costa de heroicos esfuerzos de voluntad logré componer ocho o diez artículos y
un par de conferencias breves; el resto de mis actividades perecieron en el celuloide.

* * *

Digo *perecieron*, a pesar del éxito de esas intervencio-
nes personales en el *cine*, porque dicha expresión me
parece exacta, ya que el *cine*, tal como se produce en

1934. (En la actualidad son cuatro los tomos de Teatro, que conteniendo
comedias del señor Jardiel Poncela, lleva publicados "Biblioteca Nueva"
y en los que se resume la labor teatral del autor hasta la fecha: abril
1940). (Nota del editor de "Biblioteca Nueva".)

España —e incluso en Hollywood—, es el microbio más nocivo que puede encontrar en su camino un escritor verdadero.

El verdadero escritor no tiene ni tendrá nada que hacer en el *cine* mientras no asuma en sí los cuatro cargos u oficios —en que se apoya una producción cinematográfica: *escribir, dirigir, supervisar el "set" y realizar el montaje.*

Pero mientras el escritor sea uno, otra persona dirija y otra supervise el trabajo del "set", y otra realice el montaje, lo que resulte *no resultará nunca perfecto,* y cuando se acierte, el acierto *será puramente casual.*

Esta opinión, que nació en mí a los pocos días de pisar y observar los *Studios* de Hollywood, seguramente les hará estallar en protestas indignadas a los cineastas españoles; pero, por lo que ello pueda significar, añadiré que no soy solo el que la mantiene: en el último mes de estancia en California, comiendo una noche con "Charlot", su novia y Pepe López Rubio en el *Musso Frank,* tuve la satisfacción íntima de oírle hablar a Chaplin que su idea acerca del *cine* era la misma, lo cual —por otra parte— está demostrado suficientemente a lo largo de su singularísima carrera de escritor-director-actor-supervisor. Sin *mando único,* se acertará una vez de cada cien; tanto por ciento resistible para los americanos que producen intensísimamente, pero ruinoso para la naciente producción cinematográfica española, que logra diez películas al año. *

En *cine,* como en todo arte, el tema tiene que darlo el escritor, que es el que imagina, y desarrollarlo —y dirigirlo— él, que es quien lo ha imaginado, y realizar el montaje él también, que es quien tiene la película en la cabeza.

Lo cual —naturalmente— *no podrán hacerlo todos los escritores. Pero es indispensable que lo haga el escritor.*

---

* El autor escribió las líneas presentes en mayo de 1934. (Nota del editor de "Biblioteca Nueva".)

Dichas verdades axiomáticas están, sin embargo, fuera de los dominios del *cine*. Nadie, ni en España ni en América, piensa así, fuera de Charlot, de Pirandello —que recientemente ha escrito unas páginas en ese sentido— y de un humilde servidor de ustedes.

Por lo demás, de antemano me inhibo de responsabilidad en lo dicho y se la transfiero con mucho gusto a mis ilustres compañeros en opinión.

* * *

En enero pasado había conseguido zafarme, al menos por una temporada, de toda labor cinematográfica.

Resuelto a abrir otra vez fábrica y a desparramar cuartillas escritas sobre mis pobres contemporáneos, repasé notas y papeles y me hallé con suficiente material en "stock" (diremos "stock" para que se perciba lo que puede influir América sobre un español) con que escribir las siguientes cosas: *cinco comedias, un libro de viajes y dos novelas.*

Me decidí por el teatro, por la comedia que tenía más absolutamente pensada, título inclusive: *"El pulso, la respiración y la temperatura."* Pero a los dos o tres días de empezar, cuando apenas llevaba una escena compuesta, se me cruzó un tema nuevo, interrumpiendo y paralizando el trabajo en marcha.

El tema nuevo era "un drama en 1880"; es decir: *"Angelina."*

* * *

No sé qué fuerzas subconscientes me arrastraron a imaginar ese *drama en 1880,* ya que es sabido la manera decisiva con que la subconsciencia actúa sobre toda creación humana.

Me inclino a pensar que la idea matriz debió sembrar

en el terreno adecuado su primer germen en 1931, cuando, como trabajo preparatorio para hacer *Margarita, Armando y su padre,* releí *La dama de las camelias,* que tenía casi olvidada, pues recuerdo que en esa segunda lectura hallé el drama de Dumas invadido por un vivero de motivos irresistiblemente cómicos y que, si no utilicé la mayor parte de estos motivos en la composición de *Margarita,* fue, descontado el que todo lo que huele a parodia me repugna, porque, precisamente, no me parecieron privativos de aquella obra y propios para comentarlos al referirme a ella en particular, sino peculiares de toda una época y de un género y dignos, por tanto, de ser glosados general y panorámicamente.

Mucho más tarde, dormida ya esa prístina sugestión y dispersa la atención literaria a lo largo de otras actividades y reacciones, recibí de la casa *Fox* el encargo de comentar una serie de películas cortas impresionadas en los años 1903 al 1908, trabajo que realicé en París en septiembre de 1933 y que proyectado en España meses después con el título de *Celuloide rancio,* constituyó un éxito sin otro precedente en el *cine* breve que los dibujos animados de Walt Disney. Este éxito me hizo reflexionar de nuevo acerca de cómo ciertos procedimientos dramáticos de ayer, ya en desuso, constituyen para los públicos de hoy, habituados a otros procedimientos dramáticos más sinceros, una fuente de regocijo.

Seguramente tal observación se unió, por sutil afinidad, a la emanada de la lectura de *La dama* para acompañarla en el sueño callado, expectante y fecundo del subconsciente; pues lo cierto es que la precisión de resucitar el 1880 en un drama cómico no la había sentido en mi interior todavía.

Fue, como he dicho, en enero pasado, recién iniciada la labor de la nueva comedia humorística, cuando consideré de pronto toda la gracia poética que ofrecían para una evocación teatral las postrimerías de la época colonial española.

Esta chispa caía, según se ha visto, en un medio inflamable, y como, de otra parte, me tenía prometido a mí mismo componer una obra con destino al teatro de la Comedia, para el cual no servía la empezada, sino que era necesario algo más violento, abandoné *El pulso, la respiración y la temperatura,* y principié el *drama en 1880.*

* * *

Aún contribuyó a fascinarme más la facilidad de realización del propósito, que entreví desde el principio.

Impuesto en la sensibilidad, modos, características y costumbres de la época; aspirando su perfume y estudiada la "manera de hacer" de los dramaturgos de aquellos días, no quedaba sino sentarse a escribir.

La "manera de hacer" me la brindaron con su tierna ridiculez Eugenio Sellés y Leopoldo Cano [4] principalmente. En *El nudo gordiano* y *La Pasionaria* hallé tal cúmulo de sugestiones que ya ninguna otra obra de la época de las releídas después añadió lo más mínimo. Singularmente, *La Pasionaria* puede considerarse como el alcaloide de aquel género, ido ya —por desgracia, para los empresarios de compañías cómicas: aunque resucitado de vez en cuando, como, por ejemplo, en la actualidad, por los señores Torrado y Navarro— amasado con cursillería, efectismo y conflictos estúpidos, de una estupidez emocionante.

El 15 de enero comencé definitivamente a escribir, y al acabar el segundo acto llevé ambos a Tirso Escudero; pero, contra lo que era de esperar y yo esperaba, la idea de la obra no le produjo gran efecto: le gustó sin extremos.

En cambio, a Gregorio Martínez Sierra y a Eduardo Marquina, a quienes se la expliqué almorzando en el *Palace,* les llenó de entusiasmo y de igual entusiasmo

---

[4] Pese a que Jardiel no trata amablemente a E. Sellés y L. Cano, tanto *El nudo gordiano* de aquél como *La Pasionaria,* de éste, habían sido bien acogidas por el público.

participó Arturo Sierra, empresario del teatro *Infanta Isabel,* [5] en cuanto tuvo conocimiento de ella.

Estos juicios me animaron a continuar la obra al mismo tren que la había empezado, y el 30 de enero, a los quince días justos de comenzar el prólogo, echaba el telón sobre el tercer acto.

Leída la comedia en la intimidad a Martínez Sierra y la Bárcena, se mostraron encantados y me auguraron un éxito inapelable. Después, puesto a discusión el teatro donde debía representarse, acabamos por quedar de acuerdo en que el mejor la encuadraba era el *Infanta Isabel.*

No obstante, particularmente, aun me detenía para retirársela a Tirso Escudero el afecto que he profesado siempre, desde que me estrenara *El cadáver del señor García,* al veterano empresario de la calle del Príncipe. Pero días después él mismo barría aquellos escrúpulos, al contestar a mis preguntas, diciendo que todavía no había hojeado el manuscrito.

De un lado, esta falta de estimación; de otro lado, la noticia confirmada por el propio don Carlos, de que Tirso esperaba una obra de Arniches, y, de otro lado, en fin, el entusiasmo creciente, que, sin conocerla, tenía por mi comedia Arturo Serrano, todas las circunstancias me decidieron a llevar la obra al *Infanta Isabel.* Así lo hice la noche del 14 de febrero, y Arturo Serrano, sin leerla con esa fe *a priori,* que es el mejor homenaje que se le puede hacer a un escritor, la puso en tablilla para el día siguiente.

Por lo demás, otros dos directores de compañía participaban de esa halagadora fe y habían pedido igualmente la obra: Irene López Heredia y Manuel Collado, y es un deber y una obligación de cortesía dejarlo reconocido así por escrito.

La lectura a la compañía del *Infanta Isabel* confirmó el éxito de las lecturas anteriores. Al salir, Martínez

---

[5] "María Isabel", en *A.* Su nombre había sido modificado por el gobierno durante la II República.

Sierra, que había asistido a ella y se había dedicado a contrastar los efectos que iba produciendo, me advirtió:

—Sobran cosas, y al tercer acto le falta brillantez.

—¿Entonces?

—Vamos a casa a leerla despacio y a discutirla.

Fuimos a su casa, nos encerramos en el despacho y eché abajo cuanto sobraba a juicio de él, con esta docilidad que debe tener todo artista para la crítica ajena..., cuando la crítica ajena es inteligente; pero que, cuando no es inteligente, debe convertirse en desdén y abierta rebeldía.

Respecto al tercer acto, lo rehice en tanto se iban ensayando los anteriores, y para darle la brillantez que Martínez Sierra echaba en falta, ideé las "apariciones", con lo cual el drama en 1880 quedaba completo, pues ya es sabido cómo una de las características del teatro de aquellos tiempos era la intervención de lo sobrenatural en el conflicto. *(Párrafo dedicado al crítico de un diario de la mañana que, al hablar más tarde de la obra, se cubrió de ridículo diciendo, entre otras tontinadas, que en el tercer acto me había perdido y recurría "hasta a apariciones sobrenaturales".)*

* * *

Ensayada cuidadosamente, servido el decorado por Burmann y los figurines por Ontañón, *Angelina (Un drama en 1880),* se estrenó la noche del día 2 de marzo con éxito franco y creciente, que se inició ya en la primera docena de versos.

La crítica, salvo en un par de casos como el apuntado y que quizás era la confirmación de la regla general, estuvo unánime en el aplauso, y las calidades espirituales de la comedia, esa cosa impalpable y sutil que sólo comprenden y paladean las personas de sensibilidad cultivada, fueron acusados y glosados por Eugenio d'Ors en tres encantadores artículos publicados en *El Debate.*

El público acudió en la proporción en que tiene que acudir para constituir lo que entre bastidores se llama "un gran éxito".

Y yo tuve la ocasión de comprobar, una vez más, lo beneficioso que es para una obra de arte el componerla con entusiasmo y el someterla a un control inexorable.

* * *

En cuanto a Tirso Escudero, no faltó quien viniera a decirme, sonriendo y con el deseo de halagar mi vanidad y mi soberbia:

—Ya ve usted: una obra de la que Tirso decía pestes...

A lo que tuve la satisfacción de replicar:

—No ha dicho pestes; ni siquiera se negó a estrenarla. Quizá no vio la magnitud del éxito, lo que, sin duda, es una equivocación. Pero los hombres que han acertado tanto como él tienen derecho a permitirse, de vez en cuando, el lujo de equivocarse.

Y le di la espalda. Aunque realmente mi espalda no le servía para nada.

Madrid, mayo de 1934 [6]

---

[6] Esta puntualización temporal no está en *A*.

REPARTO DEL ESTRENO

PERSONAJES	ACTORES
ANGELINA	Isabel Garcés
MARCELA	Julia Lajos
DOÑA CALIXTA	María Brú
LUISA	Mercedes M. Sampedro
CARLOTA	Carmen Pradillo
LA MADRE DE (En 1940) .	Luz Álvarez
DON MARCIAL (En 1860) .	Concha Ruiz
DON MARCIAL	José Isbert
GERMÁN	Alfonso Tudela
DON JUSTO	Rafael López Somoza
RODOLFO	Antonio Murillo
FEDERICO	José Soria
DON ELÍAS	Pedro González
UN CRIADO	Rafael Ragel
UN CAPELLÁN	Faustino Cornejo
EL PADRE DE (En 1840) .	Miguel Armario
DON MARCIAL (En 1860) .	Rafael Rager

La acción en Madrid, en la primavera del año 1880.
Lados, los del actor. En la mitad del primer acto hay un
breve entreacto para indicar que ha transcurrido media
hora en el desarrollo de la obra.

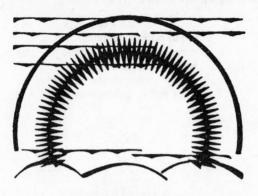

PRESENTACIÓN

Al alzarse el telón aparecen unas cortinas en la primera caja. Alineados ante ellas, se hallan ANGELINA, MARCELA, GERMAN, RODOLFO *y el* REPRESENTANTE *de la empresa.*

Los cuatro primeros visten, así como los restantes personajes, los trajes de 1880 con que figuran en la obra. El REPRESENTANTE, *que viste de smoking, cortado con arreglo a la moda actual, se inclina, y dice:*

REPRESENTANTE
Para empezar la sesión
y antes de la iniciación
del conflicto y de la trama,
harán su presentación
los personajes del drama.

(Se retira atrás. Avanza entonces ANGELINA, *la protagonista del drama. Es una muchacha de unos dieciséis años, con aspecto de candorosa inocencia.)*

ANGELINA
Me llamo Angelina Ortiz...
Soy una muchacha honrada

que no se entera de nada
y que por eso es feliz;
pero, claro, al fin, mujer,
soy un poquito coqueta...
Tengo un novio que es poeta,
y un papá, que es brigadier.

(Se retira atrás. Avanza MARCELA, *una dama de treinta y cuatro a treinta y cinco años, todavía linda y capaz de seducir a un galán de su tiempo.)*

MARCELA

Yo soy su madre... Una dama
que por amor e imprudencia
es la culpable del drama.
Dulce y suave en la apariencia.
no tolero una influencia
que me guíe y me dirija.
Y tengo más experiencia
y más años que mi hija.

(Se retira atrás. Avanza RODOLFO, *un romántico de la época, rubio, provisto de melena corta, bigote y un poquitín de perilla.)*

RODOLFO

Yo soy el novio poeta
de la muchacha coqueta.
Las gentes en general
suponen que estoy mochales,
pero en los Juegos Florales
me dan la "flor natural".

(Se retira atrás. Avanza GERMÁN, *un guapo mozo, de aire fatigado, vicioso y calavera, que sabe llevar la ropa. Es moreno. Tiene el pelo rizado, cuidadosamente peinado con raya a un lado, muy brillante de bandolina*[7] *y usa bigote de largas guías.)*

GERMÁN

Yo soy Germán, el traidor;
calavera, pendenciero,

---

[7] Especie de gomina o fijador para el cabello.

con cinismo y con dinero
triunfo siempre en el amor.
Visto con gran elegancia,
consigo cuanto deseo
y soy un poquillo ateo...
porque veraneo en Francia,
que, como deben saber,
es la patria de Voltaire.

(Se retira atrás. Suena dentro un redoble de tambor y sale
DON MARCIAL. *Es brigadier y viste de uniforme. Lleva
unos bigotes imponentes, entrecanos.)*

DON MARCIAL
Yo me llamo don Marcial
y hoy sólo soy brigadier,
pero seré general
en cuanto suba al poder
un Gobierno liberal.
De grandes hechos añejos
he sido actor y testigo:

don Juan Prim me llamó amigo
después de "Los Castillejos"; [8]
pertenecí a la Asamblea
de Cortes Constituyentes [9]
y formé entre los valientes
vencedores de Alcolea. [10]
Y aun cuando el ser brigadier
me hace velar por mi fama,
como se verá en el drama,
me la pega mi mujer.

[8] Batalla librada en el valle de la cabila de Anyera, Marruecos, a siete kilómetros de Ceuta, en 1860. En ella destacó el general Prim cuando tras arengar a los soldados diciéndoles que podían abandonar las mochilas, pero no la bandera, se lanzó al ataque. La anécdota, que antecedió a la victoria, ha sido conocida como el episodio "de las mochilas". Prim alcanzó tras esa batalla el título de "marqués de los Castillejos".

[9] Desterrada la reina Cristina en 1854, el gobierno de Espartero y O'Donnell convocó "Cortes constituyentes" el 8 de noviembre. Fueron elegidos 349 diputados, uno de los cuales, supuestamente, sería don Marcial.

[10] La batalla de Alcolea, en septiembre de 1868, fue ganada por el general Serrano a las tropas comandadas por el general Pavía, adicto a Isabel II, recién destronada. Ambos ejércitos terminaron, pese a ello, por unirse, formando un único bloque bajo el mando del vencedor.

(Se retira atrás con los otros. Sale DON JUSTO, *un caballero de unos cincuenta años, con cara de sinvergüenza "fin de siglo".)*

DON JUSTO

Yo soy don Justo, el banquero;
un financiero de altura
sumamente inteligente,
que ha ganado su dinero
con el sudor de su frente...
y manejando la usura
de cobrar ciento por veinte.
Al pobre lo trato adusto;
al rico, con cortesía. [11]
Me llamo en el drama Justo
para dar pie a la ironía...

(Se retira atrás. Sale DOÑA CALIXTA, *su esposa, dama de cuarenta años muy pasados.)*

---

[11] No puede soslayarse la posibilidad de que Jardiel esté aquí intentando el calambur y la burla a base de una onomatopeya *co-co-co.*

DOÑA CALIXTA

Y yo, su mujer, Calixta
Méndez. Me casé con él
viuda ya de un coronel
muerto en la guerra carlista.
Dios me dejó de su mano
al permitir tal error,
pues Justo es mucho peor
que mi difunto Mariano.
        (*Se seca una lágrima.*)
Mas siendo, como es, un pillo.
no se escapa a mi tutela
de bizarra ex-coronela [12]
¡y lo tengo en el bolsillo! [13]

(*Se retira atrás. Sale* FEDERICO, *un muchacho de veinti-*
tantos años que no tiene demasiada personalidad.)

FEDERICO

Yo, señores, soy un chico
muy amigo de Germán;
no soy pobre, ni soy rico,
ni tímido, ni don Juan;
soy... un segundo galán
del tiempo de Antonio Vico. [14]
¡Ah! Mi nombre es Federico,
y el apellido, Guzmán.

(*Se retira atrás. Sale* D. ELÍAS, *un cincuentón con lentes y*
aire suficiente, que se tiñe el pelo.)

---

[12] "ex coronela", en *A*.
[13] Los textos siguientes, que corresponden a la presentación de
Federico y don Elías, no están en *D* ni en *O. C*.
[14] Actor jerezano (1840-1902) que cosechó sonados éxitos interpretando papeles principales en obras como *Los amantes de Teruel* (Hart-
zenbusch), *Consuelo* (A. López de Ayala), *El gran galeoto* (Echegaray) y
otras como *El nudo gordiano* (E. Sellés), *La Pasionaria* (L. Cano), etc. Su
referencia aquí, por tanto, no es sólo producto de las exigencias de la
rima.

DON ELÍAS

Yo me llamo don Elías,
médico de gran cartel,
que cuento con simpatías
y clientes a granel
y curo las pulmonías
escribiendo en un papel
cuatro cosas de las mías.
Soy, como quien dice, el
Marañón de nuestros días. [15]

(Se retira atrás. Salen LUISA *y* CARLOTA, *dos pollitas de dieciocho a veinte años, monísimas y con el aire falsamente ingenuo de la época.)*

LUISA

A simple vista se nota
por lo frescas y gentiles...

---

[15] La nula simpatía de Jardiel por los médicos lo llevaría a impedir que fuese visitado por alguno de ellos en los últimos años de su vida. Respecto a Marañón, ya lo hemos citado repetidamente al comentar *Usted tiene ojos de mujer fatal.*

CARLOTA

que tenemos veinte abriles.

LUISA

Yo soy Luisa.

CARLOTA

Y yo, Carlota.

LUISA

Y las dos a cuál más fina...

CARLOTA

Y las dos a cuál más lista...
Y amiguitas de Angelina
Ortiz, la protagonista.

LUISA

Y eso que ella, en realidad,
no es digna de amor sincero...

CARLOTA

¡Qué va! Si es de una maldad...
¡Sólo quiere su dinero! [16]

LUISA

Y es cursi...

CARLOTA

Y es fea... Pero
la tenemos amistad,
a pesar de su perfidia,
porque es que odiamos la envidia,
¿no es cierto?

LUISA

¡Sí que es verdad!

(Se retiran atrás. EL REPRESENTANTE *avanza de nuevo.)*

REPRESENTANTE

Y hecha la presentación de estos once personajes, [17]
con pelucas y con trajes,
va a comenzar la sesión. [18]

*(*EL REPRESENTANTE *y las demás figuras se inclinan,
saludando.)*

TELÓN

---

[16] "a su dinero", en *A,* que parece más correcto.
[17] En *D* y *O. C.* son nueve personajes.
[18] "sección", en *O. C.,* evidentemente, errata.

ACTO PRIMERO

Saloncito íntimo en casa del brigadier, puesto con mucho lujo. Una gran puerta al foro, con salidas a derecha e izquierda. En el fondo, jardín y balaustrada. A la derecha, en primer término, puerta grande con forillo de sala. A la izquierda, paño liso donde va un piano vertical.

Frente al público, izquierda consola con reloj y candelabros de velas. El piano cubierto con un mantón, recogido en los extremos con dos lazos. Banqueta de piano y junto a ella, musiquero para partituras. A la derecha, mesa de ajedrez. En el forillo de sala, otra consola con figuritas y más candelabros. Cuadros con detalles. En el centro, un vis a vis. Sillones, sillas, macetero con plantas artificiales. Del techo pende una araña de cristal con velas. Todos los candelabros encendidos. En las puertas, amplios y pesados cortinajes sujetos con lazos a los lados, haciendo juego con los lazos que sujetan el mantón del piano. Son las diez de la noche de un espléndido día de junio.

(Al levantarse el telón, la escena sola. Dentro se oye una orquesta que toca una mazurca. Por el foro izquierda entra GERMAN.*)*

(Empieza la acción). [19]

[19] Esta acotación no existe en *A*, como tampoco los signos de paréntesis en las acotaciones anteriores y subsiguientes.

(GERMÁN *saca un cigarrillo de su pitillera de oro y lo
enciende en uno de los candelabros.*)

GERMÁN
(*Mirando la lumbre del cigarrillo y con acento filosófico,
hablando consigo mismo.*)

> Lumbre de cigarro, lava
> de un Vesubio en miniatura
> cuya combustión perdura
> hasta que en colilla acaba:
> ¡cómo, a mi modo de ver,
> te pareces en tu esencia
> al ser de hermosa presencia
> conocido por mujer!
> Puesto en opuesto platillo
> el cigarro y la mujer,
> se equilibran a mi ver
> la mujer y el cigarrillo,
> y en ese ejercicio sumo
> queda en el fiel la balanza,
> porque de ambos la esperanza
> en la realidad es humo.
> Humo que a los dos evoca
> fundiendo el nombre con nombre.
> por lo cual ansía el hombre
> llevarse ambos a la boca;
> y al final siempre ha de ser
> idéntico de sencillo: [20]
> o fumarse el cigarrillo
> o fumarse la mujer...

(*Da una chupada larga, enarcando una ceja con gesto
displicente. Dentro ha cesado la música, y en el foro
izquierda ha aparecido* FEDERICO. GERMÁN *se sienta en
un sillón.*)

---

[20] En *O. C.* este verso y el anterior cambian su ubicación, a mi modo
de ver, indebidamente.

FEDERICO
¿Cómo? ¿Hablabas solo?

GERMÁN
Hay días
de pesar o de disguso
en que sólo se está a gusto
haciendo filosofías.

FEDERICO
¿Vas a abrazar el krausismo? [21]

GERMÁN
En punto a abrazar, ya sabes
que abrazo cosas más suaves
y más llenas... de optimismo.

(Le guiña intencionadamente un ojo.)

FEDERICO
Nadie lo sabe mejor,
aun cuando nadie, Germán,
ignora que eres imán
para los hierros de amor.

GERMÁN
(Haciendo un repugnante mohín de falsa modestia.)

¡Bah! No tanto, Federico...
No niego la suerte mía,
que es cuestión de simpatía,
de ser guapo y de ser rico;
pero de eso a suponer
que en mis ojos tenga imán...

[21] En *A* y *D* con *ss*. Sistema filosófico que seguirían Sanz del Río y Giner de los Ríos en su Institución Libre de Enseñanza, a la que asistiría Jardiel-niño, como se vio.

FEDERICO
(Con calor entusiasta.)
¡No hay una sola mujer
que no lo diga, Germán!
Hasta Marcela...

GERMÁN
*(Levantándose rápidamente, mirando atemorizado hacia
la salida del foro izquierda y cogiendo por una mano a
FEDERICO.)*

¡Imprudente!
¡Cállate!

FEDERICO
(Con timidez.)

No me han oído.

GERMÁN
(Espiando por foro izquierda.)
Estaba ahí cerca el marido.

FEDERICO
(Encogiéndose de hombros.)
Entre el rumor de la gente
mis palabras se han perdido.
Siéntate ahí nuevamente.

*(Señala el sillón, en el cual vuelve a acomodarse GER-
MÁN, y él se sienta al lado.)*
y dime lo que te pasa
para estar tan pensativo;
¿es de verdad el motivo
la señora de la casa?
Tu novela con Marcela [22]

---

[22] La rima interna, que unos versos antes se basaba en la *derivatio*
puesto: opuesto (primer parlamento de Germán) parece plantear ahora
la posibilidad de que Jardiel esté aludiendo a las *Novelas a Marcia
Leonarda*, de Lope.

es tan antigua, que no
me puedo suponer yo
que te importe esa novela;
pues Marcela es natural,
que en quererte y desearte
se halle en la primera parte:
pero tú estás ya al final.
¿Me equivoco o acerté?

GERMÁN

(Suspirando.)
Acertaste; aunque es muy bella
te confieso que estoy de ella,
Federico, hasta el tupé.

(Se señala el tupé para que no haya duda.)

FEDERICO

Pues la ruptura barrunto,
porque en cuestión de señoras
tú las ocupas por horas, [23]
como los coches de punto.
¡Cuánto te admiro!

GERMÁN
(Desdeñosamente; con desdén de hombre superior.)

¡Infeliz! [24]
¿Qué crees? ¿Que soy dichoso?
¡Sufro de un modo horroroso!

FEDERICO
¡Bien me lo dio en la nariz!
(Con curiosidad.)
¿Y es Marcela la culpable
de tamaño sufrimiento?

[23] Es la misma ideología de Valdivia en *Pero... ¿hubo alguna vez once mil vírgenes?*, y, claro está, Sergio, en *Usted tiene ojos de mujer fatal.*
[24] No está en *O. C.*, por errata.

GERMÁN

No. No es Marcela, y lo siento.

(En voz baja, en tono de confesión, con asco de sí mismo.)

¡¡Es que soy un miserable!!

FEDERICO

Cuéntame, anda...

GERMÁN

.   Te lo cuento
por descargar mi conciencia.
¡Conciencia!

(Sarcástico.)

¿La tengo acaso?

FEDERICO
(Apremiante.)

En fin: refiéreme el caso
que me ahoga la impaciencia.

GERMÁN
*(Disponiéndose a abrir su pecho, aprovechando la tempe-
ratura primaveral de la noche).* [25]

Óyeme: hace un mes escaso
que la suerte vil e ingrata
sobre mí su ira desata
¡y en un caos me debato
que, en resolverlo, me mato
y, no resuelto, me mata!

FEDERICO

¡Pues también es mala pata!

[25] "Del momento", en *A*.

GERMÁN

(*Vencido.*)

¡Sí que es mala pata, chato!

(*Ligera pausa; tristemente.*)

Sufro y no tengo un consuelo
del que caminar en pos,
porque no creo en el Cielo
y dudo mucho de Dios... [26]

(*Por el foro izquierda ha aparecido* DON MARCIAL,
seguido de DON JUSTO *y de* DON ELÍAS, *a tiempo de oír los
últimos versos.*)

DON MARCIAL

(*Con amable severidad.*)

¡Qué pollos! Siempre ha de ser
su tema de charla el mismo:
¡siempre hablando de ateísmo!

GERMÁN

Perdone usted, brigadier.

(*Se levanta.*)

FEDERICO

(*Levantándose también; aparte, y refiriéndose a* DON
MARCIAL.)

(¡El marido!...)

(*Enciende un cigarro habano.*)

---

[26] Los protagonistas de Jardiel suelen efectuar confesiones de su
propia forma de pensar. Germán, como Sergio (como Valdivia), es un
donjuán, y algún crítico sostiene que su creador también lo era. Las
dudas de fe del autor quedan asimismo corroboradas en este parlamento
de Germán.

DON MARCIAL

Mi alma toda
le perdona a usted, Germán;
pero da grima ese afán
ateísta tan de moda...

DON JUSTO

(Acercándose a ellos en unión de DON ELÍAS.)

Germán viaja demasiado...
Berlín, París y Londón [27]
malean al más pintado.

DON ELÍAS

A saber si no es masón...

DON JUSTO

¡A lo mejor, ha acertado! [28]

DON MARCIAL

Las ideas extremistas
van dominando a ojos vistas
incluso a la gente seria.
Ayer leí yo en "La Iberia" [29]
que en Madrid hay petardistas.

DON JUSTO

¿Es posible?

DON ELÍAS

¡Qué bochorno!

[27] Convertir London en un oxítono tampoco es producto de la rima;
es un efecto cómico por imitación del lenguaje afectado por ultracorrec-
ción de los incultos nuevos ricos.
[28] "A lo mejor lo ha intentado", en *A.*
[29] Periódico de la época. Desde sus páginas se propuso que el poeta
Manuel J. Quintana fuera coronado, lo que llevó a cabo la propia reina
Isabel II con una corona de oro.

DON MARCIAL
Las conciencias son un horno
con tantos materialistas.

DON JUSTO
(Con el aire de quien tiene la clave del problema.)

Todo ha cambiado a mi ver
desde que el mundo leyó
a ese Rousseau, o "Rusó", [30]
y a ese Voltaire, o "Volter". [31]

DON MARCIAL
Y aun existe otra razón:
la de que en la actualidad
hay demasiada invención,
demasiada novedad,
y ellas las culpables son
de lo que pasa.

DON ELÍAS
(Convencido.)

¡Es verdad!

DON JUSTO
(Con la rabia del que no puede evitar lo que le crispa.) [32]

¡Ese maldito Edison, [33]
con tanta electricidad!

DON ELÍAS
Y máquinas por doquier...
Si no existe un solo bípedo

[30] En cursiva, en *A*.
[31] Id.
[32] "Lo inevitable", en *A*.
[33] "Edisson", en *A* y *D*.

que no invente algo... ¡Hay que ver!

(Enumerando cuanto recuerda así, al pronto.)

El sifón, el velocípedo,
la máquina de coser...
¿Dónde vamos a parar?

DON JUSTO

Al infierno, don Elías.

(Suspirante.)

¡Ay, las mocedades mías!
¡Qué diferentes!

DON ELÍAS

La mar...

DON JUSTO

Cuando andábamos a pie,
o, a lo sumo, en un cupé, [34]
por la Fuente Castellana, [35]
y ante unos labios de grana
decíamos...

DON ELÍAS
(Interrumpiéndole.)

Cállese, [36]
que la época está lejana
y ahora me avergüenza usté.

---

[34] Coche de caballos, cerrado, de dos asientos como máximo.
[35] La Cibeles, levantada a finales del XVIII por Francisco Gutiérrez y Robert Michel.
[36] Pese a su apariencia proparoxítona, el término funciona como oxítono, y así rima con el próximo "usté".

DON MARCIAL

(A GERMÁN *y* FEDERICO *amablemente, pero con cierta dureza crítica.)*

Insisto en lo que dijera...
La actual juventud [37] es nefasta,
y su tristeza me altera.

DON ELÍAS

No se emborracha...

DON JUSTO

No gasta...

DON MARCIAL

(Resumiendo.)

¡Son jóvenes de otra casta.

(Despectivo.)

que ni enamoran siquiera!

GERMÁN

(Riendo con sarcasmo.)

Eso es cierto...

DON MARCIAL

¡No ha de ser!

(Aparte, refiriéndose a DON MARCIAL, *maravillado.)*
(¿Será tonto este señor?)

---

[37] La pérdida de la fricativa *d* en *juventud* permite la sinalefa *juventú* + *es,* y el cómputo octosilábico del verso. T. Navarro Tomás admite que "en formas nominales como *virtud, verdad, juventud, libertad,* etc., la pronunciación vulgar, en la mayor parte de España, suprime la *d* final", *Manual de pronunciación española,* Madrid, C. S. I. C., 1977[19], p. 103.

GERMÁN

Pero háganos el honor,
don Marcial, [38] de suponer
que huimos de la mujer
para evitar el dolor...

DON MARCIAL
(Mirándole [39] con lástima.)

¡Me hace usted reír!...

GERMÁN
(Midiéndole [40] de pies a cabeza y perdonándole la vida.)

Mejor
es que ría, brigadier.

(Le vuelve la espalda.)

DON MARCIAL
*(Aparte, extrañado del tono de GERMÁN, y sospechando
no sabe el qué, aunque se figura el qué.)*

(¿Qué habrá querido decir?
¿Qué ha pretendido insinuar?
¿O es que yo sin sospechar
maldades no sé vivir?)

DON JUSTO
(Cogiéndole por el brazo.)

Deje ya de discutir
y venga usted a jugar
con nosotros al billar.

DON ELÍAS
¡Ande usted!

---

[38] "brigadier", en *A*.
[39] Leísmo, construcción que se repetirá en otras ocasiones.
[40] "Mirándole", en *O. C.*, que parêce menos correcto.

DON MARCIAL

Habrá que ir,
aunque el billar no es mi juego.

DON JUSTO

Pues lo que es yo... no distingo
entre la blanca y el "mingo"... [41]

DON MARCIAL

¡Cuánta modestia!

DON ELÍAS

(*A* GERMÁN *y* FEDERICO)

Hasta luego.

(*Los tres caballeros se van por la derecha. Al salir* DON
MARCIAL, *dirige una última mirada preocupada a* GER-
MÁN. FEDERICO *desde el foro izquierda finge contemplar
el aspecto del salón.*)

FEDERICO

¡Qué gentío! Está el salón
que no cabe un alfiler...
¡Qué brillantez va a tener
esta noche el rigodón!
(*Baja al proscenio.*)
¡Y qué gran satisfacción
para el brigadier, mirar
las gentes tan principales
que han venido a presenciar
la petición de esponsales
de su hija...!

---

[41] La blanca y el mingo, dos bolas del juego recién citado. Corriente-
mente ningún jugador utiliza el mingo, a no ser que haya tres y lo haga
cada uno por su cuenta.

GERMÁN
(Interrumpiéndole irritado.)

¿Quieres callar?

FEDERICO
¿Qué te pasa?

*(GERMÁN no contesta: se limita a mirarse las uñas de la
mano izquierda.)*

Vamos, di...
¿Por qué te irritas?

GERMÁN
¿Quién? ¿Yo?
No me he irritado.

FEDERICO
¿Que no?
¿Vas a negármelo a mí?

GERMÁN
(Revolviéndose de un modo firme y tajante.)

¡Te lo niego! Y de esta [42] hecha
dan fin mis contemplaciones
y el brindarte explicaciones...

FEDERICO
(Adivinándole.)

Germán: una cruel sospecha
está asaltándome...

GERMÁN
¡¡Calla!!

[42] "este", en *D*, sin duda por error.

FEDERICO

Comprendo que...

GERMÁN

¡¡Calla, digo!!
Me haces polvo...

FEDERICO

(Desalentado.)

¡Pobre amigo!

GERMÁN

(Cayendo en el sillón con el rostro entre las manos.)

¡Soy un canalla! ¡Un canalla!

FEDERICO

(Inclinándose sobre él como una madre superiora.) [43]

La mujer que te fascina
con un amor delirante...
¿es Angelina?

GERMÁN

(Afirmando, sin destaparse el rostro.)

Angelina...

FEDERICO

Por ella estás sollozante...
Por ella un llanto abundante
te remoja en este instante... [44]

---

[43] En *A* falta la última palabra.

[44] La abundancia de fonemas nasales en este tercetillo monorrimo, y en versos anteriores y posteriores, favorece la impresión onomatopéyica de la situación lacrimógena de Germán.

GERMÁN

(Torturadísimo.)

¡Basta, por piedad! ¡Termina
o quítate de delante!

*(Alzando la faz [que se decía entonces], lentamente,
incapaz de callar ya por más tiempo.)*

La vergüenza me domina
ante la idea infamante
de ver que mi alma se inclina
hacia... ¡¡la hija de mi amante!!

FEDERICO

(Aterrado.)

¡Trance horrendo!

GERMÁN

Ya lo ves:
La amo con amor amargo
que me prosterna a sus pies
desde el día —hoy hace un mes...
que la pusieron de largo.

(Hace una pausa. Resucitando el pasado de su amor.)

Antes no la conocía
porque estaba en el Colegio
de las Hijas de María;
pero aquel día... ¡aquel día
en mi alma sonó el arpegio [45]
de una nueva melodía! [46]

---

[45] La rima obliga a utilizar "regio", "egregio", "arpegio", "florilegio", "privilegio" o "sacrilegio". Probablemente el vocablo menos
gastado era el tercero, que incitaba además a la metáfora musical. Díaz
de Rengifo, en su *Arte poética* no incluye "arpegio", "egregio" ni
"florilegio", pero sí el *Diccionario de la rima* de D. García Bellsolá.

[46] Los próximos 16 versos hasta la acotación "Confesándose abiertamente" en *A* se reducían a los siguientes, también en boca de Germán:
"Todo mi vivir ficticio / súbitamente se hundió / y empecé a aborrecer
yo / el placer fácil y el vicio. / Angelina me paró / al borde del precipicio,
/ pero, ¡ay!, ha hecho de mi vida / un callejón sin salida: / un espantoso
suplicio."

FEDERICO
¿Y la amaste así, de pronto?

GERMÁN
Sí. Presumiendo de listo,
me he quedado como tonto
desde el día que la he visto.
¡Y qué cambio mi alma dio!
Todo mi vivir ficticio
desde ese día se hundió
con fragoroso estropicio
y empecé a aborrecer yo
el placer fácil y el vicio...

FEDERICO
Angelina te paró
al borde del precipicio...

GERMÁN
Pero ¡ay! ha hecho de mi vida
un callejón sin salida,
un doloroso suplicio.
Me aburro... Nada me alegra...

(Confesándose abiertamente.)

FEDERICO
Es verdad...

GERMÁN
¡Suerte más negra
ni más amargura junta
no las hay!

FEDERICO
Una pregunta:
¿qué vas a hacer de tu suegra?

GERMÁN

Marcela no sabe nada.
Yo estoy de su amor ahíto
y ahora lo que necesito
es que ella quede enterada
de que ya me importa un pito.

FEDERICO
¿Y más tarde?

GERMÁN
¡Chi lo sa [47]
lo que luego ocurrirá!...

FEDERICO
¿Renunciarás a Angelina?
Su boda ya se avecina...

GERMÁN
*(Echando lumbre por los ojos y dando un puñetazo en la
mesita, que se queja dolorosamente.)*

¡¡Pero no se casará!

(Con decisión terminante.)

Aun cuando cubra de oprobio
eternamente mi nombre,
¡ella no será de otro hombre!

FEDERICO
(Que está espiando por el foro izquierdo.)

¡¡Calla, que ahí viene su novio!

*(En efecto, por el foro izquierdo entra RODOLFO, muy
contento y leyendo un papel que trae en la mano, como si
lo ensayara para recitarlo.)*

---

[47] Italianismo, "quién lo sabe".

RODOLFO

(Leyendo en el foro)

"Te ofrezco mi amor,
¡oh, hermosa y gentil!,
porque eres la flor
que adorna el pensil [48]
en abril, [49]
cuando caen aguas mil..."

(Viendo a GERMÁN *y a* FEDERICO *y bajando al proscenio.)*

¡Ah, perdonen! No sabía...
Creí la sala vacía
y, como vengo ensayando,
distraído, declamando
mi última poesía...

FEDERICO

¿Qué clase de versos son?

RODOLFO

Es una silva; un alarde
de espléndida inspiración.
La recitaré más tarde
a toda la reunión [50]
y es de esperar que le aguarde
a mi silva una ovación.

FEDERICO

Es raro, pero seguro. [51]

---

[48] Jardín delicioso.

[49] "Abril", en *A*.

[50] Rodolfo es un poetastro, por ello cae en todos los vicios de quien está dominado por el arte poético. En el interior parlamento recurría a los tópicos, a los refranes, y hacía uso de licencias como la sinéresis; ahora Jardiel le hace usar la diéresis destrozando el diptongo *eu* en *reunión*.

[51] "Es raro, pero es seguro", en *A*.

RODOLFO

¿Cree usted?

GERMÁN

(Aparte, refiriéndose a Rodolfo.)

(¡Qué mentecato!)

RODOLFO

(Con este prurito presidiable de recitar sus versos, propio de los poetas de todos los tiempos.)

¿Se la leo?

FEDERICO

De aquí a un rato;
Cuando me termine el puro...
(Por el que está fumando.)

RODOLFO

(Resignado.)
Bueno; entonces volveré.

FEDERICO

Eso mismo, y no se aflija,
porque yo le llamaré.

RODOLFO
(Volviéndose sobre sus pasos.)
¡Ah! Guárdame la sortija.

FEDERICO
(Extrañado.)
¿Cuál?

RODOLFO
La del puro.

FEDERICO
(Más extrañado todavía.)
¿Por qué?

RODOLFO
Porque a mi novia le da
por fabricar mil futesas [52]
fregando sortijas de esas;
pañitos para sofá,
ceniceros, rinconeras...
Hasta ha hecho un cuadro de veras,
que es la calle de Alcalá
con quioscos y con aceras.

GERMÁN
(Sin poder contener la ira que siente contra RODOLFO.*)*
¡Bueno, bueno; basta ya!

RODOLFO
(A FEDERICO, *aparte, asombrado por la iracunda actitud
de* GERMÁN.*)*
¿Qué le pasa?
(Buscando y hallando un pretexto original.)
La cabeza,
que le duele...

[52] Fruslerías, naderías.

GERMÁN

(Aparte, a FEDERICO*.)*

Federico,
llévate de aquí a ese chico,
que me crispa su simpleza.

*(*FEDERICO *coge por un brazo a* RODOLFO *y se lo va
llevando hacia el foro izquierda, mientras* RODOLFO *le
habla muy entusiasmado.)*

RODOLFO

Y es que Angelina, ¡hay que ver
si es lista!

FEDERICO

¡No lo ha de ser!

RODOLFO

(Satisfechísimo.)

Hago una boda completa:
el marido, un gran poeta,
y la musa, su mujer.

*(*FEDERICO *le da el último empujoncito para que se
marche y vuelve junto a* GERMÁN*, que habla solo,
furioso.)*

GERMÁN

¡No he de tolerarlo, no!

FEDERICO

¿Qué dices?

GERMÁN

(En plena resolución.)

Que pondré toda
mi alma en romper esa boda,
¡o que el novio seré yo!

Quedan horas solamente,
pero con sólo unas horas
he de tener suficiente. [53]

FEDERICO

(Que sigue atento a lo que ocurre en el salón de al lado.)

¡Silencio, que viene gente!

(Por el foro izquierda entran MARCELA y DOÑA CALIXTA, y un poco detrás, cuando se indique, ANGELINA y RODRIGO. FEDERICO avanza hacia DOÑA CALIXTA y MARCELA con la sonrisa extendida por el bigote.)

Hermosa fiesta, señoras...

DOÑA CALIXTA

(Entrando y ocupando toda la escena con su presencia.)

Sí, hijo, sí; despampanante.

MARCELA

(Con modestia fingida de dueña de casa en funciones.)

Vamos... No tanto, Calixta...

DOÑA CALIXTA

Es un sarao tan brillante
que ya hace daño a la vista.
Charlando con las de Arnao
las [54] acabo de explicar
que en Bilbao di yo un sarao
de importancia similar,
¡y aún hoy puede oírse hablar
de mi sarao en Bilbao!
Aún vivía en tiempo aquel
mi otro esposo, el coronel...

---

[53] Recuerda la misión del don Juan de Zorrilla cuando replica a don Luis: "porque, pues vais a casaros / mañana pienso quitaros / a doña Ana de Pantoja", en la escena XII del primer acto del *Tenorio*.

[54] "les", en *A*.

Siempre andábamos de riñas...
¡Y [55] cómo disfrutaba él
metiendo mano a las niñas!

(Se seca una lágrima.)

MARCELA
(Reconviniéndola.)

¡Calixta! No hables tan fuerte,
que está ahí mi hija...

(Señala a ANGELINA, que entra.)

DOÑA CALIXTA
(Un poco avergonzada.)

Sí, Marcela.
Es que seré coronela
hasta el día de mi muerte.

(Siguen hablando en un grupo CALIXTA, MARCELA y
FEDERICO. GERMÁN está solo, al otro lado de la escena,
contemplando, embelesado, a ANGELINA, que ha entrado
por el foro izquierda con RODOLFO, el cual viene
leyéndole sus versos.)

RODOLFO
¿Te gusta la poesía?

ANGELINA
¿Que si me gusta? ¡Es preciosa!

GERMÁN
(Hablando consigo mismo y refiriéndose a ANGELINA.)

¡Cuán bella está! Es una rosa
cortada en Alejandría. [56]

---

[55] Con minúscula, en A.
[56] Los dos próximos parlamentos no existen en A.

RODOLFO

Pues anoche escribí una
que le dedico a la luna
que empieza: "Admirado y mudo,
¡oh, luna!, yo te saludo...
Porque después que nos das
a los poetas tu influencia,
aún en el espacio estás
para hacerles competencia
a los faroles de "gas".

ANGELINA

¡Qué principio!

RODOLFO

Sin un ripio; [57]
pero lo bueno está al fin.
Si te ha gustado el principio
vente conmigo al jardín,
y conocerás el resto...
¡Digo... si no te molesto!

ANGELINA

(Muy melosa.)

¡Qué bobo eres, Rodolfín!

(Se van amarteladísimos. CALIXTA *y* MARCELA *los ven
marchar enternecidos.* GERMÁN *disimula su turbación
hojeando el álbum de retratos de familia que hay sobre el
velador.)*

MARCELA

Se adoran...

FEDERICO

Amor es ciego.

---

[57] "No tiene un solo ripio", en *A.*

MARCELA

Ceguera bien de envidiar...

(Mirando a hurtadillas a GERMÁN *y dedicándole el sentido de su frase.)*

¡No hay dicha igual que quemar
nuestra existencia en su fuego!

DOÑA CALIXTA

¡Pero lo malo es que luego
una se vuelve a casar!
(Ríen FEDERICO *y* MARCELA.*)*
Por cierto que... ¿y mi marido?

FEDERICO

Hace rato que se ha ido
a la sala de billar.

DOÑA CALIXTA

Por ese maldito juego,
o me deja siempre sola,
o me da la gran tabarra:
¡y no hace una carambola
desde la muerte de Larra! [58]
¿Vienes, Marcela?

MARCELA

Ahora iré.
Me debo a mis invitados,
y he de ver si los criados
han dispuesto ya el "buffet".

DOÑA CALIXTA

Yo voy por ese, y lo saco
de la sala de billar
aunque le tenga que dar
en la nuca con el taco.

---

[58] Es decir, desde el 13 de febrero de 1837, lo cual significa 43 años y más de cuatro meses, puesto que la escena transcurre el 27 de junio de 1880. La hipérbole tiene una base histórico-literaria.

(Se va por la derecha decidida a todo. Quedan solos MAR-
CELA, GERMÁN *y* FEDERICO. *Este último los mira alterna-
tivamente, comprendiendo que estorba e inicia el mutis
por el foro izquierda. Dentro suenan los primeros compases de una polka.)*

GERMÁN
¿Adónde vas tan de prisa?

FEDERICO

(En son de excusa.)

Esa polka que se siente
se la he prometido a Luisa
y debe estar ya impaciente.
(A MARCELA.*)*
Con permiso...

(Se inclina y se va por el foro izquierda. MARCELA
avanza hacia GERMÁN, *resuelta a aclarar la situación en
que viven.)*

MARCELA
¿Qué te pasa?
¡Contéstame! La inquietud
de verte así me traspasa.
¡Explícame esa actitud!

GERMÁN
Piensa que estás en tu casa
y que hay una multitud
que puede oír...

MARCELA
Soy valiente
para afrontar lo peor
con un gesto displicente:
no me importa ya mi honor
¿y va a importarme la gente?
¿O es que quieres que me marche
sin honor y sin amor?

GERMÁN
(Glacial.)

El honor, como el tambor,
se compone con un parche
y luego... suena mejor.

MARCELA
¿Qué quieres decir?

GERMÁN
Lo dicho.

MARCELA
(Adivinando algo e intentando cogerle la cara para mirarle a los ojos.)

¡Germán!

GERMÁN
(Soltándole rudamente.)

¡Te ruego que ceses!

MARCELA
Me tratas igual que a un bicho
inmundo al que aborrecieses.
¿Y tu amor?

GERMÁN
Durante meses
lo has gozado a tu capricho...
¡pero ahora yace en un nicho,
bajo sombras de cipreses!

MARCELA
¡No me digas!

GERMÁN

Dicho está
y no me retractaré,
pase lo que pase, ya.
¡No, no, no! ¡No callaré!
Placer fácil... ¡Vil amor
que me enlazó una mujer,
produciendo el deshonor
de un bizarro brigadier!
¡Amor que pudo, culpable,
crear un drama espantable!,
¡¡vete, en el nombre de Dios,
de mi pecho miserable
y no ensucies más el ros [59]
del brigadier, ni su sable!!...

MARCELA

¿Escrúpulos? ¡No te creo!
¿Escrúpulos de conciencia
el que no tiene creencia
ninguna, porque es ateo?

(Avanzando hacia GERMÁN, *iracunda.)*

¡Mientes, Germán!

GERMÁN
¡Calla!

MARCELA

¡Mientes!
¿Qué te piensas?, ¿que estoy loca?
¡Mientes con toda tu boca!
¡Mientes con todos tus dientes!
No es la vergüenza de haber

[59] Al ser una prenda de cabeza del militar, hay que suponer una alusión a los cuernos.

deshonrado al brigadier
el motivo de tu afán;
¡lo que sucede, Germán,
es que amas a otra mujer!

GERMÁN

Pues bien, ¡sí!

MARCELA
(Destrozada, ocultando el rostro entre las manos.)

¡¡Virgen de Atocha!!

GERMÁN

Esa es la única razón,
y puesto que nuestra unión
ya es como una fruta pocha
en plena fermentación,
¡me saltaré a la garrocha
nuestra unión sin compasión!
¡Y ese lazo de Satán
cederá como el botón
que abrocha y que desabrocha
el faldón del macferlán! [60]

MARCELA
(A gritos.)

¿Qué mujer es la que, artera,
me roba tu amor? ¡¡Di el nombre!!

(Sale FEDERICO *por el foro izquierda, alterado y nerviosísimo.)*

GERMÁN
¡No lo has de saber!

---

[60] Especie de gabán sin mangas y con esclavina; "manferlán", en *A.*

RODOLFO
(Apremiante.)

¡Pero, hombre,
que os están oyendo ahí fuera!...

GERMÁN

¿No te lo advertí, insensata?
¡Refrena tu frenesí!
¿Quieres que sepan que...?

MARCELA
(Furiosa, como una loca.)

¡Di!
¡Di ya ese nombre! ¡Delata
a la mujer a quien amas!

FEDERICO
*(Desde la puerta del foro, desde donde mira al interior de
la casa.)*

¡Que se acercan unas damas
y vais a meter la pata!

MARCELA

¡Dime quién es, que me apremia
cubrir su nombre de agravios!

GERMÁN
(Perdiendo definitivamente su aplomo.)

¡Esas frases en tus labios
suenan como una blasfemia!
¡¡Calla!!

*(Se echa sobre ella e intenta taparle la boca. Forcejean.
En la puerta del foro izquierda aparecen* LUISA *y* CARLO-
TA, *que contemplan asombradas el forcejeo. En la puerta
de la derecha,* DOÑA CALIXTA, *seguida de* DON JUSTO.*)*

MARCELA
¡¡No!!

FEDERICO
(Desesperado, al comprobar la inutilidad de sus esfuerzos.)

¡Noche fatal!

LUISA
¿Qué es?

CARLOTA
¿Qué?

DOÑA CALIXTA
¿Qué ha sucedido?

(En este momento, detrás de DON JUSTO *aparece* DON MARCIAL, *que mira con ojos abiertísimos la escena. Y más detrás,* DON ELÍAS.*)*

FEDERICO
(Angustiosamente, aparte, a GERMÁN *y* MARCELA.*)*

¡Que os contempla don Marcial!

GERMÁN
¡El brigadier!

MARCELA
¡Mi marido!

(Para disimular y aprovechando el estar agarrados, cambian súbitamente de actitud, sonríen y comienzan a bailar la polka, al son de la música que suena dentro. Todos los personajes cambian de expresión y sonríen, aunque sin abandonar del todo su prístina escama.)

LUISA
¡Bailan!...

CARLOTA
¡Bailan!...

DOÑA CALIXTA
(*Volviéndose a* DON MARCIAL *con aire tranquilizador.*)
Lo ocurrido
es que bailan, brigadier...

DON MARCIAL
¿Qué otra cosa podía ser?

(*Respira tranquilo.*)

DOÑA CALIXTA
Claro...

DON JUSTO
Claro...

DON ELÍAS
Es natural.

(*Bailan durante unos instantes, lo que les sirve a* GERMÁN *y a* MARCELA *para serenarse, y al cabo de los instantes cesa la música dentro. Entonces todos los personajes se van sentando ocupando la escena.*)

MARCELA
¡Ay! ¡Estoy muy[61] fatigada!

(*Se deja caer en un sillón.* DON MARCIAL *se acerca a ella.*)

DON MARCIAL
La polka te habrá cansado.

[61] "más", en *A*.

LUISA

(Aparte a CARLOTA.*)*

Carlota, ¿no te ha escamado
lo del baile?

CARLOTA

Una mirada
y ya he quedado enterada
de que aquí hay gato encerrado.

DOÑA CALIXTA

¿Gato?... ¡Tigre, hijitas mías!

(Ríen LUISA *y* CARLOTA. *Las figuras se distribuyen de la siguiente manera:* DON ELÍAS *y* DON JUSTO *se sientan a jugar al ajedrez en la mesita;* FEDERICO *y* GERMÁN *junto al piano, y* LUISA *y* CARLOTA *en unas sillas, al lado de la consola.)*

DON JUSTO

¿Un ajedrez, don Elías?

DON ELÍAS

Bueno, venga el ajedrez...

(Se sientan a jugar.)

FEDERICO

(Aparte, a GERMÁN.*)*

Os he salvado esta vez,
pero cuidado otros días...

GERMÁN

Hemos roto.

FEDERICO

Enhorabuena.

GERMÁN

Y voy a concluir mi pena
o te juro que me mato...

FEDERICO

¿Qué es lo que intentas?

(Quedan hablando aparte.)

DOÑA CALIXTA

(Acercándose a DON JUSTO. *Incomodada.)*

¡Pazguato!
¿Jugando otra vez?

DON JUSTO

(Humilde.)

Sé buena,
y déjame en paz un rato...

*(*LUISA *y* CARLOTA, *juntas, se divierten mirando los
retratos de familia que hay en el álbum de encima de la
consola.)*

CARLOTA

(Riéndose.)

¡Qué retratos tan extraños
y qué raras están todas!

LUISA

Ten en cuenta que son modas
lo menos de hace quince años.

CARLOTA

(Pasando hojas entre gestos de asombro.)

¡Qué fachosos los muchachos!

LUISA

¡Qué trajes!

CARLOTA

¡Y qué manguitos!
¡Y fíjate qué ricitos
llevaban!

LUISA

¡Qué mamarrachos!

*(Ríen de nuevo entre ellas y siguen mirando el álbum.
Luego se reúnen a charlar con* FEDERICO *y* GERMÁN.*)*

DON MARCIAL

*(Con un alegre suspiro de satisfacción y paseando una
mirada a su alrededor.)*

¡Ay, santa paz del hogar!
Qué a gusto me encuentro así,
entre amigos...
            (A MARCELA.*)*
junto a ti...

DON JUSTO

(A DON MARCIAL, *sin dejar de jugar al ajedrez.)*
¿Se sabe algo de Ultramar,
brigadier?

DON MARCIAL

El terremoto
que[62] ha habido en Manila...[63]

DOÑA CALIXTA

(Estremeciéndose como si estuviese en Manila.)

¡Horror!
Yo desde Madrid lo noto
y me dura aún el temblor...

---

[62] "que", en *O. C.*, sin duda por errata.
[63] Los terremotos fueron frecuentes en la zona durante todo el XIX.
Particularmente violento y calamitoso fue el de 1863.

DON JUSTO

(Moviendo un caballo para amenazar un alfil de DON ELÍAS.*)*

¿Y en política?

DON MARCIAL

He sabido
que, al fin, el nuevo partido
fusionista ya ha elegido
su jefe.

DON JUSTO

(Alzando la cabeza.)

¿Y quién es?

DON MARCIAL

Sagasta. [64]

DON ELÍAS

¿Y usted qué opina?

DON MARCIAL

Querido:
pues que irán viviendo hasta
que Cánovas [65] dé un bufido.
¡Y sabe cómo las gasta
el de Málaga!...

(Por el foro derecho entra ANGELINA, *muy contenta. Detrás,* RODOLFO, *con aire satisfecho.)*

---

[64] Con Práxedes Mateo Sagasta al frente, se creó en junio de 1880 el Partido Fusionista, que cambiaría posteriormente su nomenclatura por el de Partido Liberal. El dato es, pues, históricamente correcto.

[65] Antonio Cánovas del Castillo (Málaga, 1828; Santa Águeda —Guipúzcoa—, 1897) fue el artífice de la Restauración borbónica, y uno de los mejores políticos españoles del siglo XIX, ocupando la jefatura del gobierno en varias ocasiones.

ANGELINA

¡Papá!
¡Papaíto!

DON MARCIAL

(Yendo hacia ella.)

¿Qué, hija mía?

ANGELINA

(Muy contenta y enseñando un papel que trae.)

¡Mire usted qué poesía
me ha escrito para este día
Rodolfo! ¡Más bien está!

RODOLFO

(Cogiendo el papel.)

Don Marcial, déjelo usté...
Yo mismo la leeré.

LUISA

(Entusiasta.)

¡Eso, eso! ¡Que la lea!

DON MARCIAL

Hombre, pues es una idea,
el que la recite usté.

(Todos se disponen a oír.)

RODOLFO

(Leyendo con voz emocionada.)

A mi futura esposa, Angelina Ortiz, en el día de nuestra
promesa de esponsales, 27 de junio de 1880.

DOÑA CALIXTA

(Melancólicamente.)

¡Qué fecha! Hoy hace dos años
murió la reina Mercedes. [66]

MARCELA
¡Chist! Silencio.

ANGELINA
Callen ustedes.

RODOLFO
(Preparándose a echarse al agua. Leyendo.)

"Junto a ti no hay desengaño."

(Explicando.)

Este es el título, y
los versos dicen así:

(Leyendo.)

"Te ofrezco mi amor,
¡oh, hermosa y gentil,
porque eres la flor
que adorna el pensil
en abril
cuando caen aguas mil.
Tus ojos azules, igual que el añil,
son aún más azules vistos de perfil;
mi delicia toda
la cifro en mi boda,
y yendo al altar uno de otro en pos,
veré cómo dos
se hacen uno solo por la ley de Dios.
    Y un tiempo después,
los dos, que eran uno, ya sumarán tres."

---

[66] María de las Mercedes de Orleáns, prima de Alfonso XII, fue su primera esposa. Había muerto, si mis datos son correctos, el 26 de junio de 1878, por lo que hay un día de diferencia respecto al propuesto por Jardiel como tiempo interno de la obra.

DON JUSTO
¡Preciosos!

DON ELÍAS
Están muy bien. [67]

DON MARCIAL
¡Eres un vate hasta allí! [68]

MARCELA
¡Me han encantado! [69]

RODOLFO
Y a mí.
A mí me encantan también.

DON JUSTO
(La poesía es muy mala...)

DON ELÍAS
(Infame a más no poder.)

DON MARCIAL
Tú vas a ser un Ayala. [70]

RODOLFO
Muchas gracias, brigadier.

---

[67] Éste de don Elías, y el anterior comentario de don Justo, van tras el siguiente de don Marcial, en *A*.

[68] No existen signos de exclamación en *A*.

[69] Id.

[70] Adelardo López de Ayala (1828-1879), de quien antes se citó su comedia *Consuelo* (nota 14). Quizás aquí se cite por su comedia *El nuevo don Juan*. Solía alabarse en este escritor la magnífica resolución formal de sus obras, que contrasta vivamente con la de Rodolfo.

DON MARCIAL

Es justicia. Yo amo el arte,
y lo apruebo porque debo,
pero lo que ya no apruebo
es tu prisa por casarte.

TODOS

¿Eh?

GERMÁN

¿Cómo?

MARCELA

Marcial...

RODOLFO

¡Ahí va!

ANGELINA

¿Qué es lo que dices, papá?

DON MARCIAL

Digo que me satisface
que os caséis, pero que veo
de muy mal gusto y muy feo
apresurar el enlace.
Además, que todavía
Rodolfo es un poco niño.
Y en cuestiones de cariño
la edad es la garantía.

ANGELINA

Pues tú, papá, eras teniente
al casarte...

DON MARCIAL

Ciertamente;
pero es que, gracias a Dios,
tu madre y yo somos gente
lo bastante inteligente
para ser fieles los dos,
y aún lo somos mutuamente.

(El doctor tose.[71] DON MARCIAL *se vuelve a él.)*
¿Qué es eso? ¿Tiene usted tos?

DON ELÍAS

Un catarrillo corriente.

MARCELA[72]

¡Pues cuídese usted, por Dios!

(Se lo come con los ojos.)

GERMÁN

(A FEDERICO.*)*
Ya le oíste lo que dijo...

RODOLFO

(Aparte, a ANGELINA.*)*

Pues oponiéndose y todo,
he de encontrar algún modo
de que nos casen, de fijo.

ANGELINA

¿Y qué harás?

RODOLFO

Aún no lo sé:
protestar, armar un lío...
No sé. Ya lo pensaré.

---

[71] La tos de don Elías es más psicológica que de origen fisiológico. Con ella modera su primer impulso a la carcajada.

[72] "Angelina", en *O. C.* Creo que es un error, basándome para ello en *D* y en la acotación subsiguiente, más propia de la madre que de la hija.

ANGELINA

¡Pobre poetita mío!
Ven, yo te consolaré...

DON MARCIAL

¿Qué es eso? ¿Os he entristecido?

ANGELINA

No, papá.

RODOLFO

No, brigadier.

DON MARCIAL

Pues entonces, a mi ver,
puesto que él nos ha leído
sus versos, es tu deber,
hijita, el corresponder
también de alguna manera.

ANGELINA

¿Cómo?

DON MARCIAL

¿Que cómo, mujer?
pues cantando una habanera,
por ejemplo...

TODOS

¡Sí, sí! ¡A ver! [73]

(Nueva expectación general.)

---

[73] Los últimos 43 versos no existen en *A;* sí en *D*. La situación se
resolvió, desde que Rodolfo dijo: "Muchas gracias, brigadier", con estos
versos: "ANGELINA. Y yo, por corresponder / también de alguna
manera, / entonaré una habanera... / DON MARCIAL. ¡Magnífico!
DOÑA CALIXTA. A ver, a ver..."

LUISA

Anda, sí; vamos al piano...

(Va hacia el piano, seguida de CARLOTA *y elige papeles de música en el musiquero.)*

Y a ver si no desafina...[74]

ANGELINA

Ahí voy...

(Cruza hacia la izquierda. GERMÁN *la detiene, al pasar, disimuladamente, cogiéndola por una mano. Aparte.)*

GERMÁN

Escucha, Angelina...

ANGELINA

(Asustadísima, mirando a su alrededor con el temor de que les vean.)

¿Qué haces? ¡Suéltame esa mano!

GERMÁN

(Rápidamente.)

¡He de hablarte!

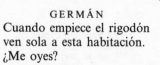

ANGELINA

¡Qué porfía!

GERMÁN

Cuando empiece el rigodón
ven sola a esta habitación.
¿Me oyes?

---

[74] "desafinas", en *D* y *O. C.*, seguramente por error, ya que la rima con Angelina exige la tercera persona verbal, que no pierde sentido.

ANGELINA

(Con un soplo de voz.)

Sí, sí...

(ANGELINA se dirige al piano disimulando como puede su turbación. GERMÁN cruza hacia la derecha, en cuya puerta se detiene.)

GERMÁN

(Aparte, hablando consigo mismo, y atusándose presuntuosamente el bigote.)

¡Será mía!

LUISA

(A LUISA.)
Cuando quieras...

DOÑA CALIXTA

¡A callar!

(Todos se preparan a oír y quedan inmóviles en posturas de la época.)

RODOLFO

Voy a oírla... ¡Qué emoción!

(Se acerca al piano.)

ANGELINA

(Aparte, angustiada.)

No sé si podré cantar...

RODOLFO

¡Silencio, que va a empezar!...

ANGELINA

(Anunciando el título de la pieza.)

"Una coqueta." Canción.

*(*ANGELINA *canta, acompañándose al piano, la habanera que va a continuación.)*

"Un rubio en sus ojos
de azul como el cielo,
me presta consuelo,
¡amor ideal!
Y un vivo moreno
me ofrece en su boca
la dulce, la loca
pasión terrenal.
   Los dos tipos, los dos tipos me seducen
y es difícil, es difícil la elección.
Si dejo al moreno
siento un gran vacío:
si al rubio abandono,
mortal languidez.
   Dudosa me encuentro;
elige, amor mío...
¿Que elija? Ya elijo:
¡los dos a la vez!"

(Todos los personajes repiten sin descomponer el cuadro.)

TODOS

Los dos tipos,
los dos tipos me seducen, etc.

(Va cayendo lentamente el)

TELÓN DE CUADRO

(Al levantarse el telón nuevamente, segundos después, GERMÁN *se halla solo en la escena, paseándose nerviosamente en la actitud del que espera algo. Dentro suena un rigodón.)*

GERMÁN

¿Vendrá? ¿No vendrá?... ¡Cruel [75]
incertidumbre me agobia!
¿Acudirá o será fiel
a su condición de novia?
¿Quién va a poder más? ¿Yo o él?
La duda destroza, ruda,
mis sentidos doloridos.
¡No hay peor cosa que la duda,
para los cuatro sentidos!

(Deteniéndose de pronto.)

¿Cuatro o cinco? Mi razón
duda ya con tanto ahinco,
que hasta duda esta cuestión...

(Contando con los dedos.)

Uno... dos... tres... cuatro... cinco...
¡Sí, sí! Cinco. Cinco son.
Cinco, y mis cinco sentidos
de Angelina están prendidos:
la vista para mirarla,
el gusto para besarla,
el olfato para olerla,
el oído para escucharla

---

[75] Nueva diéresis que rompe el diptongo *cru-el*.

y el tacto para palparla
como se palpa a una perla:
¡Con el ansia de cogerla
y el miedo de espachurrarla!

(Por la izquierda entra ANGELINA, *que va hacia él, el cual
la recoge con sus brazos.)*

Angelina. ¿Tú aquí?

ANGELINA
¡Sí!

GERMÁN
¡Has venido!...

ANGELINA
Ya lo ves...
No vengo yo: ¡son mis pies,
que me arrastran hacia ti.
Yo, con estar a tu lado,
tengo bastante...

GERMÁN
(Con ansia.)

¿Es verdad?
¿Hablas con sinceridad?
¿No estás mintiendo?

ANGELINA
No, a fe.

GERMÁN
¿Es que me quieres?

ANGELINA
No sé.

GERMÁN
¿Y a qué esa perplejidad?
Angelina, explícate... [76]

ANGELINA
Yo quiero a Rodolfo...

GERMÁN
¿Qué?

ANGELINA
Le quiero a él; pero tú eres
para mí la tentación
y como a tantas mujeres,
me has sorbido la razón...
¿En qué fundadas están
estas inquietudes mías?
Lo ignoro; mas hace días
que en mi inexplicable afán
tú me guías con las guías [77]
de tu bigote, Germán.

GERMÁN
Es que eres una chiquilla...
Pues ¿qué habría ocurrido
si me hubieses conocido
cuando llevaba perilla?

[76] Aunque aparentemente proparoxítono, el vocablo funciona como oxítono.
[77] Juego de palabras basado en la polisemia, que provoca la carcajada por cuanto se supone que la acción de guiar es llevada a efecto por algún mentor, un héroe o una persona muy cualificada o especial, jamás por el objeto indicado. La consecuencia lógica, en los próximos parlamentos de Germán, donde se redondea el asunto.

ANGELINA

Quizá me hubiera tu anhelo
acabado de [78] vencer.

GERMÁN

Óyeme entonces, mi cielo:
Por un poco más de pelo
no cambies de parecer.

ANGELINA

¡Germán!

GERMÁN

¡Te amo en arrebato!

(*La abraza estrechamente.*)

ANGELINA

(*Desfalleciendo progresivamente.*)

¡Germán!

GERMÁN

¡Amor insensato!

ANGELINA

¡Germán!

GERMÁN

¡Mi vida está rota!

ANGELINA

¡Germán!

---

[78] "por", en *A*.

GERMÁN
¡Quiéreme o me mato!

ANGELINA
¡Germán!

GERMÁN
¡Me tienes idiota!

(Apasionadamente.)

Mírame con las miradas
ardientes de tus pupilas.
¡Vuelve a mí las cuatro filas
de tus pestañas rizadas!
¡Olvida tu condición
de mujer comprometida
y confiésame, mi vida,
si no me amas!... [79]

---

[79] Quizá de forma no premeditada se produce aquí cazafatón.
Casualmente en *A* las dos últimas palabras están unidas, por errata.

ANGELINA

(*Rendida.*)

¡Con pasión;
aunque un infierno entreveo
al mirarte frente a frente!...

GERMÁN

(*Arrollador.*)

El infierno del deseo;
¡ven hacia él valientemente!
¡Huyamos!

ANGELINA

¿Huir? ¡¡Qué horror!!
¿Marcharme contigo? ¿Adónde?

GERMÁN

¡Al sitio donde se esconde
la paz para nuestro amor!
No me hagas reproches vanos;
venir conmigo es tu afán.
Lo estoy leyendo... en tus manos.

ANGELINA

Será en mis ojos, Germán.

GERMÁN

No; en las manos el destino
marca en rayas su camino... [80]

ANGELINA

¿En rayas? ¡Qué extravagancia!

---

[80] Jardiel se había interesado siempre por el espiritismo y las artes adivinatorias como la quiromancia, de la que aquí hace uso.

GERMÁN
(Tomándola de una mano.)

Mira: esta raya ligera
es tu juventud [81] y tu infancia,
esta raya es la constancia,
y esta es... la raya de Francia:
quiero decir, la frontera.
¡Allí podemos estar
mañana, al romper el día,
si accedes hoy a escapar
conmigo, chiquilla mía! [82]
Aprovechemos la noche...
¡Ven, Angelina!

ANGELINA
No, no...

GERMÁN
Ahí fuera tengo mi coche.

ANGELINA
¿Una berlina?

GERMÁN
Un landó,
pero en landó o en berlina
ven, que te he de llevar yo
hacia la dicha, Angelina.

ANGELINA
¿Y nos casaremos?

---

[81] Véase nota 37.
[82] Estos últimos 16 versos no existen en *A*.

GERMÁN
Sí.

ANGELINA
¿Por la Iglesia?

GERMÁN
Claro está.

ANGELINA
¿Crees en Dios?

GERMÁN
¡Creo ya!

ANGELINA
¡Jura!...

GERMÁN
Lo juro por ti. [83]

ANGELINA
¿Qué va a decir mi papá?

GERMÁN
Que diga misa...

ANGELINA
¡Ay de mí!

GERMÁN
Decídete, ten coraje...

[83] Es la postura de Calisto cuando, tras preguntarle Sempronio si es cristiano, expresa su particular credo: "¿Yo? Melibeo soi, i a Melibea adoro, i en Melibea creo, i a Melibea amo." F. de Rojas, *La Celestina,* ed. de M. Criado del Val, Madrid, Editora Nacional, 1977, p. 63.

ANGELINA

Bueno, Germán; pero calma;
que he de arreglar mi equipaje...

GERMÁN

Te basta con ese traje.

ANGELINA
¿Voy a ir así?

GERMÁN

Sí, mi alma.
En París te comprarás
otros muchos... ¡Ya verás
los trajes que hay en París!

ANGELINA
*(Súbitamente entusiasmada y haciéndose ya la idea de
que está en los bulevares.)*

Me gustaría uno gris
con un lacito aquí atrás.
(Se señala la cintura.)
que tuviera un entredós
en...

GERMÁN

¡Angelina, por Dios!
¡No hables del vestido más
y vámonos...!

ANGELINA

Vámonos...
(Mirando amorosamente a su alrededor.)

¡Adiós, casa en que naciera
porque el destino lo quiso!
¡Adiós, sala y cristalera!
¡Adiós, salón y escalera,
con su baranda y su friso!

GERMÁN

(Impaciente.)

Angelina: al otro piso
escríbele desde fuera...

ANGELINA

¡Adiós, pasillo y jardín!
Me marcho... ¡Quedad con Dios!

GERMÁN

Vamos, ven...

(Aparte, triunfal, mientras se la lleva.)

(¡Es mía al fin!)

ANGELINA

¡Ay! ¡Adiós! ¡Adiós! ¡¡Adiós!!

(Hacen mutis por el foro derecha. GERMÁN *la lleva del
brazo y ella, a quien se le han saltado las lágrimas, dice
adiós al decorado, agitando su pañuelo.)*
(Por el foro izquierda sale RODOLFO *en actitud de buscar
a* ANGELINA.*)*

RODOLFO

Angelina; tu mamá
me ha dicho que... ¿Dónde está?

*(De pronto mira hacia la derecha y en su actitud se nota
que ve a* ANGELINA *y a* GERMÁN *alejarse por el jardín.)*

Pero ¡mi abuelo! [84] ¿qué miro?
¿Estoy borracho? ¿Deliro?
¿O qué me pasa? ¿Se va?
¡Si no salgo de mi asombro!
¿Ella con Germán? ¿Qué es eso?
¡Ahora se reclina en su hombro
para sacudirle un beso!...
(Le falta aire, balbucea.)

---

[84] "abuela", en *A.*

¡Pero si no puede ser!
¡Si no lo puedo creer!
¿Y qué hago yo que no corro
a evitarlo ya?

(Corre hacia el foro derecha. Luego se arrepiente y se detiene, dudando.)

¡¡Socorro!!
¡¡Federico!! ¡¡Brigadier!!

(Por el foro izquierda entran alarmadísimos DON MAR-CIAL, MARCELA, DOÑA CALIXTA, LUISA, CARLOTA, DON JUSTO, DON ELÍAS y FEDERICO..)

DON MARCIAL
¿Qué es?

MARCELA
¿Qué ocurre?

DON JUSTO
¿Qué pasa?

RODOLFO
¡¡Se la llevan!! ¡¡Por ahí van!!

DON MARCIAL
¿Quién?

RODOLFO
¡¡Angelina y Germán!!
¡Se la ha llevado de casa! [85]
¡Voy tras ellos!

(Se va escapado por el foro izquierda.)

---

[85] "¡Que la ha raptado de casa!", en *A.*

DON JUSTO

¡Qué desmán!

MARCELA

¡Santo Dios!

(Le da un vahído y DOÑA CALIXTA *la sostiene.)*

DON MARCIAL

¡Le buscaré
cruzándome en su camino;
a un duelo le retaré...
y en duelo le mataré!

(Encarándose con DON JUSTO.*)*

¡Usted será mi padrino!
¡Robarme a mi hija! Esta idea
me enloquece y de ira estallo.

¡Si tuviera aquí el caballo
que utilicé en Alcolea!

(Por el foro izquierda sale RODOLFO *montado en un
velocípedo de la época.)*

RODOLFO

No le importe a usted, señor,
que si no tiene caballo
yo tengo esto, que es mejor.
¡Tras ellos, voy, brigadier,
con rapidez de ciclón!

DON MARCIAL

¡Ve con Dios!...

DON ELÍAS

¡Hasta más ver!...

DON JUSTO

(Con un gesto de resignación para sus ideas.)

¡De algo había de valer
tanta civilización!

TELÓN

FIN DEL PRIMER ACTO[86]

---

[86] Esta apostilla no está en *O. C.*

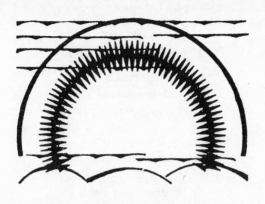

ACTO SEGUNDO

CUADRO PRIMERO

Pabellón de caza en una finca que posee GERMÁN en las afueras de Madrid, yendo hacia Carabanchel, a la derecha, junto a unos olivos. Puerta de entrada en el foro izquierda. Otra puerta más pequeña en la derecha. Forillos de pasillos en las dos puertas. Muebles de una elegancia rústica. En las paredes, trofeos de caza. Es de madrugada.

(Al levantarse el telón, en escena ANGELINA, GERMÁN *y* UN CRIADO. *La situación no puede ser más lamentable:* ANGELINA, *en un sillón, llora perdidamente, con grandes sollozos y estremecimientos, como víctima de una crisis nerviosa.* GERMÁN, *a su lado e inclinado hacia ella, intenta calmarla. Un* CRIADO, *de pie, retirado a dos pasos del grupo, tiene en las manos una taza y un plato. Los dos hombres están consternados.)*
(Empieza la acción.)

GERMÁN
Vamos, cálmate, nenita...
Dime qué quieres y voy
a buscártelo, Angelina.

ANGELINA
¡Ay, qué desgraciada soy!

GERMÁN
(Mimosamente.)
¿Qué tienes? Dímelo tú.

UN CRIADO
(Aparte hablando consigo mismo.)
(¡Ha cogido una llantina
de las de pé pé y doble u!...)

GERMÁN
(Acariciándola.)
¿Qué te sucede? ¿Qué añoras?
Piensa que así me das pruebas
de desdén abrumadoras,
y ¡piensa también que llevas
llorando justas seis horas!
¿Qué tienes, di?

ANGELINA
(Zafándose.)
¡Déjame! [87]

GERMÁN
¿Qué quieres?

ANGELINA
¡Quiero llorar!

UN CRIADO
(Avanzando un paso, a ANGELINA, *muy amablemente.)*
¿Por qué no se toma usted
esta tila con azahar?...

---

[87] Recuérdese lo dicho en nota 36.

ANGELINA
¡Quite de ahí!... ¡¡No quiero tila!!

(Le da un manotazo y tira la taza a tres metros, rompiéndola.)

UN CRIADO
(Aparte, asombrado.)

(¡Me la ha mandado a Manila!
¡Qué manera de accionar!)

(Busca la taza, coge los pedazos y los guarda con destino al Museo Romántico.)

GERMÁN
(Insistiendo con ANGELINA.*)*

¿Qué tienes?

ANGELINA
Que estoy nerviosa.

GERMÁN
¿Nerviosa?...

ANGELINA
Sí... e intranquila.

GERMÁN
¿Y qué quieres?

ANGELINA
Quiero tila.
con azahar...

UN CRIADO
(Aparte, asombrado.)

(¡Anda la osa!)

GERMÁN
Ya lo oyes, Luis.

UN CRIADO
Lo he escuchado.
Voy por más tila...

GERMÁN
¡Y ligero!

UN CRIADO
(¡Menos mal que he hecho un puchero,
que si no, estaba arreglado!)

(Se va por el primero derecha.)

GERMÁN
No sé a qué viene ese llanto. [88]

ANGELINA
Me acuerdo de mi papá.
¡Nunca me perdonará
lo que hemos hecho, Dios santo! [89]

GERMÁN
¿Y por eso le has tirado [90]
la taza de tila a Luis?
Me tienes ya consternado...

ANGELINA
¡Y tú a mí me has engañado
hablándome de París!

---

[88] Este parlamento no existe en *A*.
[89] Id.
[90] "Pero ¿por qué le has tirado", en *A*. Previamente, en *A*, esta
acotación: Dulcemente aún, pero empezando a perder la paciencia.

GERMÁN

¿Y no viajamos hacia él?

ANGELINA

(Irritada.)

¡Nunca he visto más cinismo!...
¿Es que para ti es lo mismo
París que Carabanchel?

GERMÁN

Sabes que hacia París vamos:
si en Carabanchel quedamos,
en mi finca, vida mía,
es para esperar el día
y tomar el tren... ¿Estamos?
¿Te quedas conforme?

ANGELINA

(Levantándose.)

¡No!

GERMÁN

(Apurando su resistencia.)

Chiquilla... Compréndelo... [91]
¿O es que quieres que vayamos
a París en el landó?

ANGELINA

De jóvenes, mis papás
viajaban en diligencia...

GERMÁN

Porque ellos tenían más
decisión y más paciencia.
¿Pero cómo hacerlo ahora.
que se viaja velozmente
en un tren que hasta hace veinte
kilómetros a la hora?

ANGELINA
¿Es verdad?

GERMÁN

¡Pues ya lo creo!,
criatura, que es verdad!
¡Y tanta velocidad
produce más de un mareo!

ANGELINA
¿Produce mareos?

GERMÁN

Miles.
Realmente entre los inventos
es uno de los más cruentos
el de los ferros-carriles.

<hr>

[91] Véase nota 76.

ANGELINA

Pues si se fija uno bien
lo que a mí me ocurre es peor...

GERMÁN

¿Peor que viajar en tren?

ANGELINA

¡Peor! Pues busqué un edén
en tu mentir seductor
y ahora veo que mi amor
era mentira también!
¡Yo [92] es a Rodolfo a quien amo!
¡Siempre amaré a mi poeta!

(Próxima a llorar otra vez.)

¿Por qué he sido tan veleta
y he corrido como un gamo
detrás de ti?...

GERMÁN

(Aparte, irritado.)

¡Gran coqueta!...

ANGELINA

En esta aventura necia
todo lo he comprometido
y todo, ¡ay!, lo habré perdido,
porque la gente desprecia
a quien fue hasta ayer Lucrecia [93]
y ya hoy Mesalina [94] ha sido.

---

[92] "yo", en *A*.

[93] Dama romana, esposa de Colatino, que se suicidó, después de haber sido violada por Sexto Tarquino, para no sobrevivir a su deshonra.

[94] Valeria Mesalina, tercera esposa de Claudio, que llevó una vida de desenfreno capaz de escandalizar a toda Roma.

GERMÁN
(Despectivo.)

La causa de tus enojos
exageras, Angelina;
no tienes de Mesalina
más que el blanco de los ojos.
No seas cursi...

ANGELINA
(Da un respiro al oírle y se enfurece.)
¿Cursi me llamas?

GERMÁN
(Perdida ya la paciencia por completo.)
Sí, hija; sí. Cursi te llamo.

ANGELINA
(Retrocediendo dos pasos, con doloroso asombro.)
¡Me desprecias! ¡Me difamas!

GERMÁN

No, señor; no te difamo.
Quizá te difamaría
por cursi si no lo fueras,
mas, como lo eres de veras
y en enorme proporción,
te concedo, vida mía,
que haya en mí descortesía,
¡pero no difamación!

ANGELINA
(Decididamente: fríamente.)

Como tú comprenderás,
después de lo que has hablado
entre ambos todo ha acabado
desde hoy por siempre jamás.

(Una pausa.)
¿No contestas? ¿Qué te pasa?

GERMÁN
(Más frío aún.)

Que al lanzarte mi improperio
fue en serio, no es misterio...

ANGELINA

Pues yo igual te lo digo en serio
que me vuelvas a mi casa.
¿Vas a hacerlo?

GERMÁN
(Decidido del todo a renunciar a ANGELINA..*)*

¡Hecho está ya!
De acuerdo ambos nos hallamos...

ANGELINA
Entonces, ¿vamos?

GERMÁN
Sí vamos.
Pasa primero.

*(Avanzan hacia la puerta del foro izquierda y cuando van
a llegar, la puerta se abre empujada fuera.)*

DON MARCIAL
(Apareciendo, dignísimo, en la puerta.)

¡¡Alto allá!!

GERMÁN
(Retrocediendo desconcertado.)

¡El brigadier!

ANGELINA
(Con terror.)

¡Mi papá!

DON MARCIAL

(Dirigiéndose a alguien que se halla dentro todavía.)

Vengan, que a tiempo llegamos.

(En la puerta aparecen DON JUSTO, DON ELÍAS *y* FE-
DERICO.*)*

Entren señores...

DON JUSTO

Ya entramos.

(Entran los tres definitivamente.)

DON MARCIAL

¿Y Rodolfo?

DON JUSTO

Ahí fuera está.

DON MARCIAL

¿Y por qué ahí fuera se queda?

DON JUSTO

Está arreglando una rueda
del velocípedo.

DON MARCIAL

Ya.

DON ELÍAS

Ahora en seguida entrará.

DON MARCIAL

Que lo haga en cuanto pueda; [95]
dígaselo.

---

[95] "Que lo haga en cuanto que pueda", en *A* y *D*. La solución *O. C.*
evita la cacofonía no buscada y no modifica el cómputo silábico, por
cuanto la sinalefa *lo + haga* era forzada.

DON ELÍAS
Se dirá.
(Se va por el foro izquierda nuevamente.)

DON MARCIAL
(A GERMÁN y ANGELINA.)
Rodolfo antes os siguió
cuando ambos os escapabais:
nos advirtió dónde estabais
y henos aquí...

ANGELINA
(Avanzado un paso tímidamente hacia DON MARCIAL.)
Papá, yo...

DON MARCIAL
(Conteniéndola con un ademán inexorable.)
¡Calla! ¡Tú, ni una palabra!

ANGELINA
Pero...

DON MARCIAL
Ya hablarás más tarde.
(Mirándola de arriba abajo.)
Quien con impúdico alarde
su propia deshonra labra,
¡cállese ahora!

(ANGELINA inclina la cabeza y se retira a la derecha.)

UN CRIADO
(Que al ruido de las voces ha entrado por la derecha con otra taza de tila. Aparte.)

(¡Esto está que arde!)

(Por el foro entra DON ELÍAS, trayendo de la mano a RODOLFO, que se resiste a entrar.)

RODOLFO

¡Suelte, que no quiero verla!
¡Yo sólo ansío la muerte!...

DON MARCIAL
(Dándole ánimos.)

Pollo, debes de ser fuerte...

RODOLFO

Más bien debo aborrecerla...
¡Maldita sea mi suerte!

(Se limpia una lágrima.)

ANGELINA
(Sin poder contenerse y yendo hacia él.)

¡Rodolfo! ¡Dios es testigo
de que aún te amo!

RODOLFO

¡¡Calla, infame!!

ANGELINA
(Llorosa.)

¿Me odias?

RODOLFO

¿Quieres que te aclame
con lo que has hecho conmigo?

GERMÁN

Brigadier: escúcheme... [96]

---

[96] Recuérdese nota 76.

DON MARCIAL
(Interrumpiéndole.)

Si en su honor puedo fiar,
no pretenda usted hablar
hasta que Angelina esté
fuera de aquí. ¿Tiene usté
quien la pueda acompañar?

GERMÁN
(Señalando al CRIADO.*)*

Mi criado. [97] ¿Sirve?

DON MARCIAL
Sí.

GERMÁN
(Dirigiéndose al CRIADO.*)*

El señor te necesita.
Vete con la señorita
y llévala a casa.

DON MARCIAL
(Satisfecho,)
¡Así!

*(*EL CRIADO *va hacia la puerta del foro izquierda y
aguarda para ceder el paso a* ANGELINA.*)*

ANGELINA
(Avanzando de nuevo hacia DON MARCIAL.*)*

¡Adiós, padre! Yo le juro...

DON MARCIAL
¡No debes jurarme nada!

---

[97] También aquí se rompe bruscamente el diptongo *cri-ado*.

ANGELINA
¡Si viera lo desgraciada
que soy!

DON MARCIAL
Ya me lo figuro;
márchate sin más disculpa...

*(*ANGELINA *se va llorando, seguida del* CRIADO, *por el foro izquierda...)*

GERMÁN
Ella no tiene la culpa.
Vino hasta aquí fascinada
en un cuarto de hora loco...
Yo solo soy el culpable.

DON MARCIAL
(Que hasta este momento ha estado conteniendo su rabia, a GERMÁN, *comiéndoselo con los ojos.)*

¡¡En cuanto a usted, miserable,
su muerte se me hace poco!!

(Va hacia él como una fiera.)

GERMÁN
¡Don Marcial!

DON JUSTO
(Sujetándole.)

¡Calma, por Dios!

DON MARCIAL
¡Se me ha acabado la calma!
¡¡Le voy a partir el alma!!
¡¡Voy a partírsela en dos!!

*(*DON ELÍAS *y* DON JUSTO *le sujetan.* FEDERICO *pasa junto a* GERMÁN. RODOLFO *queda al lado de* DON JUSTO *y* DON ELÍAS *y les habla en voz baja.)*

RODOLFO

¡Así, así! ¡Ahora le zumba!...
No le sujete, don Justo.
¡Don Marcial es muy robusto
y como le dé lo tumba!

GERMÁN

(*A* DON MARCIAL.)

Le ruego que no se aflija;
yo le juro por mi nombre
que no he tocado a su hija
ni por asomo...

DON MARCIAL

¡Mal hombre!
¡Cobarde! ¡Rufián!

GERMÁN

(*Esforzándose por conservar la serenidad.*)

No intente
seguir lo que está diciendo...
¡Piense que se halla ofendiendo
a un hombre que es inocente! [98]

RODOLFO

¡Hace falta cara dura!

DON MARCIAL

(*Vibrante.*)

No creo en su juramento:
¡la voz de usted cuando jura
la lleva al infierno el viento!

---

[98] "a un hombre, que es inocente", en *A*, estructura incorrecta.

RODOLFO

(¡Huy, lo que le ha dicho!...)

GERMÁN

¡No!
No niego que huí con ella.
Mas digo que es tan doncella
como cuando ella aquí entró.

DON MARCIAL

¡No mientas, canalla! ¡¡Toma!!

(Le sacude una bofetada a GERMÁN, *zafándose de los que
le sujetan.)*

RODOLFO

(¡Qué tortazo!)

GERMÁN

(Dominándose.)

¡Don Marcial!
Esto que hace usté está mal.

(Ligera pausa.)

Yo no le hablaba a usté en broma.
No existe tal deshonor;
míreme, pues, sin inquina:
y ya que hay aquí un doctor.

     (Señala a DON ELÍAS.*)*

Yo creo que es lo mejor
que él reconozca a Angelina.

DON MARCIAL
(Fuera de sí, en pleno paroxismo.)

    ¿Qué es lo que dices, bandido?
¿Eso es lo que has aprendido
en tus viajes por Europa?
¡¡A mi hija, pervertido,
no hay quien le toque la ropa!!
Y en la cuestión aludida
has de saber, hombre vil,
que ya al venir a la vida
fue por mí reconocida [99]
en el Registro civil. [100]

GERMÁN
Don Marcial...

DON MARCIAL
¡Toma, malvado!
(Le da otra bofetada espantosa.)

RODOLFO
(¡Y ya van dos!)

GERMÁN
(Harto, furioso súbitamente.)
    ¡Ea, basta!
¡Vive Dios! Ya me he cansado.

---

[99] Claro caso de dilogía, al usar el verbo *reconocer* en dos de sus acepciones.
[100] "Civil", en *A*.

DON MARCIAL
¿Cómo?

GERMÁN
Un hombre de mi casta
no tolera más ultrajes:
¡me ha tirado usted dos viajes
que casi me han atontado!
Y he tolerado el primero
a pesar de lo rotundo,
porque estaba usté iracundo
por lo sucedido, pero...
¡pero lo que es el segundo,
ese no se lo tolero!

FEDERICO
(Conteniéndole.)
Germán...

GERMÁN
(Furioso, decidido a todo.)
¡Si aguanté el resuello,
ya no me lo aguanto más,
ni pienso quedarme atrás,
porque es usted un camello!

DON MARCIAL
¿Yo un camello, dice? [101]

GERMÁN
¡¡Dos!!
¡Dos camellos es lo que es!

DON MARCIAL
¿Yo dos camellos? [102]

[101] "¿Yo, un camello?", en *A*.
[102] "¿Yo, dos camellos?", en *A*.

GERMÁN

No. ¡¡¡Tres!!!
¡¡El uno del otro en pos!!

DON MARCIAL

¡No será esa injuria vana!
¿Tres camellos? ¡Voto a tal!

GERMÁN

¡¡Es usté una caravana,
mi querido don Marcial!!
Y para añadirle acción
a mi insulto, brigadier,
le voy a usté a hacer morder
el polvo de un pescozón!

DON MARCIAL

¡Si me toca, el desafío
será, luego, inevitable!

GERMÁN

¡¡Pues prepare usté su sable,
que le voy a dar lo mío!!

(Le sacude un morrón horrible a DON MARCIAL.*)*

RODOLFO

¡Le atizó!

DON JUSTO

¡Como ha de ser! [103]

DON ELÍAS

También él es un valiente...

---

[103] "¡Cómo ha de ser!", en *A*, que no parece correcto.

DON MARCIAL
(Irguiéndose solemne, pasado el atontamiento producido por el cachete.)

¡Hoy mismo, al amanecer,
nos veremos frente a frente!

GERMÁN
(Inclinándose no menos digno.)

¡Cuando guste, brigadier!

OSCURO

CUADRO SEGUNDO

La plaza de la Cibeles en 1880; telón corto, en las
primeras cajas.

*(Al levantarse el telón, la escena sola, y así permanece un
breve rato. Está amaneciendo. Suenan ruidos diversos. El
tañido de unas campanas primero, tocando a misa de alba.
Luego, las esquilas de un rebaño de burras de leche; se
oyen trazallos y ruidos de colleras de un tranvía de mulas.
Más tarde, la voz de un vendedor de periódicos.)*

VENDEDOR

¡"La Iberia"! [104] ¡Con el escándalo en el Congreso y el
discurso del general Martínez Campos! [105] ¡"La Iberia"!
(Una pausa y por la izquierda entra RODOLFO, *el cual
lleva una caja de madera debajo del brazo y se dirige a la
derecha. Va muy contento tarareando la habanera del
primer acto.)*

---

[104] Véase nota 29.
[105] Arsenio Martínez Campos, general y político español (1831-1900)
que se distinguió en la campaña de Cuba (1876-1879). De nuevo en
España obtuvo la Presidencia del Gobierno y el Ministerio de la Guerra.
Su declaración de que si de él dependiera decretaría en el acto la libertad
de los negros puede ser la anécdota que refleja el diario citado.

RODOLFO

"Un rubio en sus ojos
de azul como el cielo"...

(Por la izquierda, rápidamente, entra MARCELA, *la cual
adelanta a* RODOLFO *y le detiene.)*

MARCELA

¡Rodolfo! ¡Rodolfo!

RODOLFO

¿Qué?

MARCELA

Algo horrible me presiento...
¿Adónde vas tan contento
con esa caja?

RODOLFO

No sé.

MARCELA

¿Qué no sabes?

RODOLFO

No, señora.
Iba por ahí, de paseo...

MARCELA

¿De paseo y a esta hora?
No mientas, porque preveo
todo lo que ha sucedido;
te marchaste y has venido
por esa caja maldita
porque de ella necesita
para un duelo mi marido.

(DOÑA CALIXTA entra por la izquierda.)

DOÑA CALIXTA
Te he visto hacia aquí correr...

MARCELA
¡¡Calixta!!

RODOLFO
¡Dios nos asista! [106]

DOÑA CALIXTA
¿Qué estás diciendo, mujer?
¿Vas a batirse el brigadier?

MARCELA
Sí, va a batirse, [107] Calixta.
Por eso ha vuelto el muchacho...
Vino a buscar las pistolas.

(Señala la caja.)

RODOLFO
No haga caso, que son trolas.

---

[106] Otro caso de rima interna, que suele efectuarse con frecuencia.
[107] No puede desecharse la posibilidad del calambur *va a batirse*, que originaría el término *baba*, para significar el miedo de Marcela.

DOÑA CALIXTA
Déjame ver, mamarracho.

(Mira al interior de la caja y deja escapar un grito de miedo.) [108]

MARCELA
¿Y dónde se baten, [109] di?

RODOLFO
Se baten en la Almudena.

MARCELA
¡En la Almudena!

RODOLFO
¿Le suena?

DOÑA CALIXTA
¿En el cementerio?

RODOLFO
Sí.
Y además, es natural
que allí se den para el pelo
porque el fin de todo duelo
está en la Sacramental.

MARCELA
¡Jesús!

RODOLFO
La idea es preciosa:
se baten en la Almudena
al pie mismo de una fosa:

---

[108] "Mira al interior de la caja", en *A*.
[109] "bate, en *O. C.*, por errata.

se enfrentan, un tiro suena,
cae uno, el foso se llena
con cascote, ¡y a otra cosa!

MARCELA

¡Dios mío!

DOÑA CALIXTA

¡Qué sangre fría!

MARCELA

(Me lo va a matar Marcial...)

RODOLFO

Y me voy, que ya es de día
y me gusta ser puntual...

(Se va por la derecha.)

MARCELA

¡Ay, Calixta! Yo me privo...

DOÑA CALIXTA

Pero, mujer...

MARCELA

¡Yo me muero!
¡Caerá él! ¡No vendrá vivo!
Marcial tira muy certero...

DOÑA CALIXTA

Criatura, pues mejor...

MARCELA

¿Cómo?

DOÑA CALIXTA
Que si tu Marcial
es el mejor tirador,
Marcial será el vencedor
y el vencido su rival...

MARCELA
¡Calla, Calixta!

DOÑA CALIXTA
Mujer...

MARCELA
(Aparte.)
(Si sigo hablando me vendo...)

DOÑA CALIXTA
¿No es tu esposo el brigadier?
Entonces, ¿qué estás temiendo?
La verdad que no te entiendo.

MARCELA
No me puedes entender.
(Dentro suena la voz de ANGELINA.*)*

ANGELINA
¡Mamáa! [110]

MARCELA
¿No oyes?

DOÑA CALIXTA
Sí. ¿Quién grita?

---

[110] "¡Mamá!", en *O. C.,* con lo que no se respeta la indicación de tono que propone Jardiel al duplicar la vocal final.

MARCELA
Es Angelina...

ANGELINA
(Entrando por la derecha con el CRIADO *de* GERMÁN *y abrazándose a* MARCELA.*)*
¡Mamita!
Perdóneme esta locura...

(El CRIADO *hace mutis.)*

MARCELA
¿Quién habla ahora de perdón?
¿Es que ignoras, criatura,
nuestra horrible situación?
Dentro de un rato se bate
con Germán tu padre...

ANGELINA
¿Sí...?
Ya no es nada para mí...
Déjelo...

MARCELA
¡Qué disparate!
Tu conciencia desvaría:
sin duda que no has pensado
en tu padre...

ANGELINA
No hay cuidado...
por papá; su puntería,
que ha verificado tanto,
le hará ganar la porfía.

MARCELA
Pero, ¿y el otro, Dios Santo?

DOÑA CALIXTA
¿El otro?

MARCELA
Mi alma reclama
ver el duelo...

DOÑA CALIXTA
(Aparte.)

(Está muy terca
y su terquedad me escama.)

MARCELA
¡Quiero ir! ¡Verlo de cerca!
¡Quiero verlo, a poder ser,
tan cerca como está ésta! [111]

(Por ANGELINA.*)*

DOÑA CALIXTA
Pues di que lo quieres ver
desde butaca de orquesta.

MARCELA
¡Hay que salvar a Germán!

DOÑA CALIXTA
(Aparte.)

(¿A Germán?)

MARCELA
(Boca, te pido
que no descubras mi afán...)

---

[111] "está esta", en *A*. Es un alarde lingüístico de Jardiel.

ANGELINA
(Aparte, a CALIXTA.*)*

El dolor la ha enloquecido.

DOÑA CALIXTA
(No tiene ella mal dolor...)

ANGELINA
¡Madre! ¡Iremos!

MARCELA
¡Cuánto vales!

ANGELINA
Voy a buscarles los chales.

(Se va por la izquierda.)

MARCELA
(Viéndola irse, admirada.)

Es un ángel de candor.

DOÑA CALIXTA
(En el mutis, encarándose con MARCELA *gravemente y con aire de superioridad comprensiva.)*

No me digas lo ocurrido,
Marcela, que ya lo sé.
le has tomado el bisoñé. [112]
al brigadier...

MARCELA
(Próxima a llorar.)

Eso ha sido.

[112] La sinécdoque por *tomar el pelo* recuerda lo dicho en nota 59.

(Refugiándose en los brazos de DOÑA CALIXTA, *avergon-*
zada.)

¡¡Qué infame soy!!

DOÑA CALIXTA
(Con acento ligero.)

No exageres.
Eso nos ha sucedido
a muchísimas mujeres...

MARCELA
(Estupefacta.)

¿También has sido tú infiel?

DOÑA CALIXTA
(Ufanándose de su suerte.)

Con dos me he dado ese gusto,
pues se la he pegado a Justo,
y hace años... al coronel.

(Se van por la izquierda con sendos grititos de escánda-
lo.)

OSCURO

CUADRO TERCERO

Jardín a todo foro, que se supone ser el del cementerio de la Almudena. Sin embargo, no hay ningún signo exterior que lo indique. En la derecha, primero, segundo y tercer términos, senderos bordeados de cipreses que se pierden en los laterales y a la izquierda, otras tres salidas de jardín. Ocupando el foro se alza la tapia que cierra el cementerio, la cual se pierde también a derecha e izquierda. Al pie del muro se alzan dos bancos de piedra gris. La acción, minutos después de acabar el cuadro anterior. Ha amanecido del todo y al final del cuadro brilla un sol magnífico.

(Al levantarse el telón, la escena sola. Hay un instante de pausa y en seguida, detrás de la tapia, suenan las voces de DON JUSTO *y de* DON ELÍAS.*)*

DON JUSTO
(Dentro.)
¡Por aquí!

DON ELÍAS
(Dentro.)
¿Usted cree?

DON JUSTO
(Dentro.)

Sí.
Del recinto en derredor,
le digo que por aquí
es por donde está mejor.

DON ELÍAS
(Dentro.)

Entonces, ¿subimos?

DON JUSTO
(Dentro.) [113]

¡Claro!
Apoye aquí abajo el pie
y suba en mí... ¡Súbase!... [114]
¡Píseme usted sin reparo!

DON ELÍAS
(Dentro.)

¿No le hago daño?

DON JUSTO
(Dentro.)

No, nada.

(Por encima de la tapia asoma DON ELÍAS, *congestionado por el esfuerzo.)*

DON ELÍAS
¡Ya estoy arriba, y me asombra!...

*(*DON ELÍAS *se pone a horcajadas en la tapia y tira de* DON JUSTO, *que aparece también en lo alto de la pared.)*

---

[113] No existe en *O. C.,* por error tipográfico.
[114] Recuérdese nota 76.

DON JUSTO
Caramba, qué mala sombra,
que esté la puerta cerrada.

(Bajan al suelo por el banco.)

DON ELÍAS
¡Vaya que sí!

DON JUSTO
(Ligeramente abochornado de lo que está ocurriendo.)
En realidad,
entrar en un cementerio
por la tapia, es poco serio,
don Elías.

DON ELÍAS
Es verdad.

DON JUSTO
¿Por qué han cerrado el portón?

DON ELÍAS
Porque aquí, de madrugada,
no viene nadie a hacer nada...

DON JUSTO
En eso lleva razón.

DON ELÍAS
(Sacudiéndose el polvo de la levita.)
¡Sí que ha sido una ocurrencia!

DON JUSTO
Nunca me vi en estos trances,
y eso que yo, en mi experiencia,
he asistido a bien de lances...

DON ELÍAS

Nada, don Justo, ¡paciencia!

DON JUSTO

Sí. Paciencia y barajar...

(Contempla la escena.)

El sitio es bueno...

DON ELÍAS

Muy cierto.

DON JUSTO

Terreno grande y desierto...
Distancias para apuntar...
Paz, tranquilidad y calma...
y a dos mil metros, ni un alma...

(Se oye dentro, hacia la izquierda, a alguien que canta el raconto de barítono de "La Tempestad".) [115]

DON ELÍAS

(Extrañado.)

¿Oye usted?

DON JUSTO

Es singular...
¿Quién será?

DON ELÍAS

Algún carretero
que pasa por el sendero,
camino de su lugar.

(Dentro, hacia la derecha, se percibe un canto litúrgico.)

---

[115] Puede tratarse de *La tempestad,* del maestro Chapí. La obra data, sin embargo, de 1882.

DON JUSTO

¿Y eso?

(Una pausa.)

Que ese otro cantar
no es de carretero infiero...

DON ELÍAS

Ese ya me huele a clero,
o castrense o secular.

DON JUSTO

Pues la causa no comprendo.

DON ELÍAS

Sin embargo, es bien sencilla.

(Señalando dentro, en dirección al segundo derecha.)

¿No está viendo la capilla?
Dentro habrá un cura...

DON JUSTO

Ya entiendo.
Y hemos hecho un disparate
viniendo aquí. Como note
el sacerdote el combate,
nos lo chafa el sacerdote.

DON ELÍAS

(Alzándose de hombros.)

No hay cuidado de que trate
de chafarlo. ¡Qué dislate!
Del amanecer al brote
está todo sacerdote
o afeitándose el bigote
o tomando chocolate. [116]

---

[116] Jardiel encuentra un rico filón humorístico en el uso de la denominada *rima parcial consonántica*, que trabaja aquí en torno al fonema *t* en las variantes *ate/ote*.

DON JUSTO

En fin, lo hecho, hecho está ya. [117]

DON ELÍAS

Y después de hecho, ¿qué hacemos?

DON JUSTO

Volver otra vez allá.

(Señala la tapia.)

y ver si vienen...

DON ELÍAS

Miremos.
(Se sube al banco y mira por encima de la tapia.)

¡Qué cielo tan despejado!

DON JUSTO

¿Qué ve usted?

DON ELÍAS

(Mirando hacia la izquierda.)

Por esta banda
veo a un hombre con bufanda. [118]
Y ahora, por este otro lado,

(Mirando hacia la derecha.)

veo... ¡Vienen! ¡Aquí están!

DON JUSTO

¿Vienen?

---

[117] Creo que nuevamente utiliza el calambur al proponer *está + ya*, cuando podía haber evitado el adverbio. Puede así interpretarse: *lo hecho, hecho estalla.*

[118] La bufanda extrañaría si tenemos en cuenta que la acción se produce a finales de junio. Es un medio para embozarse y evitar así ser reconocido.

DON ELÍAS

Ahí llega Germán,
en unión de Federico.
¡Qué cara trae! ¡Pobre chico!

DON JUSTO

Tendrá miedo el muy truhán...

DON ELÍAS

(Gritando hacia la derecha.)

¡¡Eh!! ¡No vayan por la puerta!

FEDERICO

(Dentro.)

¿Qué ocurre?

DON ELÍAS

*(Hablando, por encima de la tapia, con los que están al
otro lado.)*

¡Hagan la merced
de saltarse la pared,
que la puerta no está abierta!
Hemos sido los primeros
en llegar don Justo y yo.
Suba usted... Ayúdelo... [119]

*(Se inclina para ayudar a subir a GERMÁN y a FEDERI-
CO. DON JUSTO, subiéndose también, encima del banco, les
tiende la mano.)*

DON JUSTO

Vengan...

(Entristecido.)

¡Que unos caballeros
tengan que entrar de este modo!
Esto es propio solamente
de gente de esa indecente

[119] Recuérdese nota 76.

que usa gorra y tiene apodo.
En fin... ¡qué se le va a hacer!

(GERMÁN y FEDERICO *saltan la tapia.* GERMÁN *trae una
caja igual a la que llevaba* RODOLFO *en el cuadro anterior,
y* FEDERICO *un cabás-botiquín.* [120] GERMÁN *lleva al brazo
una levita negra.)*

GERMÁN
(A DON JUSTO.*)*

¿Ha llegado el brigadier?

(Le da la caja a DON ELÍAS.*)*

DON JUSTO

Ya no debe de tardar;
fue al Casino Militar
a buscar una levita
para el acontecimiento
y a redactar testamento.

GERMÁN
(Lúgubremente.)

¡Bien poco lo necesita!

DON JUSTO

¿Qué dice usted?

GERMÁN

Digo que
él es un gran tirador,
como ya lo sabe usté,
y que estaría mejor
que testase yo...

DON JUSTO

¿Por qué?
¿Piensa morir?

[120] Maletín con elementos de primeros auxilios.

GERMÁN
(*Mirando al suelo.*)

Sí, señor.

DON JUSTO

No crea esto. Tenga fe.

GERMÁN
(*Alzándose de hombros.*)

¡Bah! No piense que me importa:
la desilusión me embarga
y es mi vida tan amarga
que ayer la quería larga
y hoy, ya, la prefiero corta.

DON JUSTO

¿Qué habla de desilusión?

GERMÁN

Lo que usted oye, don Justo:
son cosas del corazón...

DON JUSTO

¿Se refiere usted [121] al disgusto
de anoche?

GERMÁN

Sí.

DON JUSTO
(*Sin poderse contener.*)

¡Qué melón!

GERMÁN
(*Arrugando el ceño.*)

¿Que [122] "qué melón" me decía?

[121] "usté", en *A*, que resulta ya familiar.
[122] "Qué", en *O. C.*, que parece incorrecto.

DON JUSTO
(Recogiendo velas.)
Quise decir "¡qué melán!"

GERMÁN
(Extrañado.)

DON JUSTO
(Arreglándolo como puede.)
Que... ¿qué melancolía [123]
es la que sufría,
queridísimo Germán?

GERMÁN
(Tranquilizándose.)

Pues, esa: el que, al existir
sólo para una mujer
y dejarla de querer,
ya no me importa morir
a manos del brigadier.

DON JUSTO
(Llevándoselo aparte. Confidencial.)

No sea usted pesimista,
Marcial ha perdido vista
y en tirar bajó de clase.
¡Pobre de usted si él tirase
como en la guerra carlista!
Dicen que allí le hizo un roto
a Maroto en plena cara,
que a poco chafa a Maroto
el abrazo de Vergara. [124]
Pero, por lo que discurro,
tuvo una nube en un ojo

[123] No es frecuente este tipo de encabalgamiento que A. Quilis
denomina "léxico", producido cuando la pausa versal divide una
palabra. *Métrica española,* Barcelona, Ariel, 1984, p. 82.
[124] El "abrazo de Vergara" significó el fin de las hostilidades en la
primera guerra carlista. Con él sellaron la paz Espartero y Maroto.

y ahora de vista anda flojo
y no ve tres en un burro.
No debía decirle esto,
por ser de Marcial padrino;
pero ¡si tiene usted tino,
se lo meterá en el cesto!

(Mientras ellos hablan, FEDERICO *y* DON ELÍAS *se han ocupado de abrir el botiquín, extendiendo en uno de los bancos todos los frasquitos y chismes que aquél contenía.)*

DON ELÍAS

(A FEDERICO.*)*
Olvidé darle las gracias
por traerme el botiquín.

FEDERICO

De nada... ¿Cree usted que al fin
del encuentro habrá desgracias?

DON ELÍAS

(Dubitativo.)

Pues la verdad; no me fío,
porque yo tengo la suerte,
que no he visto un desafío
donde no hubiera una muerte.

FEDERICO

(Alarmado.)

Doctor: me pone usté en vilo
diciendo eso...

DON ELÍAS

(Optimista.)

¡Vamos, vamos!
Anímese. Esté tranquilo.
¡Verá qué bien lo pasamos!
(Detrás de la tapia se oye el vozarrón de DON MARCIAL.*)*

DON MARCIAL

(Dentro.)
¡Don Justo...!

TODOS
¿Eh?

DON MARCIAL
(Dentro.)
¡¡Don Elías!!

DON JUSTO
¡El brigadier!

GERMÁN
Mi rival...

DON ELÍAS
(Subiéndose al banco y asomándose a la tapia nuevamente.)

¡Venga usted aquí, [125] don Marcial!
Suba usted por las estrías
de la tapia...

(Le tiende la mano y por la tapia asoma la cabeza del brigadier, el cual trae su correspondiente levita negra al brazo.)

[125] "usté", en *A*.

¡Colosal!
¿No lo ve usted como acierta?

DON MARCIAL
(Sonrojado.)

¡Que un hombre de mi prosapia
tenga que entrar por la tapia!

DON ELÍAS
Es que han cerrado la puerta.

DON MARCIAL
Sí, señor; ya lo he notado,
estimado don Elías.

(Baja por el banco. Saludando a todos, muy serio y muy digno.)

Caballeros: buenos días.

(A DON JUSTO.*)*

¿Quedó ya todo arreglado?

DON JUSTO
Falta que el doctor acabe
de hacer sus preparativos.

GERMÁN
(Aparte, a la derecha de la escena, pensativo.)

Ahora estamos los dos vivos,
dentro de un rato... ¡quién sabe!

DON MARCIAL
Pues fuerza es apresurarse...

*(*GERMÁN *se quita la americana y se pone la levita, ayudado por* FEDERICO.*)*

DON ELÍAS
Yo he concluido...

DON JUSTO
Es verdad.

DON ELÍAS
Pueden ustedes matarse
con toda tranquilidad.
(Despojándose de la guerrera y poniéndose la levita
también.)
¿Y las pistolas?

GERMÁN
Las mías
las di al doctor al entrar.

DON MARCIAL
Las pistolas, don Elías.

DON ELÍAS
(Señalando al banco.)

Aquí están.

DON JUSTO
¿Y el otro par?

DON MARCIAL
Rodolfo lo ha ido a buscar
a mi casa.

DON JUSTO
¡Fuera broma
que llegara [126] tarde!...

DON ELÍAS
(Siempre optimista.)

No.

[126] "llegará", en *O. C.*, que parece errata.

(Por la izquierda entra RODOLFO, *trayendo la otra caja y contentísimo.)*

RODOLFO

Hablando del ruin de Roma...
¡Señores, aquí estoy yo!

(Todos se asombran de verle dentro del cementerio sin haber tenido que saltar la tapia.)

DON JUSTO

Pero ¿por dónde has pasado?

DON MARCIAL

¿Por qué sitio?

RODOLFO
(Tranquilamente.)

Por la puerta.

DON MARCIAL
(Con estupor.)

¡Nosotros no hemos hallado,
·al venir, la puerta abierta!

RODOLFO

Pero, ¿la puerta del centro?

DON JUSTO

Sí.

RODOLFO

Lo que les ha pasado,
sin duda, es que han empujado,
queriendo abrirla, hacia dentro
y, al no hacerlo, han renunciado,
sin reflexionar siquiera

en que se abre para fuera,
que ha sido como yo he entrado.

*(DON MARCIAL, DON JUSTO y DON ELÍAS se quedan muy
fastidiados de la explicación.)*

DON MARCIAL
(Aparte a DON JUSTO.)

(¡Buen resbalón!)

DON JUSTO

(¡Qué planchazo!)

DON MARCIAL

(¡Y nos hemos arriesgado
a destrozarnos un brazo,
saltando por la pared!)

DON JUSTO
(A RODOLFO.)

Bueno, vengan las pistolas,
Rodolfito...

RODOLFO
(Dándole la caja que traía.)

Tenga usted.

DON JUSTO
Y ya estamos a solas...

RODOLFO
A solas, precisamente...

DON JUSTO
(Extrañado.)

¿Qué dices? ¿Hay por ahí gente?

RODOLFO

Al abrir yo, los cocheros
se han apresurado a entrar,
ansiosos de contemplar
un lance entre caballeros.

DON JUSTO
(Con alarma.)

¡Que no se acerquen aquí!

RODOLFO

No se apure, se lo he dicho,
y se han metido en un nicho
para verlo desde allí.

DON JUSTO
(Movilizándose.)

A ver... Los padrinos... ¡Vamos,
que ya es tarde! Acérquense.

(Rodean a DON JUSTO, DON ELÍAS, FEDERICO *y* RO-
DOLFO.*)*

Y ustedes dos quédense [127]
aparte mientras hablamos.

*(*MARCIAL *y* GERMÁN *quedan en las primeras cajas,
mirándose con odio.)*

DON MARCIAL
(Entre dientes.)

¡Miserable!

GERMÁN
(Ofendido.)

¡Vive Dios!

---

[127] La rima consonante *Acérquense: quédense* sólo es posible si
tenemos en cuenta una vez más la nota 36.

DON MARCIAL
(Insultándole ya francamente.)

¡Indecente!

GERMÁN
(Perdida ya la paciencia.)

¡¡Tío marrano!!

RODOLFO
(Dando la voz de alarma.)

¡Que se insultan esos dos
y se van a meter mano!

DON JUSTO
¡Pero Marcial!
(Van los cuatro hacia ellos.)

FEDERICO
¡Germán, quieto!...

DON JUSTO
Cálmese...

DON ELÍAS
(Hablando para sí.)

(Los dos son fieros...)

DON JUSTO
(Gravemente.)

¡Ea, que entre caballeros
debe de haber más respeto!...
Permítannos acabar
de prepararles el duelo,
y tiempo habrá, ¡vive el Cielo!,
de morir y de matar...

DON MARCIAL
Está bien.
(Vuelve la calma.)

DON JUSTO
A sortear
las dos pistolas. Recelo
que lo mejor será echar
alguna moneda al vuelo
¡¡Venga un duro!! [128]

(Nadie le hace caso.)

¡Venga un duro!
¡Señores! Démenlo ya...

(Silencio y escama.)

Vamos; que les aseguro
que se les devolverá.

RODOLFO
(Haciendo un esfuerzo, saca un duro del bolsillo.)

Tome el duro. ¡Pobrecito!

(Mirando el duro.)

¡Qué rizado tiene el pelo!
(Se lo da a DON JUSTO.)

Mire... que lo necesito.

DON JUSTO
¡Cara!

DON ELÍAS
¡Cruz!

(DON JUSTO tira el duro al aire.)

---

[128] Existían en 1880 acuñaciones de cinco pesetas de la época carlista, una de 1874, hecha en Oñate (Guipúzcoa), y otra de 1875, hecha en Bruselas.

DON JUSTO
¡Ahí va el durito!

(Una pausa. El duro no cae.)

DON ELÍAS
¿Dónde está?

RODOLFO
¡Ni ha caído al suelo!
(¿Qué granujas, Dios bendito!)

(Todos buscan el duro por la arena.)

FEDERICO
¿Y el duro?

DON JUSTO
(Sin darle importancia a lo ocurrido.)
No sé... Da igual.

DON ELÍAS
(Aparte, a RODOLFO, *que está mirando hacia arriba.)*
(¡No espere usted, que no baja!)

DON JUSTO
Se utilizará [129] la caja
de pistolas de Marcial,
y se sale del apuro
de ese modo.

RODOLFO
¡Muy bonito!
(A DON JUSTO.*)*
Pero, oiga usted, ¿y mi duro?

---

[129] "utiliza", en *O. C.,* por error.

DON JUSTO

¿Su duro? Eso ya ha prescrito.

(Le vuelve la espalda y se va hacia el foro.)

RODOLFO

(A DON ELÍAS, *tristemente.)*

Este don Justo no es justo.

DON ELÍAS

No es justo, pero es banquero,
y en cuanto que ve dinero
o se lo echa al monedero,
o se muere del digusto.

DON JUSTO

(Volviendo al proscenio.)

¡Vamos, señores!

*(*DON ELÍAS, RODOLFO *y* FEDERICO *se unen otra vez a*
DON JUSTO.*)*

Miremos
las distancias. Siete pasos
desde este centro, y no escasos.

(A FEDERICO.*)*

Cuente conmigo.

FEDERICO

Contemos.

*(Se colocan en el centro, de espaldas, y cuentan siete
pasos, andando hacia los laterales, por los que desapare-
cen.)*

RODOLFO

(A DON ELÍAS *refiriéndose a* DON JUSTO.*)*

Pues conmigo que no cuente
después de lo que ha pasado.

DON JUSTO
(Dentro, en la izquierda.)
¡Señale el sitio!

FEDERICO
(Dentro, en la derecha.)
¡Corriente!
Ya lo tengo señalado.
(Vuelven a entrar cada uno por su lado.)

DON JUSTO
¿Y las pistolas?

DON ELÍAS
(Que ha estado cargándolas.)
Ya están.
(Se las da.)

DON JUSTO
¿Cargadas?

DON ELÍAS
Lo puede ver.

DON JUSTO
(Cogiendo las pistolas y dando una a cada uno.)
Pues tome usted, brigadier.
Y ahí va la suya, Germán...
Vengan conmigo a saber
cuáles son las condiciones...
(Los coge del brazo y los lleva al centro.)
El duelo es a muerte.

DON MARCIAL y GERMÁN
¡A muerte!

DON JUSTO
(Solemnísimo.)

Y no alegarán razones
para hacerlo de otra suerte.
Desde el centro han de contar
siete pasos y avanzar
en opuestas direcciones,
y en el séptimo, parar:
girar sobre los talones
media vuelta y disparar.
Pónganse bien arrogantes,
tengan coraje y firmeza
y tírense a la cabeza,
que así se acaba mucho antes.

FEDERICO
(¡Qué bruto!)

RODOLFO
(Aparte, mirando con lástima a GERMÁN. *Muy contento.)*
(¡Germán, la diñas!)

DON JUSTO
(Siempre solemne.)

Disparen a un tiempo, cuando
yo les dé la voz de mando,
para que así no haya riñas.
Federico y el doctor
se irán los dos con Germán,

(A RODOLFO.*)*

y nuestros sitios están
en aquel sector.

(Señala a la izquierda. Adoptando un aire amistoso.)

Y me resta solamente,
para acabar mi misión,
invitarles gentilmente
a una reconciliación.

DON MARCIAL
(Fieramente.)

¿Reconciliarnos? ¡Yo, no!
Haría falta estar loco...

DON JUSTO
(Volviéndose a GERMÁN.*)*
¿Y usted tampoco?

GERMÁN
(Altivo.)
¿Quién? ¿Yo?
No, don Justo. Yo, tampoco.

DON JUSTO
(A DON MARCIAL.*)*
¿Mantiene sus bofetadas?

DON MARCIAL
¡Las mantengo y aumentadas,
así es que no insista en ello!

GERMÁN
Y a mí no me dé usted coba.

DON JUSTO
(A GERMÁN.*)*
¿Sostiene lo de "camello"?

GERMÁN
No quito ni una joroba.

RODOLFO
(Muy contento. Aparte.)
(¡La diña, la diña...!)

DON JUSTO

Bueno,
pues, entonces, ¡al avío!
¡Ánimo! ¡pulso sereno!
Y comience el desafío.

(Mirando al cielo, con ánimo de hacer unos cuantos
párrafos líricos.)

Siento en mis ojos el velo
espeso de la emoción
al ver que, a pesar del duelo,
ya en franca realización,
sigue estando azul el cielo,
verde el campo, gris la nube
y negro el humo, que sube
ondulante, hacia la altura,
allí, donde el sol está...

DON MARCIAL

(Impaciente.)

¡Bueno; comencemos ya
y menos literatura!
¡Vamos!

GERMÁN

¡Vamos!

FEDERICO

(Con admiración.)

(¡Qué valientes!)

DON JUSTO

Usted, aquí, don Marcial...

(Le[130] coloca.)

---

[130] "Se", en *O. C.* el leísmo es lo que ha originado, a buen seguro, la errata.

DON MARCIAL

Voy a ponerme los lentes.

(Se los pone.)

GERMÁN

(Aparte, esperanzado.)

(Pues es cierto que ve mal...)

DON JUSTO

(A GERMÁN.)

Y usted, aquí. Póngase
de espaldas, juntos los dos.

DON MARCIAL *y* GERMÁN *quedan colocados en el centro
de la escena, de espaldas uno al otro, el primero de cara a
la izquierda y el segundo cara a la derecha.)*

¡Y ustedes, aléjense! [131]

RODOLFO

Yo me voy, pero de un brinco.

(Se va por la izquierda.)

FEDERICO

Adelante.

DON ELÍAS

¡Vámonos! [132]

(Se van DON ELÍAS *y* FEDERICO *por la derecha.* DON
JUSTO *se va por la izquierda, y durante el mutis, andando
hacia atrás, va dando las voces de mando.)*

DON JUSTO

¡Uno! ¡Dos! ¡Tres! ¡Cuatro! ¡Cinco!

(Dentro.)

¡Seis! ¡Siete! ¡Fuego!!

[131] *Pónganse: aléjense.* Véase nota 127.
[132] *Vámonos: dos.* Véase nota 127.

(A cada número, DON MARCIAL *y* GERMÁN *avanzan un paso en dirección a sus respectivos laterales con la pistola en alto, hasta desaparecer cada uno por su lado. A la voz de ¡fuego! suenan dos tiros y se oye dentro una voz de hombre.)*

VOZ DE HOMBRE

¡¡Ay de mí!!

(Una pausa emocionante.)

FEDERICO

(Entrando angustiado.)

¿Quién ha sido?

DON ELÍAS

(Entrando.)

¿A quién le han dado?

GERMÁN

(Entrando también por la derecha.)

¡Dios mío! ¿Le habré acertado?

DON MARCIAL

(Entrando por la izquierda.)

¿Qué es lo que pasa? ¿Le di?

Al verse ilesos, DON MARCIAL *y* GERMÁN, *se quedan mutuamente asombrados.)*

GERMÁN

¿Eh?

DON MARCIAL

Pero... ¿a quién hemos matado? [133]

---

[133] Este verso resulta eneasilábico. A pesar de que *A* y *D* proponen idéntica lectura, creo que la forma verbal *hemos* debe ser *he,* con lo que el verso vuelve a ser octosílabo, sin perder en absoluto su valor original.

DON ELÍAS

¡Don Justo! ¡Rodolfo! ¡Aquí!

(Por la izquierda entra RODOLFO.*)*

RODOLFO

¡Caramba! ¡¡Tengan cuidado!!

DON ELÍAS

Se ha oído un ¡ay! lastimero...

RODOLFO

¡Claro! ¡¡Han matado a un cochero!!

GERMÁN

¿De veras?

RODOLFO

Como lo he dicho!
Acabo de comprobarlo;
mas, como tuvo el capricho
de colocarse en un nicho
ha muerto dentro del nicho
y ya no hay más que taparlo.
¡Puede el baile continuar!

*(*DON ELÍAS *carga de nuevo las pistolas. Por la izquierda, muy indignado, entra* DON JUSTO, *que trae en la mano su chistera, a la que le falta un pedazo de la copa.)*

DON JUSTO

¡Señores! ¡¡Hay que apuntar!!
¡Se me han llevado un pedazo
de chistera de un balazo!

RODOLFO

¡Caray! Pues tiran a dar...

(Furioso.)

DON JUSTO

¡Juro que en mi vida he visto
disparar de esta manera!
¡¡Si en vez de llevar chistera
llevo boina, [134] ya no existo!!

DON MARCIAL

Estamos los dos muy lejos;
fuerza es que nos acerquéis...

RODOLFO

(Contemplando con melancolía la chistera de DON JUS-
TO.*)*

Tenía siete reflejos
y ya sólo tiene seis...

DON JUSTO

(Descompuesto.)

Para evitar los rigores
a que el tiro compromete,
esta vez, en vez de siete,
cuento tres pasos, señores.

*(*RODOLFO, DON ELÍAS *y* FEDERICO *se echan las manos a
la cabeza.)*

DON MARCIAL

Conformes. Contemos tres. [135]

RODOLFO

Aquí peligra la ropa. [136]

---

[134] El encuentro de las sílabas *vo* + *bo* puede ser casual, pero pudiera
ser un autoinsulto, llamándose *bobo* don Justo, especialmente si tenemos
en cuenta que la realización fonética *lle* es próxima a la francesa *je*.
[135] "Conformes", en *A*.
[136] No existe este parlamento en *A*.

DON ELÍAS
Yo no bajo de la copa
de un árbol en medio mes. [137]

DON JUSTO
¿Listos? Pues, ahora, a acabar. [138]

DON MARCIAL
Ese es sólo mi deseo...

DON ELÍAS
Vámonos...

(Inicia el mutis con FEDERICO.*)*

RODOLFO
Voy a mirar,
por lo que pueda tronar,
si hay abierto un mausoleo,
donde meterme a esperar...

---

[137] Id.
[138] "Y ahora, a acabar", en *A.*

(Se va por la izquierda. DON ELÍAS y FEDERICO se van
por la derecha. DON JUSTO intenta escapar por la tapia y,
por fin, echa a correr por la izquierda, dando las voces de
mando.)

DON JUSTO
¡Uno! ¡Dos! ¡Tres! ¡¡Fuego!!

(Disparan y GERMÁN cae herido en el pecho.)

GERMÁN
¡¡Ay!!

DON MARCIAL
¡¡Le acerté!!

DON JUSTO
(Entrando por la izquierda.)
¡Válgame Dios!

DON ELÍAS
¿Quién ha sido de los dos?

DON JUSTO
Germán...

FEDERICO
(Por la derecha.)
Mi amigo...

DON ELÍAS
¡Caray!
Estamos de suerte. ¿A ver? [139]
¡Pues sí que estamos de suerte,
porque la herida es de muerte
en mi humilde parecer! [140]

---

[139] "Esto es grave... al parecer", en *A.*
[140] No existen estos tres últimos versos en *A.*

DON JUSTO
¿Lo cree usted así, doctor?

RODOLFO
(Entrando por la izquierda.)

Germán, herido... ¡Mi honor
ha vengado el brigadier!

(Dentro, por la izquierda, suenan las voces de MARCELA,
ANGELINA *y* DOÑA CALIXTA, *que se acercan.)*

DOÑA CALIXTA
¡Los disparos han sonado
muy cerca y hacia este lado!

ANGELINA
¡Mamá!

DOÑA CALIXTA
¡Marcela!

ANGELINA
¡Mamá!

(Por la primera izquierda aparece MARCELA, *que se
queda petrificada, viendo el cuadro.)*

MARCELA
¡¡Santo cielo!!

DOÑA CALIXTA
(Apareciendo con ANGELINA *por el segundo término
izquierda. Dolorosamente.)*

¡Hemos llegado
demasiado tarde ya! [141]

___

[141] "demasiado tarde" en *O. C.*, sin duda por error.

DON MARCIAL
¿Qué hacéis aquí?

FEDERICO
¡Las señoras!

DON MARCIAL
¡Son las tres!

DON JUSTO
No se irán...

MARCELA
(Sin poder contenerse, echándose sobre GERMÁN, *a quien está curando* DON ELÍAS.*)*

¡Germán! ¡Escucha! ¡¡Germán!!
(A DON ELÍAS.*)*

¿Va a morirse?

DON ELÍAS
(Sin perder su alegría.)

Es cuestión de horas.

MARCELA
(Desesperada.)

¡¡No te mueras, Germán mío!!

DON MARCIAL
(Delirante, avanzando hacia el grupo.)

¿Le llamas mío?

RODOLFO
¡Qué lío!

(En la derecha, primer término, aparece EL CAPELLÁN, *un sacerdote de unos cincuenta años.)*

EL CAPELLÁN
¿Qué ocurre aquí?

DON JUSTO
¡El capellán!
¿A qué saldrá ahora este lío?

RODOLFO
A lucir el balandrán.

EL CAPELLÁN
(Indignado.)

¡Batirse en un cementerio!
¿Es herejía [142] o locura?

DON MARCIAL
(Con voz tonante.)

¡¡Es algo más, señor cura,
que un duelo!! ¡¡Es un adulterio!!

EL CAPELLÁN
¡Jesús!

ANGELINA
¡Papá!
(Va hacia DON MARCIAL.*)*

DON JUSTO
Don Marcial...

---

[142] "heregía", en *A*.

MARCELA

(Reaccionando, levantándose y dirigiéndose a DON MAR-
CIAL.*)*

Marcial, oye: ¡te prometo!...

DON MARCIAL

(Interrumpiendo con acento irrebatible.)

¡Calla, mujer infernal,
que descubrí tu secreto!

RODOLFO

(El barullo es colosal...)

MARCELA

(Retorciéndose las manos. Furibunda.)

¡No es cierto! ¡No es cierto! ¡Mientes!

DON MARCIAL

(Furibundo.)

Lo he visto, y verlo me aterra.
¡¡Lo he visto con estos lentes [143]
que se ha de comer la tierra!!

(Emplazando, sinaítico, a MARCELA.*)*

Pero ¡¡juro ante Dios
y ante el señor capellán
y ante estas gentes que están
oyéndonos a los dos,
que en este preciso instante
te desprecio y te maldigo
y me importarás un higo
desde hoy día en adelante!!

---

[143] La sinécdoque vuelve a ser causa de humor.

MARCELA
(Espantada.)

¡Virgen santa!

Se desmaya y la atienden ANGELINA *y* DOÑA CALIXTA.*)*

GERMÁN
(Que está hecho cisco, a DON MARCIAL.*)*

Caballero...
no grite usted si es capaz...
Me muero, y ya que me muero
déjeme morir en paz...

DON MARCIAL
(Sin ceder en su furia.)

¡Tanto la rabia me abrasa
que no creeré que ello pasa
si su muerte no presencio!
¡Morirá usted en silencio, [144]
pero morirá en mi casa! [145]

(Volviéndose a los que rodean a GERMÁN.*)*

Señores: trasládenle
hasta allí con diligencia.

*(*DON ELÍAS, FEDERICO *y* RODOLFO *obedecen, cargan con*
GERMÁN *y se lo llevan cuidadosamente por la izquierda.)*

Si muere, [146] tendré clemencia
para él y le rezaré.

(Gozándose en su venganza.)

Mas, si le salva la ciencia
del doctor, esperaré

---

[144] "¡Morirá usted en mi casa", en *A.*
[145] "y morirá usté en silencio!", en *A.*
[146] "si se muere", en *O. C.*, por error.

a que entre en convalencia
y, en cuanto ya esté bien vivo,
¡entonces le mataré
de un modo definitivo!
Pues la justicia se expande
desde el grande hasta el pequeño!...

DON JUSTO
(Felicitándole con entusiasmo.)

Marcial, eres el más grande.
¡Se ve que eres madrileño! [147]

TELÓN

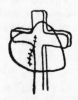

[147] Alusión a una estrofa del pasodoble dedicado al torero Marcial Lalanda, que resulta aquí un anacronismo, pero motiva la carcajada del público (1903-1990).

ACTO TERCERO

Jardín a todo foro en la casa del brigadier. En la derecha, un banco de madera. En la izquierda, la fachada del palacete con puerta practicable en el centro, a la que se llega por dos o tres escalones y un distilo. [148] A derecha e izquierda, términos del jardín. Arboleda en el foro. Pintados sobre gasa, en esa arboleda, tres transparentes: dos pequeños a los lados y uno grande, en el centro, que no se verán hasta que, en momento oportuno, se iluminen sus forillos.
Es al anochecer del día siguiente. Conforme avanza el acto, va anocheciendo.

(Al levantarse el telón, la escena sola. Dentro se oyen lejanas las voces de unas niñas, que cantan a coro.)

"¿Dónde vas, Alfonso, doce,
dónde vas, triste de ti?
Voy en busca de Mercedes,
que ayer tarde no la vi.
Que ayer tarde no la vi" [149]

[148] Ignoro a qué se refiere, quizás un peristilo o galería de columnas que rodean el palacete.
[149] La canción, que se hizo popular en la época, llegando en los juegos infantiles hasta bien pasados los sesenta, hace referencia al estado de enajenación del rey tras la muerte de María de las Mercedes. Véase nota 66.

(Las voces infantiles van perdiéndose en la distancia.)
(Una pausa y por la derecha entra DON MARCIAL. *Su expresión es trágica. Habla lúgubremente.)*

DON MARCIAL

Dichas y amor de mujer,
engañosos como el mar;
¡cuánta dulzura al mirar!,
¡cuánto amargor al beber!... [150]

(Se deja caer en el banco a encararse con su drama interior.)

Recuerdo de mi baldón
que atormentas mi existencia,
¡con qué cruel persistencia
corroes mi corazón!
Y las peticiones mías
hechas a Dios, son baldías,
pues me corraes...

(Dudando.)

¿es corraes,
o carroes o carraes,
o corrúas o corrías?

(Angustiosamente.)

¿Cómo se dice, Dios mío
que me estoy haciendo un lío.
como si hablase en francés?

(Pasando revista a sus conocimientos gramaticales.)

Corroer... corroo, corrío...,
corroas...

(Vivamente.)

[150] Estrofa que tomó, como advierte Ariza Viguera, de *El nudo gordiano*, de Eugenio Sellés. *Enrique Jardiel Poncela en la literatura humorística*, cit. p. 104.

¡Corroas es!
Mas, pensando en el ultraje
que me ha atacado infamante,
quizá no es muy importante
una duda de lenguaje.

*(Recreándose exaltado en su propio dolor como los
clásicos héroes de la tragedia griega.)*

¡Yo, engañado! ¡Yo, un marido
de esos a quien ve la gente
con mirada sonriente
y un ademán convenido!...
¡¡Que a todo un gran brigadier,
que siempre venció en campaña,
o dentro o fuera de España,
se la pegue su mujer!!
¡¡Que yo tenga el mismo fin
de otro individuo cualquiera!!...

(Con vergüenza.)

¿Qué diría don Juan Prim, [151]
si en su tumba lo supiera?

(Reconcentrándose.)

---

[151] Prim (véase nota 8) había muerto en 1870.

¿Y por qué razón, Dios Santo,
por qué chiripa, Señor,
no me di cuenta de cuanto [152]
sucedía a mi alrededor? [153]

(*Razonador.*)

Yo no soy tonto ni lerdo
y no siendo lerdo o tonto,
debía saberlo tan pronto
como...

(*Deteniéndose pensativo.*)

Pero ahora recuerdo
que un día sí sospeché...
Y aquella sospecha fue
porque yo mosca [154] gastaba
y a Marcela le gustaba
hasta una mañana en que
abandonó la opinión
que siempre hubo sustentado,
diciéndome que afeitado
le hacía más ilusión.
"Marcial, la mosca te avieja.
¡Quítatela!" Obedecí...
Mas al quitarla de aquí

(*Se señala la barbilla.*)

sentí la mosca en la oreja.

(*Evocador.*)

Desde entonces se me enrosca
la duda en el corazón;
al ver a Germán sin mosca
me amosqué más, con razón...

---

[152] En este caso se juega con la paronomasia para producir la comicidad.

[153] "alredor", en *A*, por errata.

[154] Pelo que crece entre el labio inferior y el comienzo de la barba. La polisemia del término *mosca* originará el próximo juego de palabras.

¡Y así he perdido la fe
en la Tierra y en el cielo!
¡¡Bien que me han tomado el pelo,
incluso el que me afeité!!

(Por la derecha entra DON JUSTO, *sin nada a la cabeza, en
la actitud de quien busca a alguien.)*

DON JUSTO
Marcial...

DON MARCIAL
(Mirándole fijamente.)

Hola. Me buscabas...

DON JUSTO
Desde hace rato.

DON MARCIAL
Lo he visto;
pero como soy más listo
que tú, cuando te acercabas,

en un paraje imprevisto
me escondía y no me hallabas.

DON JUSTO

¿Y [155] te has escondido?

DON MARCIAL
(Después de un silencio.)

Sí.

DON JUSTO
(Frunciendo el ceño.)

¿Tan poco para ti valgo,
que al verme no me has dicho algo...?

DON MARCIAL

¿Qué te iba a decir, orí? [156]

DON JUSTO
(Sentimentalmente; venciendo su resquemor.)

Soy tu amigo.

DON MARCIAL
(Dándole la espalda.)

Ya lo sé.

DON JUSTO
(Más sentimental todavía.)

El más íntimo, Marcial,
de cuantos tienes.

---

[155] "Que", en *A*.
[156] "Grito que en el juego del escondite dan los escondidos para que los empiecen a buscar", *D. R. A. E.*, ed. 1984.

DON MARCIAL
(Volviendo el rostro.)

¿Y qué?

DON JUSTO
(Sentimentalísimo.)

Que, siéndolo, es natural
que me confíes, sincero,
tu dolor y tus torturas
y yo haré [157] éstas menos duras
y el otro más llevadero.

*(DON MARCIAL vuelve a mirarle de hito en hito y, después
de una pausa, le maúlla en la cara.)*

DON MARCIAL
¡Miau!

DON JUSTO
(Estupefacto.)

¿Cómo?

DON MARCIAL
Que... ¡de verano!

DON JUSTO
(En el colmo del asombro.)

Marcial...

DON MARCIAL
(Tajante.)
Peroras en vano.

[157] No existe esta palabra en *O. C.*, seguramente por error de
impresión.

DON JUSTO

¿No es humana mi bondad?

DON MARCIAL

(Terminante.)

Conozco a la humanidad.
Y lo único que es humano
es hablar con arrebato
de cariño inoportuno...
¡y compadecerle a uno
...para divertirse un rato!

(Después de una pausa.)

Si es que ese era tu deseo
dímelo, que yo poseo
de procedimientos varios.
Toma... ahí va uno, por si cuaja.

(Metiéndose una mano en el bolsillo y extrayendo de él un paquetito.)

DON JUSTO

¿Y esto qué es?

DON MARCIAL

Una baraja
para que hagas solitarios.

(Se va por la derecha. Al tiempo que por la izquierda (casa) entra RODOLFO.*)*

DON JUSTO

(Hablando para su interior y guardándose la baraja.)

Le soportaré el desaire,
porque es tan birria ese idiota

que si le doy con la bota
se muere de hambre en el aire.

(A RODOLFO, *que avanza.)*

¿Cómo está Germán?

RODOLFO
(Abatido.)

Igual;
a esto no se le ve el fin,
por desgracia. ¿Y don Marcial?

DON JUSTO
También sigue en el jardín.

(Por la izquierda (casa) entra DOÑA CALIXTA.*)*

¿Y qué dice don Elías
del herido?

RODOLFO
Tonterías.

DON JUSTO
Si ese pobre es un batata...[158]

DOÑA CALIXTA
(Interviniendo.)

Su ciencia es tan insegura
y tiene tan mala pata,
que cuando ha de curar, mata;
y cuando ha de matar, cura.

---

[158] No existe esta intervención de don Justo en *A.*

RODOLFO

A propósito de curas, [159]
por ahí anda el capellán
aconsejando mixturas
destinadas a Germán
y recitándole preces
para que se muera en calma.

DOÑA CALIXTA

Le ha recomendado el alma
lo menos cinco o seis veces.

DON JUSTO

Pues que no se haga ilusiones
y que lo deje, si quiere,
porque Germán no se muere
ni con recomendaciones.

(*Por la izquierda entra* DON ELÍAS. *Al verle, todos le rodean preguntándole con ansia.*)

DOÑA CALIXTA

¿Qué?

RODOLFO y DON JUSTO

¿Qué?

DON ELÍAS

Nada todavía.

(*Desaliento general.*)

DON JUSTO

¡Nada!

---

[159] Este tipo de dilogía es muy del gusto de Jardiel. En otra ocasión dirá: "Fue a hacerle una cura y el tío se opuso medio delirando: / ¿Curas a mí? ¡Ni curas ni frailes, Pedrito! *Pero... hubo alguna vez once mil vírgenes?*, ed. cit., p. 232.

DOÑA CALIXTA
Nada...

RODOLFO
Nada...

DON ELÍAS
No.
Les dije que moriría... [160]

(Ansiedad en los tres.)

DON JUSTO
¿Cuándo?

DOÑA CALIXTA
¿Cuándo?

RODOLFO
¿Cuándo?

DON ELÍAS
(Justificando su impotencia científica.)

Yo.
no puedo fijar el día
y no ha sido culpa mía
si en el duelo no murió.

DON JUSTO
Pero ¿y la bala?

DON ELÍAS
No sé.

*(*DOÑA CALIXTA, RODOLFO *y* DON JUSTO *le miran con
extrañeza.)*

[160] "Yo / les dije que moriría", en *A*.

Primero estuvo en el pecho
y dentro avanzó gran trecho
y a los pulmones se fue.
A las diez debió marcharse
de la región pulmonar
para ir a localizarse
en la pelvis y pasar
al riñón, acto seguido,
en donde ha permanecido
hasta la hora de almorzar.
Pero después del almuerzo
se produjo el extravío... [161]
En fin; que nunca vi un lío
tan grande desde que ejerzo. [162]
Mas, cuanto digo lo avala
mi cuidado en los sondajes.

DON JUSTO
(Inquisitivo.)

¿Y qué pretende esa bala
efectuando tantos viajes?

(Por el tercer término izquierda aparece el CAPELLÁN.*)*

RODOLFO
(Aparte, a los demás.)

El capellán...

DON JUSTO
¡Hombre, bien!

DON ELÍAS
Su opinión es buen sostén.

---

[161] Entre este verso y el anterior hay otro en *A*: "sin duda de algún esfuerzo."

[162] La explicación deshonra a don Elías y a todo el estamento médico, en el que Jardiel no tenía confianza alguna, como vimos.

DOÑA CALIXTA
Oigamos sin perder ripio...

DON ELÍAS
Y usted, ¿qué opina, mosén?

EL CAPELLÁN
(Con la gravedad de quien dice algo decisivo.)

"Sicut erat in principio
et nunc et semper. Amén". [163]

RODOLFO
(Aparte, a DOÑA CALIXTA.*)*

¿Eso es inglés o alemán?

DOÑA CALIXTA
Eso es latín, criatura.

DON ELÍAS
Digo, señor capellán,
si cree usted que Germán
se morirá o tiene cura,
pues mi arte en la ocasión ésta
su experiencia necesita.

EL CAPELLÁN
(En el mismo tono de antes.)

"Excusatio non petita,
acusatio manifesta". [164]

DON ELÍAS
Le juro que no le [165] entiendo...

---

[163] "Según era en el principio y ahora y siempre. Amén", párrafo extraído del canon de la misa.

[164] "Disculpa no solicitada supone una autoinculpación", aforismo muy popular, especialmente en los centros de enseñanza.

[165] "lo", en *O. C.*, que ha de considerarse error tipográfico.

EL CAPELLÁN

(Alzándose de hombros.)

Lamento que no me entienda;
pero voy por la merienda,
pues yo hasta que no meriendo
no acostumbro a soltar prenda.

*(Inicia el mutis por la casa en el momento en que de ella
salen* MARCELA *y* ANGELINA.*)*

MARCELA

(Al CAPELLÁN, *dulcemente.)*

Descuide usted, don Ubaldo,
que no me olvido de usté
y ahora mismo ordenaré
que le den a usted [166] un caldo.

EL CAPELLÁN
Muchas gracias.

MARCELA
No hay de qué.

(El CAPELLÁN *se va por la casa.* RODOLFO, DON JUSTO *y*
DOÑA CALIXTA *inician el mutis por el mismo sitio.)*

¿También ustedes se van?

DON JUSTO

Vamos ahí dentro un momento
a ver cómo está Germán.

(Se van los tres por la casa.)

---

[166] Esta forma *usted* contrasta con la forma *usté* dos versos antes.

MARCELA

(A ANGELINA, *con ansia que disimula heroicamente.)*

¿Tú crees?

ANGELINA

Como lo cuento.
Papá tiene que ceder:
sabrá comprender al ver
su claro arrepentimiento.

MARCELA
(Con un suspiro.)

Lo ocurrido, hija adorada,
no lo puede comprender,
por más que haga, un brigadier
de la séptima brigada.

ANGELINA

Yo le hablaré...

MARCELA
(Atemorizada.)

¡No! ¡Qué horror!

ANGELINA

Pero ¿por qué ese temor? [167]
A mí me perdonará
Rodolfo, aunque le agravié
y estoy cierta de que a usté
la perdonará papá.

MARCELA

Lo tuyo fue una imprudencia
fruto de tu inexperiencia
de muchacha jovencita.

---

[167] "dolor", en *A.*

ANGELINA

Bueno... Igual que usté, mamita.

MARCELA

(¡Dios mío! ¡Cuánta inocencia!) [168]

ANGELINA

(Animándola.)

Ya verá cómo él refrena
esa actitud inhumana.
Déjeme ir...

DON MARCIAL

(Ya convencida.)

Di que ardo en ganas
de ser formal y ser buena
¡y que ya que no Susana, [169]
aún puedo ser Magdalena! [170]

ANGELINA

Eso mismo le diré.

(Mirando hacia la derecha.)

Ahí viene... ¿Voy?

[168] Estos últimos nueve versos no existen en *A*. En su lugar, este parlamento de Marcela: "¿Pretendes que no me aflija / cuando mi drama es tan serio? / ¿Cómo puede ser mi hija / cómplice de mi adulterio? / ¿Cómo ella misma le va / a pedir que eche en olvido / mi delito a su papá, / si su papá es mi marido?"

[169] En el libro de *Daniel,* esposa de Joaquim, joven judía célebre por su castidad.

[170] María Magdalena, mujer pública judía contemporánea de Jesucristo, a quien lavó y luego secó los pies con sus propios cabellos en señal de arrepentimiento por sus pecados.

MARCELA
(Rendida.)

Bueno; ve.
Siempre logras lo que quieres...

ANGELINA
Verá cómo es muy sencillo.

MARCELA
(Contemplándola con amor y admiración.)

¡Tú no eres mi hija! ¡Tú eres
una santa de Murillo!

(Se va por la casa.)
*(*DON MARCIAL *entra por la derecha.)*

ANGELINA
Papá...

DON MARCIAL
(Hablando para sí.)

(Mi hija... Otra perjura...
Por más que ésta, bien mirado,
tiene menos cara dura,
pues cometió su locura
antes de haberse casado...)

ANGELINA
(Decidiéndose.)

Vengo a hablar, y antes de que hable
creo que será mejor
el que me haga usté un favor.

DON MARCIAL
¿Qué favor es?

ANGELINA
Darme el sable.

DON MARCIAL
(*Extrañado.*)

¿Mi sable? ¿Por qué lo quieres?

ANGELINA
Por capricho. ¿Sí o no?

DON MARCIAL
¿Quién entiende a las mujeres?

ANGELINA
¿Qué? ¿Me lo da?

DON MARCIAL
Tómalo. [171]

(*Se desciñe el sable y se lo da.*)

ANGELINA
Y ahora, perdona, papá,
mi proceder despreciable...

(*Mimosamente.*)

Juro que su hijita está
arrepentida de...

DON MARCIAL
(*Creyendo comprender.*)

¡¡Ya!! [172]
Ahora caigo en lo del sable.

---

[171] Recuérdese nota 76.
[172] Falta esta exclamación en *O. C.*, sin duda por error.

¿Tenías miedo por ti?
Mujer; pues es excesivo.

(Suavemente.)

Sí me has tocado en lo vivo
con lo hecho ayer; mas de ahí
a creer...

ANGELINA
(Bajando los ojos.)

Si no es por mí
por quien el sable recibo.

DON MARCIAL
¿Qué dices?

ANGELINA
De otra cuestión
espero la solución.
Lo mío me importa menos...

(Decidiéndose y ocultando el sable detrás de sí.)

Vengo a pedirle perdón...
por mamá.

DON MARCIAL
(Echando chispas y dano un respingo.)

¡¡Rayos y truenos!!
¡¡Relámpagos apagados!! [173]
¡¡Cien hil bombas!! ¡¡Voto a bríos!!
¡¡Infiernos, volcanes fríos
y demonios colorados!! [174]

---

[173] "apagaos", en *A.*
[174] "coloraos", en *A.*

ANGELINA

Pero, papá...

DON MARCIAL

¡¡Satanás!!
¡¡Lucifer y Belcebú!!
¿De quién vienes a hablar tú?
¡¡Déjame!! ¡¡Márchate!! ¡¡Atrás!!

ANGELINA

Papá, escuche...

DON MARCIAL

¡Cállate! [175]
¿Perdón, esa miserable?
Pero ¿qué oigo? ¡Dame el sable!

ANGELINA

Pero, papá...

DON MARCIAL

¡¡Dámele!! [176]
¡Pronto, que mi alma desea
lucha, exterminio y pelea!
¡Voy a blandirlo, hija mía,
igual que lo blandí el día
del combate de Alcolea!

ANGELINA

Papaíto; un brigadier
no debe hablar de esa forma.

DON MARCIAL

¿Vas a darme tú la norma
de cómo he de proceder?

[175] Recuérdese nota 76.
[176] Id. El leísmo permite la rima, que hubiera sido imposible con *lo*.

ANGELINA
(Convincente.)

Es que mamá tiene gana
de ser formal y ser buena
y ya que no fue Susana,
aún puede ser Magdalena.

DON MARCIAL
(Retrocediendo dos pasos.)

¿Te ha [177] dicho eso?

ANGELINA
Sí, señor.

DON MARCIAL
(Después de meditar unos momentos.)

Pues a contestarla accedo
con una frase mejor.
Dile que si, por mi homor,
no soy Juan Lanas, [178] aún puedo
ser Jack, el Destripador. [179]

(Por la casa salen DON JUSTO, RODOLFO *y* EL CAPELLÁN.
Vienen muy nerviosos.)

DON JUSTO
¡Marcial!

---

[177] "he", en *O. C.*, por error tipográfico.

[178] Hombre apocado que se presta con facilidad a todo cuanto se quiere hacer de él. Defino por el *D. R. A. E.*, ed. cit.

[179] La cita de este personaje es anacrónica. Jack the Ripper, pseudónimo de un asesino que la policía londinense no supo localizar, cometió sus crímenes en la zona de Whitechapel entre el 7 de agosto y el 10 de noviembre de 1888. Por ello, don Marcial no puede conocer su actividad delictiva en 1880. Sí la conoce el público de 1934, a quien va dirigida la obra. Algún espectador podía incluso haber tenido noticias del drama de Marie Adelaide Belloc Lowndes, *The Lodger* (1913), inspirado en Jack el Destripador.

RODOLFO
¡Brigadier!

DON MARCIAL
¿Qué pasa?

DON JUSTO
(Apremiante.)

¡Ven con nosotros!

DON MARCIAL
¿Quién? ¿Yo?
¿A dónde?

DON JUSTO
A casa...

DON MARCIAL
¡No!

EL CAPELLÁN
¿No? [180]

DON MARCIAL
(Inapelable.)

¡No pisaré más la casa
donde está quien me afrentó!

DON JUSTO
(Seriamente.)

¡Has de venir!

EL CAPELLÁN
¡Venga usted!

---

[180] "¡No!", en *O. C.*, por error.

DON MARCIAL
(Irritado.)

Pero ¿a qué tamaño afán?

DON JUSTO
Es que se muere Germán.

DON MARCIAL
Conformes; le rezaré.

EL CAPELLÁN
(Dolido de la crueldad de DON MARCIAL.*)*

¡Don Marcial!

DON JUSTO
(Con gravedad.)

Yo soy testigo
de que el pobre hombre se muere
y que antes de morir quiere
hablar no sé qué contigo.

DON MARCIAL
(Firme en su decisión.)

Me es igual que muera o viva,
y lo que ha de referir
que me lo mande a decir
y, si no, que me lo escriba,
porque yo no lo he de oír.

DON JUSTO
(Tercamente.)

Pues, te cuadre o no te cuadre,
debes ir...

DON MARCIAL
(Rotundo.)

¡No! No he de verlo.
No me insistas, Justo.

DON JUSTO
(Volviéndose hacia el CAPELLÁN.*)*

Padre:
ayúdeme a convencerlo.
Usté afirmó que diría
algo que le ablandaría.
Dígalo, pues.

EL CAPELLÁN
Lo diré.

(Brindándole a DON JUSTO *su intervención en el asunto.)*
Don Justo, va por usté.
(A DON MARCIAL, *elevando un dedo rígido sobre su
cabeza y hablando como si fuera Jehová.)*

"Cimonis summum impía".[181]

DON JUSTO
(Encarándose con DON MARCIAL, *muy cargado de razón.)*

¿Qué contestas a eso?

---

[181] No es fácil encontrar sentido a esta expresión. Podría significar
"la maldad de Cimón alcanza su cota máxima". La Historia, sin
embargo, no nos propone a Cimón como modelo de maldad. Tras haber
conseguido la preponderancia marítima de Atenas fue acusado de abuso
de poder y desterrado por ello. Pericles lo puso nuevamente al mando de
la escuadra ateniense que venció a los persas en Chipre, batalla en la que
murió Cimón.

Si "Cimón" fuese una mala lectura de "Simón", la estructura latina
parece cobrar mayor sentido, ya que Simón Mago no sólo quiso
comprar a San Pedro la facultad de hacer que llegara el Espíritu Santo a
aquél sobre quien impusiera las manos (*Act.,* 8, 9-24), sino que la
patrística posterior llegó a considerarlo como el prototipo de la maldad,
el malvado por excelencia.

DON MARCIAL

(Después de dudar, pero convencido de que el EL CAPE-
LLÁN *le ha dicho algo muy gordo.)*

Iré. [182]

(Se va, seguido de [183] todos, por la casa. ANGELINA *sujeta
a* RODOLFO *por la americana.)*

ANGELINA

Tú no te vas...

RODOLFO

¿Eh?

ANGELINA

Te lo pido.
aun a riesgo de cansarte.
¡Perdón!

RODOLFO

No he de perdonarte...

ANGELINA

¡Pero si no he cometido
nada que pueda agraviarte!

RODOLFO

Ya sólo busco el olvido
de cuanto llevo sufrido...
Me refugiaré en el arte
y con todo lo ocurrido
para mí de cruel y adverso
escribiré un drama en verso
que será muy aplaudido.

---

[182] A partir de aquí, Jardiel ha añadido varios parlamentos inexisten-
tes en *A*. Las variantes se incluyen en nota 185.
[183] "por", en *D*.

ANGELINA

¡Pero tienes que escucharme
antes de dejarme sola!
Te aseguro que al raptarme
Germán me obligó a marcharme
empuñando una pistola.

RODOLFO

Oye, Angelina: eso es trola
y tú quieres embrollarme...

ANGELINA

¡¡Que no es trola, que es verdad!!
La pura verdad, Rodolfo.
Ese Germán es un golfo
sin pizca de dignidad.
Ayer, cuando me raptaba,
en tanto que yo clamaba
inútilmente en la noche,
él me agarró por el pelo,
y, a la rastra, por el suelo,
así me llevó hasta el coche.
Y para que no gritara
y le espantase la caza,
me puso, como mordaza,
un pañuelo por la cara.

RODOLFO

¿Es posible? ¡Calla, calla!

ANGELINA

Así ocurrió, Rodolfín.

RODOLFO

¿Permitirá Dios que, al fin,
no se muera ese canalla? [184]

---

[184] Resulta inconcebible que Rodolfo pueda llegar a creerse lo que Angelina está diciéndole, si tenemos en cuenta que él los vio salir el día anterior.

ANGELINA
(*Señalando la casa.*)

¡Ahí sale!

RODOLFO
¿Eh? ¡Qué bandido!

(*Por la casa salen* DON MARCIAL, DON JUSTO, DON ELÍAS,
GERMÁN, MARCELA, DOÑA CALIXTA *y* EL CAPELLÁN.)

EL CAPELLÁN
Que se siente ahí el herido.

GERMÁN
Que se siente don Marcial,
que es lo digno y lo cabal,
en el sitio preferido.
Yo hablaré de pie y erguido.
Y a hablar así me decido
porque ya no estoy tan mal.

DON MARCIAL
Eso veo. Y es extraño... [185]
¿O es que, por ventura, he sido
víctima de un nuevo engaño? [186]
Lo que Justo me decía
para que yo me animase
era que...

---

[185] Desde la llamada 182 el texto de *A* es como sigue: "*Inicia el mutis
por la casa a tiempo que aparece en la puerta* GERMÁN, *envuelto en un
batín, y seguido de* DOÑA CALIXTA, DON ELÍAS, *y* MARCELA. //
GERMÁN. // *Avanzando.* // No hace falta, don Marcial. // DON
JUSTO. // *Sorprendido.* // ¡Germán! // RODOLFO // *Que se hallaba
hablando aparte, muy amartelado con* // ANGELINA. // ¡Germán!... //
EL CAPELLÁN // ¡El herido! // GERMÁN // A venir me he decidido /
porque ya no estoy tan mal. // *Consternación en todos.* // DON
MARCIAL // *Hoscamente.* // ¿Que no está mal? ¡Es extraño!"
[186] Entre signos de admiración en *A*.

GERMÁN

Que me moría...

(Sonriendo con tristeza.)

Puede usté acabar la frase.
Porque de sobra comprendo,
aunque lo vengo callando,
que yo aquí estoy estorbando
por cuanto viene ocurriendo.

(Irguiendo la cabeza.)

Pero me atrevo a prever
que nos vamos a entender.

DON MARCIAL
(Humanizándose.)

De igual modo lo preveo.
¿Qué quiere de mí?

GERMÁN

Deseo
hablarle de su mujer.

(DON MARCIAL se estremece. Emoción en todos, que hacen aparte sus respectivos comentarios.)

DON JUSTO
(¡Qué cínico!)

DON ELÍAS
(¡Qué valiente!)

DOÑA CALIXTA
(¡Qué sinvergüenza!)

RODOLFO
(¡Qué tío!)

ANGELINA
(¡¡Qué canalla!!)

MARCELA
(¡Qué inocente!)

DON MARCIAL
(¡Qué desalmado!)

EL CAPELLÁN
(¡Qué lío
va a armar éste, Dios clemente!)

GERMÁN
(*A* DON MARCIAL, *respectivamente.*)

Si le parece a usté mal
hablar delante de gente...

DON MARCIAL
(*Alzándose de hombros.*)

Eso para mí es igual,
ya que, desgraciadamente,
mi caso es tan general
como Palafox. [187]

GERMÁN
Corriente.
Pues hablemos, don Marcial.

(*Con sinceras tristeza y desilusión.*)

Me muero; no tengo cura...

---

[187] De nuevo la dilogía en *general* origina la comicidad. El general
José de Palafox y Melci (1776-1847) fue famoso por su actividad durante
la guerra de la Independencia, especialmente durante el sitio de Zaragoza.

DON MARCIAL
(Severamente.)

¿Palabra?

GERMÁN
(Vencido.)

Usted lo desea
y fallecer es la idea
que en mi espíritu perdura.

DON JUSTO
(Aparte a DON ELÍAS, *despectivamente y refiriéndose a* GERMÁN.*)*

(¡Qué va a morirse! Ese perdura
hasta la Guerra Europea). [188]

GERMÁN
(Amenazador, a DON MARCIAL.*)*

Mas viviendo seguiré
si me niega usted una cosa...
que pienso pedirle a usté.

DON MARCIAL
Juro que se lo daré.

(Con interés no disimulado.)

¿Qué es?

GERMÁN
(Dulcemente: persuasivo.)

Que perdone a su esposa.

---

[188] Evidente anacronismo. En 1880 don Justo no puede conocer la existencia de tal guerra, que debe ser la I Guerra Mundial. Pero el público sí lo sabe y puede comprender la hipérbole.

(DON MARCIAL, después de una pausa emocionante, rompe a reír a carcajadas. Todos le miran estupefactos y temerosos. GERMÁN *avanza hacia él desconcertado.)*

¿Cómo? ¿Se ríe?

DON MARCIAL
Sí, a fe.

(Ríe más todavía. El estupor de los presentes aumenta.)

DON ELÍAS
Es una risa nerviosa...

DON JUSTO
(Alarmado.)

Pero... ¿será peligrosa?

DON ELÍAS
(Yendo hacia DON MARCIAL.*)*

Eso luego lo diré.

(DON MARCIAL sigue riendo a más y mejor. El estupor general va convirtiéndose en miedo.)

MARCELA
¡Marcial!

DOÑA CALIXTA
¡Que se va a enfermar!

DON JUSTO
Marcial: ¡oye!

ANGELINA
¡Padre mío!

(DON MARCIAL sigue riendo desaforadamente. Todos rodean el banco donde está sentado, francamente aterrados ya.)

RODOLFO
¡Loco!

DON JUSTO
(A DON ELÍAS.*)*

Hágale [189] callar...

*(*DON ELÍAS *le da golpecitos en las mejillas a* DON MARCIAL *para volverle a la realidad sensible.)*

DON JUSTO
¿De qué ríe usted?

DON MARCIAL
(Dejando de reír poco a poco y permutando sus carcajadas por un gemido doloroso.)

Me río...
¡Me río por no llorar!

(Una pausa angustiosa.)

Por eso río... Además
¿qué extraño es que yo me ría
si de esta tragedia mía
también reirán los demás?
¿Si la humana condición
halla sus risas mejores
en lo hondo de los dolores
que estrujan el corazón?

(Un nuevo silencio. Alzándose del banco y ganando el centro de la escena. Patéticamente.)

Visto de todas maneras
el adulterio es risible;
pero..., pero lo sensible
es que uno sufre de veras...

---

[189] "hazle", en *A*, con lo que el verso resultaba heptasílabo.

Y con mosca o con perilla,
con bigote o con tupé,
¡pobre de aquel que se ve
viviendo esa pesadilla!...

GERMÁN
(Con lástima y arrepentimiento.)

Don Marcial, despierte usté.

DON MARCIAL

No es difícil despertar;
lo imposible es perdonar
cuando se odia a una persona.

GERMÁN
(Firmemente.)

¡Es que si usted la perdona
me moriré sin tardar!

DON MARCIAL
(Escéptico.) [190]

¡Usted qué se va a morir!
Usté ha nacido inmortal
como Ramón y Cajal, [191]
que empieza ahora a rebullir...

GERMÁN
(Conciliador.)

Nadie sabrá lo ocurrido,
ni le perderá el respeto,

---

[190] *"Excéptico"*, en *A*.
[191] Nuevo anacronismo. En 1880 Ramón y Cajal era poco conocido aún, pese a haber estado en la campaña de Cuba, alcanzando el grado de capitán y haber obtenido en 1879 el cargo de director de Museos Anatómicos de la Universidad de Zaragoza. El público, sin embargo, sabe que había obtenido el Nobel de Medicina en 1906.

pues se guardará el secreto
de todo lo sucedido,
y una vez que muera yo
usted hallará el olvido
como Rodolfo lo halló...

(Señala a RODOLFO *y a* ANGELINA, *que se hallan muy
cogidos del brazo. Todos ruegan, persuasivamente, con el
gesto a* DON MARCIAL.*)*

DON JUSTO
Marcial...

DON ELÍAS
Don Marcial...

ANGELINA
Papá...

RODOLFO
Brigadier...

DOÑA CALIXTA
Decídase... [192]

GERMÁN
Vamos, no lo dude usté...

EL CAPELLÁN
¿Digo un latín?

DON MARCIAL
(Desesperado.)

¡Callen ya!
En fiebre y dolor [193] me abraso.

---

[192] Recuérdese nota 76.
[193] "y en dolor", en *O. C.*, claramente error tipográfico.

¿Qué hubiera hecho en igual caso
mi buen padre, aquel señor,
prototipo del honor,
fuente de sangres azules,
que en su finca [194] de Algodor [195]
sembró unos campos... de gules
para mayor esplendor?...
¿qué habría hecho él?

(Se enciende en este instante el transparente pequeño del foro derecha, y aparece el PADRE DE DON MARCIAL, un caballero de unos cincuenta años, con chistera, en busto, dirigiéndose al brigadier.)

EL PADRE

Marcialito...

(Grito de horror en todos los presentes. GERMÁN hace mutis por detrás de la casa.)

DON MARCIAL
(Llevándose las manos a las sienes.)

¿Eh? ¿qué es esto? ¿Desvarío? [196]

EL PADRE

No. Soy tu padre, hijo mío.

DON MARCIAL
(Cayendo de rodillas ante el espectro.)

¡Qué aparición, Dios bendito!

(Todos los personajes se retiran a los lados con los párpados muy abiertos.)
(Hablando con voz fría de fantasma "standard".)

---

[194] "una", en *O. C.*, nueva errata.
[195] Debe referirse al río Algodor, afluente del Tajo.
[196] Está parodiando la escena de *Don Juan Tenorio* y *Comendador*.

Me represento ante ti
vistiendo como vestí
de cincuenta años, Marcial.
¿Te gusto?

DON MARCIAL
(Amablemente.)

Sí. No estás mal.

EL PADRE
Gracias. ¿Te alegras?

DON MARCIAL
(No muy convencido.)

¡Sí, sí!

EL PADRE
Soy tu padre.

DON MARCIAL
Ya lo he oído.

EL PADRE
Y como me has invocado,
al oírte me he apresurado
a venir, y ya he venido.

DON MARCIAL
(Con tono ligero e informativo.)

¿Por mucho tiempo?

EL PADRE
Un instante,
Marcial, estaré presente

y luego, rápidamente,
me quitaré de delante.
Tengo el tiempo muy escaso.

DON MARCIAL
(Siempre interviniendo.) [197]

¿Y no volverás?

EL PADRE

Ya no.

(Solemnísimamente.)

Vengo a explicar que tu caso
también a mí me ocurrió.

(DON MARCIAL da un respingo y se pone de pie.)

DON MARCIAL
¿Mi caso? ¡No he [198] de creer
que la que a mí me dio el ser
te engañase! ¡Eso es mentira!

EL PADRE
(Sin alterarse.)

Lo ocurrido vas a ver
con tus propios ojos. Mira.

*(Al llegar aquí se enciende el transparente del centro y se
ve en él un saloncito, puesto según el gusto de 1840, donde
empieza a desdarrollarse la pantomima mímica que EL
PADRE de DON MARCIAL va describiendo con las palabras
que siguen. Una mujer y un hombre, jóvenes, vestidos con
arreglo a la moda de 1840, también, aparecen abrazados
en el saloncito transparente.)*

[197] Esta acotación no está en *O. C.*
[198] "no lo he", en *O. C.*

Cuarenta años ha, una vez,
tu buena madre se hallaba
una tarde en Aranjuez,
en donde veraneaba,
y a un guapo mozo abrazaba
con ardiente amor...

(Las figuras del transparente se abrazan. Los que están en escena miran a DON MARCIAL *y se miran luego entre sí.)*

DON JUSTO
(¡Rediez!)

EL PADRE

Ella es la de la derecha
y el de la izquierda, el galán.
Yo me enteré del desmán
y acudí como una flecha
en mi caballo alazán.
El caballo no se ve,
pues lo até junto a una higuera.
Yo soy el de la chistera...

(Un nuevo personaje con chistera ha aparecido en el transparente en actitud agresiva para los otros dos.)

En cuanto entré, me lancé
hacia ambos como una fiera,
gritando: "¡Infames! ¡Malditos!
¡Rezad, que vais a morir!"
Pero en seguida, en mis gritos,
me tuve que reprimir;
pues tu madre alzó de pronto
su peregrino semblante,
diciendo: "No hagas el tonto,
que este chico no es mi amante."

(Las figuras del transparente van haciendo todo lo indicado en su relación por EL PADRE *de* DON MARCIAL.*)*

Yo exclamé: "¡Mientes en vano
y mi ánimo no vacila!"
Y ella replicó tranquila:
"Éste es mi hermano Emiliano,
el que vivía en Manila."
Y, en efecto, era su hermano,
según pude comprobar.
Rebosando de emoción,
caí a sus pies, a rogar
para mi injuria perdón.

(Se ve arrodillarse en el transparente a la figura que interpreta el papel de PADRE.*)*

Y ella me lo hubo de dar
con todo su corazón.

(Verificando también esto último, el transparente del centro se apaga.)

Si yo hubiese disparado,
por una equivocación,
ya ves, hijo, qué dramón
se habría desarrollado.
Contén, pues, tu paroxismo
y piensa, Marcial, si no
te sucede a ti lo mismo
que a mí hace años me ocurrió.

(Se apaga asimismo el transparente pequeño de la derecha, borrándose la figura del EL PADRE *de* DON MAR-CIAL.*)*

DON MARCIAL
(Avanzando con los brazos extendidos hacia el sitio donde apareció el espectro.)

¡Padre! ¡Padre!

RODOLFO
Se ha esfumado
su aparición imprecisa.

DON JUSTO

(Brindándoles una explicación racional.)

Dijo que tenía prisa
y se habrá ido a otro lado.

DON MARCIAL

Su voz al perdón me obliga.
¡Esto aumenta mi extravío!...

(Se enciende el transparente pequeño de la izquierda y aparece el busto de LA MADRE *de* DON MARCIAL, *una dama de la edad aproximada de su marido, que le habla también a* DON MARCIAL.*)*

LA MADRE
Marcial.

DON MARCIAL

(Parándose en seco.)

¡¡Cielos!!

LA MADRE

Hijo mío:
lo que tu padre te diga
no es la verdad. ¡Hubo lío!

DON MARCIAL
¿Cómo? Mamá...

LA MADRE

(Dulcemente.)

Sí; yo soy
en persona: Filomena.
Y has de saber que aquí estoy
para enseñarte el final
que tuvo luego la escena.
Contempla atento, Marcial.

(Se enciende de nuevo el transparente del centro y se ve, mientras el espectro [199] de LA MADRE *habla, cómo* EL PADRE *de* DON MARCIAL *se despide de su mujer y de su cuñado y se va, y cómo al irse, la mujer y el hombre vuelven a abrazarse amorosamente.)*

Tu padre se marchó ufano
de ver intacto su honor
y al marcharse, aquel señor
me volvió a abrazar, insano,
porque es que no era mi hermano,
sino que era un seductor.

DON MARCIAL
(Aterrado.)

¿Es posible? ¿Y tú, mamá?...

LA MADRE
(Digna.)

¿Qué supones? Fíjate. [200]

(Sigue la acción que se indica en el transparente iluminado.)

Cuando tu padre se fue,
dueña de mí misma ya,
a aquel hombre rechacé
y nunca, hijo, le engañé
con ninguno a tu papá.

(Después de verse esto último, se apaga el transparente grande definitivamente.)

DON MARCIAL
(Respirando tranquilo.)

¡Vuelvo a vivir, madre mía,
libre de negras ideas!

[199] "expectro", en *A.*
[200] Recuérdese nota 76.

LA MADRE

(Con gravedad materna.)

Me alegro, pero no creas:
tu padre se merecía
que faltase a mi virtú, [201]
pues, por su genio irritable,
era tan insoportable,
hijo mío, como tú.

DON MARCIAL

(Herido en su propia estimación.)

¡Pero madre!

LA MADRE

(Solemne, sin hacer caso de su protesta.)

Y si tú has sido
engañado, créelo, [202]
que lo tienes merecido
así es que aguántatelo. [203]

(Se apaga el transparente, y LA MADRE *de* DON MARCIAL
se esfuma.)

DON MARCIAL

*(Después de un silencio expectante. Con gravedad tras-
cendental.)*

Madre, te obedeceré,
y, pues me debo aguantar,
me aguantaré sin tardar
e incluso perdonaré.

(Tendiéndole los brazos a su esposa.)
¡Marcela!
(Yendo hacia DON MARCIAL, *también con los brazos
abiertos.)*

[201] Véase nota 37.
[202] Recuérdese nota 76.
[203] Id.

¡Marcial!
(Aparte, tranquilizándose al fin.)
¡Respiro!
Concluya, al fin, nuestro afán...

(Súbitamente, dentro en la izquierda, detrás de la casa, suena un tiro. Sobresalto de todos los personajes.)

DON JUSTO
¡Un tiro!

MARCELA
(Adivinando lo que ocurre.)
¡Dios mío!

DON MARCIAL
¿Un tiro?

RODOLFO
(Que al oír el tiro se ha ido corriendo por detrás de la casa, sale con el semblante descompuesto.)
¡Se ha suicidado Germán!

DON ELÍAS
(Saliendo también, después de un brevísimo mutis, por detrás de la casa.)
¡¡Ha muerto!!

TODOS
¡¡Oh!!

DON MARCIAL
¿Que se ha matado?

DON ELÍAS
¡Se ha disparado en la sien!

GERMÁN

*(Saliendo de pronto por detrás de la casa, ya de america-
na y con el hongo puesto. Saludando.)*

Señores...

TODOS

(Retrocediendo con espanto.)

¿Eh?

GERMÁN

(Con acento sencillo.)

Me he tirado,
pero no me he acertado
porque no he apuntado bien.

DON JUSTO

(Despectivo.)

¡Qué falta de seriedad!

(Se va DON JUSTO *por detrás de la casa.)*

DON MARCIAL

¿No dije que era inmortal?

GERMÁN

(Poniéndose una mano en el pecho.)

Pero ahora va de verdad,
pues para limpiar su honor,
sucio por mí, don Marcial,
voy a coger un vapor
y ¡a que me maten, señor,
en la guerra del Transvaal!

DON ELÍAS

¡Buena idea!

DON MARCIAL
(Enarcando las cejas.)

Hum... No me fío.
Váyase... ¡y Dios no le guarde!

DON JUSTO
(Saliendo por detrás de la casa nuevamente, empujando el velocípedo del acto primero.)

Y suba aquí, amigo mío,
no vaya usté a llegar tarde.

(Cuadro. Todas las figuras quedan inmóviles, donde se hallaban, y DON MARCIAL *se adelanta a la batería, dirigiéndose al público.)*

El drama se ha terminado
y, como al final, señores,
ruego el aplauso obligado
al autor y a los actores.

TELÓN

1880
HABANERA

(Música de Ricardo Boronat)

ÍNDICE DE LÁMINAS

ESTE LIBRO
SE TERMINÓ DE IMPRIMIR
EL DÍA 26 DE FEBRERO DE 1991